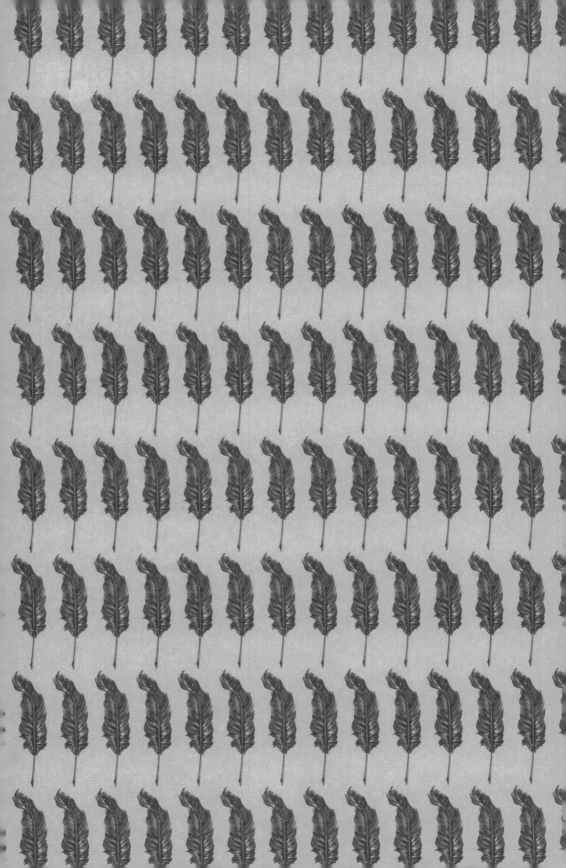

MEMÓRIAS PÓSTUMAS DE BRÁS CUBAS

THE POSTHUMOUS MEMOIRS OF BRAS CUBAS

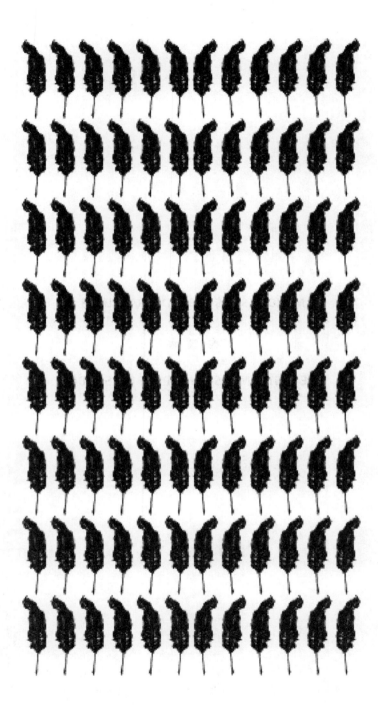

memórias póstumas de / *the posthumous memoirs of*

MACHADO DE ASSIS
BRÁS CUBAS

EDIÇÃO BILÍNGUE PORTUGUÊS INGLÊS

SÃO PAULO, BRASIL
2020

Machado de Assis

JOAQUIM MARIA MACHADO DE ASSIS, highly acclaimed as one of the greatest literary names in Brazil, was born on 21st June, 1839 in the city of Rio de Janeiro. Grandson of freed slaves, he was raised in a poor family and did not have a regular education, however, due to his enormous interest in literature, he became a self-taught man. In 1860 he started to collaborate with the "Diário do Rio de Janeiro" and that decade marks the outset of almost all his theatrical comedies and "Crisálidas", a book of poems.

In 1869, after wedding Carolina de Novaes, he had access to Portuguese and English literature and, in the following decade, published a series of novels, such as "A Mão e a Luva" (1874) and "Helena" (1876), gaining noteworthy recognition from the public and critics. So far, his literary production had markedly been romantic, but in the following decade he underwent a major stylistic and thematic change, starting Realism in Brazil with the publication of "The Posthumous Memoirs of Bras Cubas" (1881) and the works "Quincas Borba" (1891) and "Dom Casmurro" (1899). From then on, irony, pessimism, critical spirit and a deep reflection on Brazilian society would become the main features of his works, which also include poems, short stories, translations and plays.

At the beginning of the twientieth century, after founding the Brazilian Academy of Letters and the loss of his wife Carolina, he began to seclude himself and his health deteriorated. His last two novels date from that time: "Esau and Jacob" and "Memorial de Aires".

Machado de Assis died at his home in Rio de Janeiro on 29nd September, 1908 and his burial was followed by a crowd.

Machado de Assis

JOAQUIM MARIA MACHADO DE ASSIS, considerado um dos maiores nomes literários do Brasil, nasceu em 21 de junho de 1839 na cidade do Rio de Janeiro. Neto de escravos alforriados, foi criado numa família pobre e não teve uma instrução regular, porém, devido ao seu enorme interesse pela literatura, conseguiu se instruir por conta própria. Em 1860 passou a colaborar para o "Diário do Rio de Janeiro" e é dessa década que datam quase todas suas comédias teatrais e "Crisálidas", um livro de poemas.

Em 1869, após o seu casamento com Carolina de Novais teve acesso à literatura portuguesa e inglesa e, na década seguinte, publica uma série de romances, tais como "A mão e a luva" (1874) e "Helena" (1876), vindo a obter reconhecimento do público e da crítica. Até então a sua produção literária era marcadamente romântica, mas na década seguinte sofre uma grande mudança estilística e temática, iniciando o Realismo no Brasil com a publicação de "Memórias Póstumas de Brás Cubas" (1881) e as obras "Quincas Borba" (1891) e "Dom Casmurro" (1899). A partir de então a ironia, o pessimismo, o espírito crítico e uma profunda reflexão sobre a sociedade brasileira tornar-se-ão as principais características das suas obras que também abrange poemas, contos, traduções e peças teatrais.

No início do século XX, após fundar a Academia Brasileira de Letras e perder a esposa Carolina, passou a isolar-se e a sua saúde deteriorou. Dessa época datam os seus dois últimos romances: "Esaú e Jacó" e "Memorial de Aires".

Machado de Assis morreu em sua casa no Rio de Janeiro no dia 29 de setembro de 1908 e o seu enterro foi acompanhado por uma multidão.

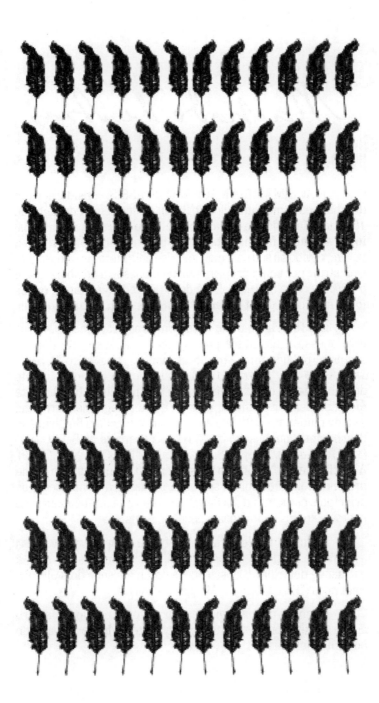

MEMÓRIAS PÓSTUMAS DE BRÁS CUBAS

THE POSTHUMOUS MEMOIRS OF BRAS CUBAS

To the worm that first gnawed the cold flesh of my corpse I dedicate these Posthumous Memoirs as nostalgic reminiscence.

AO VERME QUE PRIMEIRO ROEU AS FRIAS CARNES DO
MEU CADÁVER DEDICO COMO SAUDOSA LEMBRANÇA ESTAS
MEMÓRIAS PÓSTUMAS.

PROLOGUE
Third Edition

The first edition of these Posthumous Memoirs of Bras Cubas was weekly published in the REVISTA BRASILEIRA[1], in the 1880s. Later, turned into a book, I proofread it thoroughly. Now that I had to revise it for the third edition, I still amended something and deleted two or three dozen lines. Once it was done, this writing comes out again, a work that seems to have found some benevolence in the audience.

Capistrano de Abreu, announcing the publication of the book, asked: "Are THE POSTHUMOUS MEMOIRS OF BRAS CUBAS a novel?" Macedo Soares, in a letter that he wrote to me at that time, amicably recalled VIAGENS NA MINHA TERRA[2]. To the first, the deceased Bras Cubas provided the answer (as the reader saw and will see in his prologue that follows) that yes and no, that was a novel for some and not for others. As for the second, that is how the deceased explained: "This is a diffuse work, in which I, Bras Cubas,

---

[1] REVISTA BRASILEIRA is a Brazilian literary magazine created on 14th July, 1855, which currently has functioned as the official magazine of the Brazilian Academy of Letters, and which throughout its history has published works by Machado de Assis, Silvio Romero, Fagundes Varela and several other Brazilian writers.

[2] TRAVELS ON MY LAND, a novel by Portuguese author João Baptista da Silva Leitão de Almeida Garrett (1799/1854), published in 1846 and one of the classical works of the Portuguese language.

PRÓLOGO
Terceira Edição

A primeira edição destas Memórias Póstumas de Brás Cubas foi feita aos pedaços na REVISTA BRASILEIRA[1], pelos anos de 1880. Postas mais tarde em livro, corrigi o texto em vários lugares. Agora que tive de o rever para a terceira edição, emendei ainda alguma coisa e suprimi duas ou três dúzias de linhas. Assim composta, sai novamente à luz esta obra que alguma benevolência parece ter encontrado no público.

Capistrano de Abreu, noticiando a publicação do livro, perguntava: "As MEMÓRIAS PÓSTUMAS DE BRÁS CUBAS são um romance?" Macedo Soares, em carta que me escreveu por esse tempo, recordava amigamente as VIAGENS NA MINHA TERRA[2]. Ao primeiro respondia já o defunto Brás Cubas (como o leitor viu e verá no prólogo dele que vai adiante) que sim e que não, que era romance para uns e não o era para outros. Quanto ao segundo, assim se explicou o finado: "Trata-se de uma obra difusa, na

---

[1] REVISTA BRASILEIRA é uma revista literária brasileira criada em 14 de julho de 1855 e que atualmente tem funcionado como a revista oficial da Academia Brasileira de Letras; ao longo da sua história, publicou obras de Machado de Assis, Sílvio Romero, Fagundes Varela e vários outros escritores brasileiros.

[2] VIAGENS EM MINHA TERRA, romance do autor português João Baptista da Silva Leitão de Almeida Garrett (1799/1854), publicado em 1846 e uma das obras clássicas da língua portuguesa.

having adopted the free form of a Sterne[3] or a Xavier de Maistre[4], I don't know if I put in it some pessimistic cantankerousness." All these people travelled: Xavier de Maistre around the room, Garret in his land, Sterne in the land of others. When it comes to Bras Cubas, it can be said that he travelled around his own life.

What makes my Bras Cubas a particular author is what he calls "pessimistic cantankerousness". There is in the soul of this book, as bright as it sounds, a bitter and rough feeling, a far cry from its models. It is a glass that harbours works of equal school, despite taking another wine. I say no more so as not to enter into the critique of a deceased, who painted himself and the others as he thought best and most certain.

MACHADO DE ASSIS.

---

[3] LAURENCE STERNE (1713/1768) was an Irish novelist and author of "A SENTIMENTAL JOURNEY TO FRANCE AND ITALY" (1768).

[4] XAVIER DE MAISTRE (1763/1852) was a French writer and author of "VOYAGE AROUND MY ROOM" (1794).

qual eu, Brás Cubas, se adotei a forma livre de um Sterne[3] ou de um Xavier de Maistre[4], não sei se lhe meti algumas rabugens de pessimismo." Toda essa gente viajou: Xavier de Maistre à roda do quarto, Garret na terra dele, Sterne na terra dos outros. De Brás Cubas se pode dizer que viajou à roda da vida.

O que faz do meu Brás Cubas um autor particular é o que ele chama "rabugens de pessimismo". Há na alma deste livro, por mais risonho que pareça, um sentimento amargo e áspero, que está longe de vir de seus modelos. É taça que pode ter lavores de igual escola, mas leva outro vinho. Não digo mais para não entrar na crítica de um defunto, que se pintou a si e a outros, conforme lhe pareceu melhor e mais certo.

Machado de Assis.

---

[3] LAURENCE STERNE (1713/1768) foi um romancista irlandês e autor de "UMA VIAGEM SENTIMENTAL À FRANÇA E À ITÁLIA" (1768).

[4] XAVIER DE MAISTRE (1763/1852) foi um escritor francês e autor de "VIAGEM AO REDOR DO MEU QUARTO" (1794).

READER
To the

Once Stendhal had confessed he had written one of his books to a hundred readers, it is a fact that wonders and dismays. What comes as no surprise, and will probably not dismay, is if this other book does not have the Stendhal's one hundred readers, not fifty, not twenty, ten, give or take. Ten? Perhaps five. It is, actually, a diffuse work, in which I, Bras Cubas, having adopted the free form of a Sterne, or a Xavier de Maistre, I do not know if I put in it some pessimistic cantankerousness. It can be. Work of a deceased one. I wrote it with the quill of jest and the ink of melancholy, and it is not difficult to foresee what might come out of this conundrum. Moreover, serious people will find in the book some appearances of pure romance, whereas frivolous people will not find their usual romance in it; there it is, deprived of the esteem of the serious and the love of the frivolous, who are the two maximum pillars of opinion.

But I still hope to fall into the arms of opinion, and the first remedy is to escape an explicit and long prologue. The best prologue is the one that contains fewer things, or the one that reads them in an obscure and truncated way. Consequently, I avoid telling you about the extraordinary process I used in the composition of these Memoirs, worked here in the other world. It would be

Ao LEITOR

    Que Stendhal confessasse haver escrito um de seus livros para cem leitores, coisa é que admira e consterna. O que não admira, nem provavelmente consternará é se este outro livro não tiver os cem leitores de Stendhal, nem cinquenta, nem vinte e, quando muito, dez. Dez? Talvez cinco. Trata-se, na verdade, de uma obra difusa, na qual eu, Brás Cubas, se adotei a forma livre de um Sterne, ou de um Xavier de Maistre, não sei se lhe meti algumas rabugens de pessimismo. Pode ser. Obra de finado. Escrevi-a com a pena da galhofa e a tinta da melancolia, e não é difícil antever o que poderá sair desse conúbio. Acresce que a gente grave achará no livro umas aparências de puro romance, ao passo que a gente frívola não achará nele o seu romance usual; ei-lo aí fica privado da estima dos graves e do amor dos frívolos, que são as duas colunas máximas da opinião.

    Mas eu ainda espero angariar as simpatias da opinião, e o primeiro remédio é fugir a um prólogo explícito e longo. O melhor prólogo é o que contém menos coisas, ou o que as diz de um jeito obscuro e truncado. Conseguintemente, evito contar o processo extraordinário que empreguei na composição destas Memórias, trabalhadas cá no outro mundo. Seria curioso, mas

curious, but extremely extensive, and moreover unnecessary to the understanding of the work. The work itself is everything: if it pleases you, fine reader, I myself carried out the task; if it does not please you, I'll knock you on the head, and goodbye.

Bras Cubas

nimiamente extenso e, aliás, desnecessário ao entendimento da obra. A obra em si mesma é tudo: se te agradar, fino leitor, pago-me da tarefa; se te não agradar, pago-te com um piparote, e adeus.

Brás Cubas

Author's Death

For some time I hesitated whether I should open these memoirs at the beginning or at the end, that is, whether I would put my birth or my death first. Assuming vulgar use is to begin at birth, two considerations led me to adopt a different method: the first is that I am not exactly a deceased author, but an author deceased, for whom the grave was another cradle; the second is that a writing like this would be more gallant and newer. Moses, who also told of his death, did not put it in the prelude, but in the conclusion: a radical difference between this book and the Pentateuch.

That being said, I expired at two o'clock in the afternoon of a Friday of August 1869, in my beautiful farmstead at Catumbi[5]. I was about sixty-four years old, tough and prosperous, single, I had about three hundred CONTOS[6], and I was accompanied to the cemetery by eleven friends. Eleven friends! Truth is there were no letters or announcements. In addition, it was raining – a light, sad and constant rain was falling, so constant and so sad

---

[5]   CATUMBI, a neighbourhood in downtown Rio de Janeiro, is one of the oldest neighbourhoods in the city, which had stately country houses, residences and commercial establishments of the small middle class.

[6]   Former currency of Brazil used from the earliest days of the colonial times, and remained in use until 1942, when it was replaced by the "cruzeiro". One CONTO OF RÉIS was equivalent to one million réis. At that time one conto corresponded to about 550 dollars, a very significant amount at the time.

Óbito do Autor

Algum tempo hesitei se devia abrir estas memórias pelo princípio ou pelo fim, isto é, se poria em primeiro lugar o meu nascimento ou a minha morte. Suposto o uso vulgar seja começar pelo nascimento, duas considerações me levaram a adotar diferente método: a primeira é que eu não sou propriamente um autor defunto, mas um defunto autor, para quem a campa foi outro berço; a segunda é que o escrito ficaria assim mais galante e mais novo. Moisés, que também contou a sua morte, não a pôs no introito, mas no cabo: diferença radical entre este livro e o Pentateuco.

Dito isto, expirei às duas horas da tarde de uma sexta-feira do mês de agosto de 1869, na minha bela chácara de Catumbi[5]. Tinha uns sessenta e quatro anos, rijos e prósperos, era solteiro, possuía cerca de trezentos contos[6] e fui acompanhado ao cemitério por onze amigos. Onze amigos! Verdade é que não houve cartas nem anúncios. Acresce que chovia – peneirava uma chuvinha miúda, triste e constante, tão constante e tão triste,

---

[5] CATUMBI, bairro localizado no centro da cidade do Rio de Janeiro, é um dos seus bairros mais antigos, que possuía imponentes casas de campo, residências e estabelecimentos comerciais da pequena classe média.

[6] Antiga moeda do Brasil usada desde os primeiros dias da época colonial e que permaneceu em uso até 1942, quando foi substituída pelo "cruzeiro". Um CONTO DE RÉIS era equivalente a um milhão de réis. Na época, um conto correspondia a cerca de 550 dólares, uma quantia significativa à época.

that it led one of those last-minute believers to intersperse this ingenious idea in his eulogy at the edge of my grave:

"You, gentlemen, who have known him... You can say with me that nature seems to be mourning the irreparable loss of one of the most beautiful characters that have honoured mankind. This gloomy air, these drops of the sky, those deeply shaded clouds that cover the blue like a funereal crepe, all this is the raw and evil pain that gnaws at Nature the deepest innards; all this is a sublime praise to our illustrious deceased."

Good and faithful friend! No, I don't regret the twenty government bonds I left him. And that was how I came to the end of my days; that was how I headed for Hamlet's UNDISCOVERED COUNTRY, without the young prince's anxieties or doubts, but paused and stumbling as someone that leaves the spectacle late. Late and boring. About nine or ten people saw me leave, including three ladies, my sister Sabina, married to Cotrim, her daughter – a lily of the valley – and... Be patient! In a just few moments I will tell you who the third lady was. Be content to know that this anonymous, though she was not my relative, suffered more than the relatives. It is true, she suffered the most. I don't say that she had mourned, I don't say she let herself roll on the floor, with convulsions. Not even my death was so highly dramatic... A bachelor who expires at sixty-four, does not seem to bring together all the elements of a tragedy. And if it does, what less suited this anonymous woman was to show it. Standing at the head of the bed, with stupid eyes, open mouth, the sad lady could hardly believe my extinction.

"Dead! dead!" she said to herself.

And her imagination, like the storks that a distinguished traveller[7] saw as they flew from Ilissos to the African banks, despite the ruins and the times – that lady's imagination also flew over the present wrecks to the banks of a youthful Africa... Let her go; we will go there later; we will go there when I return to my early years. Now I want to die quietly, methodically, listening to the ladies' sobs, the men's low speeches, the rain that is

---

[7] The author refers to François René Auguste de Chateaubriand (1768/1848), and his work "TRAVELS IN GREECE, PALESTINE, EGYPT, AND BARBARY, DURING THE YEARS 1806 AND 1807".

que levou um daqueles fiéis da última hora a intercalar esta engenhosa ideia no discurso que proferiu à beira de minha cova:

"Vós, que o conhecestes, meus senhores, vós podeis dizer comigo que a natureza parece estar chorando a perda irreparável de um dos mais belos caracteres que têm honrado a humanidade. Este ar sombrio, estas gotas do céu, aquelas nuvens escuras que cobrem o azul como um crepe funéreo, tudo isso é a dor crua e má que lhe rói à Natureza as mais íntimas entranhas; tudo isso é um sublime louvor ao nosso ilustre finado."

Bom e fiel amigo! Não, não me arrependo das vinte apólices que lhe deixei. E foi assim que cheguei à cláusula dos meus dias; foi assim que me encaminhei para o UNDISCOVERED COUNTRY de Hamlet, sem as ânsias nem as dúvidas do moço príncipe, mas pausado e trôpego como quem se retira tarde do espetáculo. Tarde e aborrecido. Viram-me ir umas nove ou dez pessoas, entre elas três senhoras, minha irmã Sabina, casada com o Cotrim, a filha – um lírio do vale – e... Tenham paciência! daqui a pouco lhes direi quem era a terceira senhora. Contentem-se de saber que essa anônima, ainda que não parenta, padeceu mais do que as parentas. É verdade, padeceu mais. Não digo que se carpisse, não digo que se deixasse rolar pelo chão, convulsa. Nem o meu óbito era coisa altamente dramática... Um solteirão que expira aos sessenta e quatro anos, não parece que reúna em si todos os elementos de uma tragédia. E dado que sim, o que menos convinha a essa anônima era aparentá-lo. De pé, à cabeceira da cama, com os olhos estúpidos, a boca entreaberta, a triste senhora mal podia crer na minha extinção.

"Morto! morto!" dizia consigo.

E a imaginação dela, como as cegonhas que um ilustre viajante[7] viu desferirem o voo desde o Ilisso às ribas africanas, sem embargo das ruínas e dos tempos – a imaginação dessa senhora também voou por sobre os destroços presentes até às ribas de uma África juvenil... Deixá-la ir; lá iremos mais tarde; lá iremos quando eu me restituir aos primeiros anos. Agora, quero morrer tranquilamente, metodicamente, ouvindo os soluços das damas,

---

[7] O autor se refere a François René Auguste de Chateaubriand (1768/1848) e sua obra "VIAGENS PELA GRÉCIA, PALESTINA, EGITO E BARBÁRIA, DURANTE OS ANOS DE 1806 E 1807".

drumming on the foliage[8] of the farmstead, and the strident sound of a razor that a sharpener is honing outside, at the door of a saddlery. I swear to you that this death orchestra was far less sad than it might seem. From a certain point, it became delicious. Life was flouncing in my chest, with the rushes of a sea wave, my consciousness was fading away, I was descending into physical and moral stillness, and my body was made into a plant, and stone and mud, and nothing.

I died of pneumonia; but if I tell you that the cause of my death was less pneumonia than a grandiose and useful idea, the cause of my death, the reader may not believe me, and yet it is true. I will briefly expose you the case. Judge it for yourself.

The Plaster 2

Indeed, one day in the morning, while I was walking in the farmstead, an idea hung in the trapeze that I had in my brain. Once it hung, it began to brace, to kick, to make the boldest equilibrist somersaults that can be believed. I let it be, I only contemplated the idea. Suddenly, it did jolt, spread its arms and legs, until it took the shape of an X: decipher me or I will devour you.

This idea was nothing less than the invention of a sublime drug, an anti-hypochondriac plaster designed to alleviate our melancholic humanity. In the petition of privilege I then drafted, I drew the government's attention to this truly Christian outcome. However, I did not deny my friends the pecuniary advantages that should result from the distribution of a product of such great and deep effects. Now, however, that I am here on the other side of life, I can confess everything: what mainly influenced me was the taste of seeing printed in the newspapers, dials, pamphlets, corners, and finally in the medicine boxes, these three words: PLASTER BRAS CUBAS. Why deny it? I had the passion for the

---

8   Here the author refers to the TINHORÃO, which is an ornamental plant with large mottled leaves of two or more colours.

as falas baixas dos homens, a chuva que tamborila nas folhas de tinhorão[8] da chácara, e o som estrídulo de uma navalha que um amolador está afiando lá fora, à porta de um correeiro. Juro-lhes que essa orquestra da morte foi muito menos triste do que podia parecer. De certo ponto em diante chegou a ser deliciosa. A vida estrebuchava-me no peito, com uns ímpetos de vaga marinha, esvaía-se-me a consciência, eu descia à imobilidade física e moral, e o corpo fazia-se-me planta, e pedra e lodo, e coisa nenhuma.

Morri de uma pneumonia; mas se lhe disser que foi menos a pneumonia, do que uma ideia grandiosa e útil, a causa da minha morte, é possível que o leitor me não creia e, todavia, é verdade. Vou expor-lhe sumariamente o caso. Julgue-o por si mesmo.

O Emplasto

Com efeito, um dia de manhã, estando a passear na chácara, pendurou-se-me uma ideia no trapézio que eu tinha no cérebro. Uma vez pendurada, entrou a bracejar, a pernear, a fazer as mais arrojadas cabriolas de volatim, que é possível crer. Eu deixei-me estar a contemplá-la. Súbito, deu um grande salto, estendeu os braços e as pernas, até tomar a forma de um X: decifra-me ou devoro-te.

Essa ideia era nada menos que a invenção de um medicamento sublime, um emplastro anti-hipocondríaco, destinado a aliviar a nossa melancólica humanidade. Na petição de privilégio que então redigi, chamei a atenção do governo para esse resultado, verdadeiramente cristão. Todavia, não neguei aos amigos as vantagens pecuniárias que deviam resultar da distribuição de um produto de tamanhos e tão profundos efeitos. Agora, porém, que estou cá do outro lado da vida, posso confessar tudo: o que me influiu principalmente foi o gosto de ver impressas nos jornais, mostradores, folhetos, esquinas, e enfim nas caixinhas do remédio, estas três palavras: EMPLASTO BRÁS CUBAS. Para

---

8   Aqui, o autor se refere ao TINHORÃO, uma planta ornamental com grandes folhas mosqueadas de duas ou mais cores.

noise, the poster, the rocket of tears. Perhaps the modest might reproach me for this flaw; I trust, however, that this talent, the skilful will recognize me. So my idea had two faces, like the medals, one facing the audience, one facing me. On the one hand, philanthropy and profit; on the other hand, thirst of renown. Let's say: love of glory.

An uncle of mine, a canon of entire prebend, used to say that the love of temporal glory was the perdition of souls, who should only covet eternal glory. To that retorted another uncle, an officer of one of the ancient thirds of infantry that the love of glory was the most truly human thing in man, and, consequently, his most genuine feature.

Decide the reader between the military and the canon; I return to the plaster.

Genealogy

But since I spoke of my two uncles, let me make a brief genealogical sketch here.

The founder of my family was a certain Damião Cubas, who flourished in the first half of the eighteenth century. He was a cooper, born in Rio de Janeiro, where he would have died in penury and obscurity if he had only worked as a cooper. But not; he became a farmer, planted, harvested, exchanged his product for good and honourable money, until he died, leaving great patrimony to a son, the licensed Luis Cubas. In this boy really begins the series of my grandparents – the grandparents that my family has always confessed – because Damião Cubas was after all a cooper, and perhaps a bad cooper, whereas Luis Cubas studied in Coimbra, excelled at the State, and was one of the private friends of Viceroy Conde da Cunha[9].

---

9 António Álvares da Cunha, Conde da Cunha, (1700/1791), nobleman and Portuguese colonial administrator, during the reign of D. José I, king of Portugal, was viceroy of Brazil between 1763 and 1767, responsible

que negá-lo? Eu tinha a paixão do arruído, do cartaz, do foguete de lágrimas. Talvez os modestos me arguam esse defeito; fio, porém, que esse talento me hão de reconhecer os hábeis. Assim, a minha ideia trazia duas faces, como as medalhas, uma virada para o público, outra para mim. De um lado, filantropia e lucro; de outro lado, sede de nomeada. Digamos: amor da glória.

Um tio meu, cônego de prebenda inteira, costumava dizer que o amor da glória temporal era a perdição das almas, que só devem cobiçar a glória eterna. Ao que retorquia outro tio, oficial de um dos antigos terços de infantaria, que o amor da glória era a coisa mais verdadeiramente humana que há no homem, e, conseguintemente, a sua mais genuína feição.

Decida o leitor entre o militar e o cônego; eu volto ao emplasto.

Genealogia

Mas, já que falei nos meus dois tios, deixem-me fazer aqui um curto esboço genealógico.

O fundador da minha família foi um certo Damião Cubas, que floresceu na primeira metade do século XVIII. Era tanoeiro de ofício, natural do Rio de Janeiro, onde teria morrido na penúria e na obscuridade, se somente exercesse a tanoaria. Mas não; fez-se lavrador, plantou, colheu, permutou o seu produto por boas e honradas patacas, até que morreu, deixando grosso cabedal a um filho, licenciado Luís Cubas. Neste rapaz é que verdadeiramente começa a série de meus avós – dos avós que a minha família sempre confessou – porque o Damião Cubas era afinal de contas um tanoeiro, e talvez mau tanoeiro, ao passo que o Luís Cubas estudou em Coimbra, primou no Estado, e foi um dos amigos particulares do vice-rei Conde da Cunha[9].

---

9   António Álvares da Cunha, Conde da Cunha, (1700 / 1791), fidalgo e administrador colonial português, durante o reinado D. José I, rei de Portugal, foi vice-rei do Brasil entre 1763 e 1767, responsável por inúmeras

Since this name of Cubas smelled too much cooperage, my father, great-grandson of Damião, claimed that this name had been given to a knight, hero on the African journeys, in honour of his achievement, snatching three hundred vats[10] to the Moors. My father was a man of imagination; escaped the cooperage on the wings of a CALEMBOUR[11]. He was a good character, my father, a decent and loyal man like few. He was, it is true, a little pretentious; but who is not a little pretentious in this world? It is important to note that he only appeal to inventiveness after experimenting forgery; first, he claimed to be a relative of my famous namesake, Captain-major Bras Cubas, who founded the village of São Vicente, where he died in 1592, and for this reason he named me Bras[12]. But the Captain-major's family opposed him, and it was then that he imagined the three hundred Moorish vats.

Some members of my family still live, my niece Venância, for instance, the lily of the valley, which is the flower of the ladies of her time; lives her father, Cotrim, a fellow who... But let's not anticipate the events; let's get rid of our plaster at once.

The Fixed Idea

My idea, after so many somersaults, had become a fixed idea. God forbid, reader, you have a fixed idea; rather a mote,

---

for numerous improvement works for urban infrastructure and for the defense of Rio de Janeiro; it is said that at the end of his government, he was bankrupt, poor and in numerous debts, and that he had to borrow money to return to Portugal.

10   VATS, a large wooden container to store wine, vinegar and other liquids, in Portuguese, means "cubas", the family name of the main character of this book.

11   CALEMBOUR, in French originally, means pun.

12   BRAS CUBAS is the name of a Portuguese colonizer, founder of the village of Santos, around 1543, located on the South coast of São Paulo. The author is mistaken in attributing to him the foundation of the village of São Vicente, in 1530, located in the same region, but founded by the Portuguese navigator MARTIM AFONSO DE SOUSA.

Como este apelido de Cubas lhe cheirasse excessivamente a tanoaria, alegava meu pai, bisneto de Damião, que o dito apelido fora dado a um cavaleiro, herói nas jornadas da África, em prêmio da façanha que praticou, arrebatando trezentas cubas[10] aos mouros. Meu pai era homem de imaginação; escapou à tanoaria nas asas de um CALEMBOUR[11]. Era um bom caráter, meu pai, varão digno e leal como poucos. Tinha, é verdade, uns fumos de pacholice; mas quem não é um pouco pachola nesse mundo? Releva notar que ele não recorreu à inventiva senão depois de experimentar a falsificação; primeiramente, entroncou-se na família daquele meu famoso homônimo, o capitão-mor, Brás Cubas, que fundou a vila de São Vicente, onde morreu em 1592, e por esse motivo é que me deu o nome de Brás[12]. Opôs-se-lhe, porém, a família do capitão-mor, e foi então que ele imaginou as trezentas cubas mouriscas.

Vivem ainda alguns membros de minha família, minha sobrinha Venância, por exemplo, o lírio do vale, que é a flor das damas do seu tempo; vive o pai, o Cotrim, um sujeito que... Mas não antecipemos os sucessos; acabemos de uma vez com o nosso emplasto.

A Ideia Fixa

A minha ideia, depois de tantas cabriolas, constituíra-se ideia fixa. Deus te livre, leitor, de uma ideia fixa; antes um

---

obras de melhorias para a infraestrutura urbana e para a defesa do Rio de Janeiro; conta-se que ao concluir o seu governo, estava falido, pobre e com inúmeras dívidas, e que teve que ter pedido dinheiro emprestado para regressar a Portugal.

10 CUBAS, um grande recipiente de madeira para armazenar vinho, vinagre e outros líquidos, em português, significa o nome de família da personagem principal deste livro.

11 CALEMBOUR, em francês originalmente, significa trocadilho.

12 Brás Cubas é o nome de um colonizador português, fundador da vila de Santos, por volta de 1543, localizada no litoral sul de São Paulo. O autor equivoca-se em atribuir a ele a fundação da vila de São Vicente, em 1530 e localizada na mesma região, mas fundada pelo navegador português MARTIM AFONSO DE SOUSA.

rather a grain of dust in the eye. Look at Cavour; it was the fixed idea of the Italian unit that killed him. Truth is, Bismarck didn't die; but it must be warned that nature is a great whim and history an eternal seductress. For example, Suetonius gave us a Claudius, who was a simpleton – or "a pumpkin", as Seneca called him – and a Titus, who deserved to be the delights of Rome. Modernly, a teacher came and found a way to demonstrate that of the two Caesars, the delicious, the true delicious, was the "pumpkin" of Seneca. And you, madam Lucretia, flower of the Borgias, if a poet painted you as the Catholic Messalina, an incredulous Gregorovius[13] erased very much in you this quality, and if you did not come to be a lily, you did not become a swamp either. I stay between the poet and the wise.

Long live the history, the fickle history that admits everything; and, turning to the fixed idea, I will say that it's this idea which makes strong and mad men; the mobile, vague or iridescent idea is what makes the Claudius – according Suetonius.

It was fixed my idea, fixed as... Nothing occurs to me that is quite fixed in this world: perhaps the moon, perhaps the pyramids of Egypt, perhaps the deceased German Confederation Diet[14]. Choose the comparison that best fits you, reader, choose it, and do not wrinkle your nose to me, just because we have not reached the narrative part of these memoirs yet. We will go there. I think you prefer anecdote to reflection, like the other readers, your confreres, and I think you do it very well. For there we will go. However, it is important to say that this book is written with slowness, with the slowness of a man already confronted with the brevity of the century, a highly philosophical work, of an unequal philosophy, now austere, then playful, something that neither builds nor destroys, neither ignites nor pleasures, and yet is more than a hobby and less than an apostolate.

Come on; rectify your nose, and let's go back to the plaster. Let us leave history with its whims of elegant lady. None of us fought the battle of Salamis[15], none wrote the Augsburg

---

13 FERDINAND GREGOROVIUS (1821/1891) was a German historian who specialized in the medieval history of Rome, author of "LUCRETIA BORGIA UND IHRE ZEIT" (Lucrezia Borgia: a chapter from the morals of the Italian Renaissance, 1874) where he rehabilitates the historical character.

14 The only central institution of the German Confederation from 1815 until 1848, and from 1850 until 1866.

15 Naval battle where the Greek fleet defeated the Persian forces commanded

argueiro, antes uma trave no olho. Vê o Cavour; foi a ideia fixa da unidade italiana que o matou. Verdade é que Bismarck não morreu; mas cumpre advertir que a natureza é uma grande caprichosa e a história uma eterna loureira. Por exemplo, Suetônio deu-nos um Cláudio, que era um simplório – ou "uma abóbora" como lhe chamou Sêneca, e um Tito, que mereceu ser as delícias de Roma. Veio modernamente um professor e achou meio de demonstrar que dos dois césares, o delicioso, o verdadeiro delicioso, foi o "abóbora" de Sêneca. E tu, madama Lucrécia, flor dos Bórgias, se um poeta te pintou como a Messalina católica, apareceu um Gregorovius[13] incrédulo que te apagou muito essa qualidade, e, se não vieste a lírio, também não ficaste pântano. Eu deixo-me estar entre o poeta e o sábio.

    Viva pois a história, a volúvel história que dá para tudo; e, tornando à ideia fixa, direi que é ela a que faz os varões fortes e os doidos; a ideia móbil, vaga ou furta-cor é a que faz os Cláudios – fórmula Suetônio.

    Era fixa a minha ideia, fixa como... Não me ocorre nada que seja assaz fixo nesse mundo: talvez a lua, talvez as pirâmides do Egito, talvez a finada dieta germânica[14]. Veja o leitor a comparação que melhor lhe quadrar, veja-a e não esteja daí a torcer-me o nariz, só porque ainda não chegamos à parte narrativa destas memórias. Lá iremos. Creio que prefere a anedota à reflexão, como os outros leitores, seus confrades, e acho que faz muito bem. Pois lá iremos. Todavia, importa dizer que este livro é escrito com pachorra, com a pachorra de um homem já desafrontado da brevidade do século, obra supinamente filosófica, de uma filosofia desigual, agora austera, logo brincalhona, coisa que não edifica nem destrói, não inflama nem regala, e é, todavia, mais do que passatempo e menos do que apostolado.

    Vamos lá; retifique o seu nariz, e tornemos ao emplasto. Deixemos a história com os seus caprichos de dama elegante. Nenhum de nós pelejou a batalha de Salamina[15], nenhum escre-

---

13   FERDINAND GREGOROVIUS (1821/1891) foi um historiador alemão especializado na história medieval de Roma, autor de "LUCRETIA BORGIA UND IHRE ZEIT" (Lucrezia Borgia: um capítulo da moral do Renascimento Italiano, 1874), onde reabilita a histórica personagem.

14   A única instituição central da Confederação Alemã de 1815 a 1848 e de 1850 a 1866.

15   Batalha naval onde a frota grega derrotou as forças persas comandadas

Confession[16]; for my part, if I ever remember Cromwell, it's just for the idea that His Highness, with the same hand that locked parliament, would have imposed the English the plaster Bras Cubas. Do not laugh at this common victory of pharmacy and puritanism. Who does not know that at the foot of every large, public, ostentatious flag there are often several other modestly private flags that hoist and float in the shadow of the other, and often survive it? Barely compared, it is like the rabble, which sheltered in the shadow of the feudal castle; the castle fell and the rabble stayed. Truth is, it became big and castellan... No, the comparison is no good.

In which a Lady's Ear Appears 5

So then, while I was busy preparing and refining my invention, I caught an air flow; I got ill soon, and didn't treat myself. I had the plaster on my brain; I had inside me the fixed idea of the mad and the strong. In the distance I could see myself rising from the ground of the mobs and going back to heaven, like an immortal eagle, and it is not before such an exalted spectacle that a man can feel the pain that torment him. The other day I was worse; I treated myself at last, but incompletely, with no method, nor care, nor persistence; such was the origin of the malady that brought me to eternity. You already know that I died on a Friday, blue day, and I think I proved that it was my invention that killed me. There are less lucid and no less triumphant demonstrations.

It was not impossible, however, for me to reach a century, and to appear on public records, between the elderly. I was healthy and robust. Suppose that instead of laying the groundwork for a pharmaceutical invention, I was gathering

---

by Xerxes I of Persia.

16   THE AUGSBURG CONFESSION, in Latin "Confessio Augustana", is a central document in the Protestant reform undertaken by Martin Luther.

veu a confissão de Augsburgo[16]; pela minha parte, se alguma vez me lembro de Cromwell, é só pela ideia de que Sua Alteza, com a mesma mão que trancara o parlamento, teria imposto aos ingleses o emplasto Brás Cubas. Não se riam dessa vitória comum da farmácia e do puritanismo. Quem não sabe que ao pé de cada bandeira grande, pública, ostensiva, há muitas vezes várias outras bandeiras modestamente particulares, que se hasteiam e flutuam à sombra daquela, e não poucas vezes lhe sobrevivem? Mal comparando, é como a arraia-miúda, que se acolhia à sombra do castelo feudal; caiu este e a arraia ficou. Verdade é que se fez graúda e castelã... Não, a comparação não presta.

Em que Aparece a Orelha de uma Senhora

Senão quando, estando eu ocupado em preparar e apurar a minha invenção, recebi em cheio um golpe de ar; adoeci logo, e não me tratei. Tinha o emplasto no cérebro; trazia comigo a ideia fixa dos doidos e dos fortes. Via-me, ao longe, ascender do chão das turbas, e remontar ao Céu, como uma águia imortal, e não é diante de tão excelso espetáculo que um homem pode sentir a dor que o punge. No outro dia estava pior; tratei-me enfim, mas incompletamente, sem método, nem cuidado, nem persistência; tal foi a origem do mal que me trouxe à eternidade. Sabem já que morri numa sexta-feira, dia aziago, e creio haver provado que foi a minha invenção que me matou. Há demonstrações menos lúcidas e não menos triunfantes.

Não era impossível, entretanto, que eu chegasse a galgar o cimo de um século, e a figurar nas folhas públicas, entre macróbios. Tinha saúde e robustez. Suponha-se que, em vez de estar lançando os alicerces de uma invenção farmacêutica, tratava de coligir os elementos de uma instituição política, ou

---

por Xerxes I da Pérsia.

16   A CONFISSÃO DE AUGSBURGO, em latim "Confessio Augustana", é um documento central na reforma protestante realizada por Martinho Lutero.

the elements of a political institution, or a religious reform. Then came the air flow, which overcomes in efficacy human calculation, and everything is gone. So is the fate of men.

With this reflection I said goodbye to the woman, I will not say most discreet, but certainly most beautiful among her contemporaries, the anonymous of the first chapter, the one whose imagination, like the storks of Ilissos... She was then 54 years old, she was a ruin, an imposing ruin. Imagine that, reader that we love each other, she and I, many years before, and one day, already ill, I see her looming at the door of the alcove...

Chimenè, qui l'eût dit? Rodrigue, qui l'eût cru?[17]

I see her looming at the door of the alcove, pale, moved, dressed in black, and standing there for a minute, without the energy to enter, or held back by the presence of a man who was with me. From the bed where I laid I gazed at her during that time, forgetting to say anything to her or make any gesture. We had not seen each other for two years, and now I saw her not like she is, but like she was, like we both were, because a mysterious Hezekiah had sunk back the sun until youthful days. The sun recoiled, I shook off all the miseries, and this handful of dust, which Death was going to spread in the eternity of nothing, could more than time, which is the minister of death. No water of Juventa[18] would equal the mere nostalgia there.

---

17 "CHIMÈNE, WHO WOULD HAVE TOLD HER? RODRIGUE, WHO WOULD HAVE BELIEVED HIM?", in French, originally. The quote, taken from the tragedy THE CID (Le Cid, 1637), by the French playwright PIERRE CORNEILLE (1606/1684), is reversed and gained two question marks that do not exist in the original, in Act III, scene IV.

18 According to classical mythology, Juventas was a nymph that Jupiter transformed into a water spring, whose miraculous water was supposed to restore youth to those who drank it.

de uma reforma religiosa. Vinha a corrente de ar, que vence em eficácia o cálculo humano, e lá se ia tudo. Assim corre a sorte dos homens.

Com esta reflexão me despedi eu da mulher, não direi mais discreta, mas com certeza mais formosa entre as contemporâneas suas, a anônima do primeiro capítulo, a tal, cuja imaginação à semelhança das cegonhas do Ilisso... Tinha então 54 anos, era uma ruína, uma imponente ruína. Imagine o leitor que nos amamos, ela e eu, muitos anos antes, e que um dia, já enfermo, vejo-a assomar à porta da alcova...

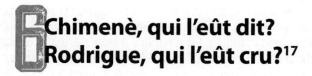
Chimenè, qui l'eût dit?
Rodrigue, qui l'eût cru?[17]

Vejo-a assomar à porta da alcova, pálida, comovida, trajada de preto, e ali ficar durante um minuto, sem ânimo de entrar, ou detida pela presença de um homem que estava comigo. Da cama, onde jazia, contemplei-a durante esse tempo, esquecido de lhe dizer nada ou de fazer nenhum gesto. Havia já dois anos que nos não víamos, e eu via-a agora não qual era, mas qual fora, quais fôramos ambos, porque um Ezequias misterioso fizera recuar o sol até os dias juvenis. Recuou o sol, sacudi todas as misérias, e este punhado de pó, que a morte ia espalhar na eternidade do nada, pôde mais do que o tempo, que é o ministro da morte. Nenhuma água de Juventa[18] igualaria ali a simples saudade.

---

17   "XIMENA, QUEM A DISSE? RODRIGO, QUEM O ACREDITARIA?", Em francês, originalmente. A citação, tirada da tragédia O CID (Le Cid, 1637), do dramaturgo francês PIERRE CORNEILLE (1606/1684), está invertida e ganhou dois pontos de interrogação que não existem no original, no Ato III, cena IV.

18   Segundo a mitologia clássica, Juventas era uma ninfa que Júpiter transformou em uma nascente de água, cujas águas milagrosas restaurariam a juventude daqueles que as bebessem.

Believe me, the least bad thing is to remember; nobody must trust the present happiness; there is a drop of Cain's drool on it. Once the time has passed and the spasm has ceased, so yes, then perhaps one can really enjoy, because between one and the other of these two illusions, better is the one we like painlessly.

The evocation did not last long; reality soon dominated; the present expelled the past. Perhaps I will expose to the reader, in some corner of this book, my theory of human editions. What is important to know for now is that Virgilia – her Christian name was Virgilia – entered the alcove, firmly, with the gravity that gave her the clothes and the years, and came to my bed. The stranger got up and left. He was a fellow who visited me every day to talk about exchange, colonization, and the need to develop the railway; nothing is more interesting for a dying man. Gone; Virgilia remained standing; for a while we stay staring at each other without saying a word. Who would say? Of two great lovers, two unrestrained passions, there was nothing else there twenty years later; there were only two withered hearts, devastated by life and satiated of it, I don't know if in equal measure, but finally satiated. Virgilia now had the beauty of old age, a stern, motherly air; she was less skinny than when I last saw her at a Saint John's festivity[19] in Tijuca[20]; and because she was one of the most resistant, her dark hair was just beginning to intersperse with a few strings of silver.

"Are you visiting the dead?" I told her.

"Why, dead people!" Virgilia answered contemptiously. And after shaking my hands:

"I am trying to throw the loafers out."

It didn't have the tearful caress of days of the past, but the voice was friendly and sweet. She sat down. I was alone at home with a some nurse; we could talk to each other without risk. Virgilia gave me long news from outside, narrating it gracefully, with a bit of gossiping, which was the salt of the conversation; I, about to leave the world, felt a satanic pleasure in mocking it, in convincing myself that I was leaving nothing behind.

---

19   St. John's festivity is traditional in Brazil, celebrated with bonfires in 24th June, the day of Saint John Baptist.

20   Tijuca is aneighbourhood Northern Rio de Janeiro.

Creiam-me, o menos mau é recordar; ninguém se fie da felicidade presente; há nela uma gota da baba de Caim. Corrido o tempo e cessado o espasmo, então sim, então talvez se pode gozar deveras, porque entre uma e outra dessas duas ilusões, melhor é a que se gosta sem doer.

Não durou muito a evocação; a realidade dominou logo; o presente expeliu o passado. Talvez eu exponha ao leitor, em algum canto deste livro, a minha teoria das edições humanas. O que por agora importa saber é que Virgília – chamava-se Virgília – entrou na alcova, firme, com a gravidade que lhe davam as roupas e os anos, e veio até o meu leito. O estranho levantou-se e saiu. Era um sujeito, que me visitava todos os dias para falar do câmbio, da colonização e da necessidade de desenvolver a viação férrea; nada mais interessante para um moribundo. Saiu; Virgília deixou-se estar de pé; durante algum tempo ficamos a olhar um para o outro, sem articular palavra. Quem diria? De dois grandes namorados, de duas paixões sem freio, nada mais havia ali, vinte anos depois; havia apenas dois corações murchos, devastados pela vida e saciados dela, não sei se em igual dose, mas enfim saciados. Virgília tinha agora a beleza da velhice, um ar austero e maternal; estava menos magra do que quando a vi, pela última vez, numa festa de São João[19], na Tijuca[20]; e porque era das que resistem muito, só agora começavam os cabelos escuros a intercalar-se com alguns fios de prata.

"Anda visitando os defuntos?" disse-lhe eu.

"Ora, defuntos!" respondeu Virgília com um muxoxo. E depois de me apertar as mãos:

"Ando a ver se ponho os vadios para a rua."

Não tinha a carícia lacrimosa de outro tempo; mas a voz era amiga e doce. Sentou-se. Eu estava só, em casa, com um simples enfermeiro; podíamos falar um ao outro, sem perigo. Virgília deu-me longas notícias de fora, narrando-as com graça, com um certo travo de má língua, que era o sal da palestra; eu, prestes a deixar o mundo, sentia um prazer satânico em mofar dele, em persuadir-me que não deixava nada.

---

19 A festa de São João é tradicional no Brasil, comemorada com fogueiras no dia 24 de junho, dia de São João Batista.

20 Tijuca é um bairro na zona norte do Rio de Janeiro.

"What ideas!" interrupted me Virgilia a little angry. "Look, I won't be back anymore. Die! We will all die; one just needs to be alive."

And looking at the clock:

"Jesus! It's three o'clock. I should go."

"Already?"

"Yes; I will come tomorrow or the day after."

"I don't know if you do well" I said. "The patient is a bachelor and the house has no ladies..."

"Your sister?"

"She will be here for a few days, but it can't be before Saturday."

Virgilia considered for a moment, shrugged and said gravely:

"I am old. No one else notices me. But to avoid doubts I will come with Nhonhô[21]."

Nhonhô was a Law graduate, the only child of her marriage, who, at the age of five, had been an unconscious accomplice of our love. They came together a couple of days later, and I confess that seeing them there, in my alcove, I was seized by a shyness that didn't even allow me to respond immediately to the boy's kind words. Virgilia guessed and said to her son:

"Nhonhô, do not mind that big sly laying there; he does not want to talk in order to make you believe that he is dying."

The son smiled, I think I smiled too, and it all ended in mere jest. Virgilia was serene and laughing, had the appearance of the immaculate lives. No suspicious eyes, no gestures that could denounce anything; an equality of word and spirit, a control over herself that seemed rare and perhaps was. As we casually touched some illegitimate, half-secret, half-publicized love affairs, I saw her speak with disdain and a little indignation of the woman she was talking about, indeed her friend. The son was pleased to hear that dignified and strong word; and I wondered what the hawks would say about us, if Buffon had been born a hawk...

It was my delirium that was beginning.

---

21   At that time, it used to be called Nhonhô the son of the lord of the house; the word means "little master".

"Que ideias essas!" interrompeu-me Virgília um tanto zangada. "Olhe que não volto mais. Morrer! Todos nós havemos de morrer; basta estarmos vivos."

E vendo o relógio:

"Jesus! são três horas. Vou-me embora."

"Já?"

"Já; virei amanhã ou depois."

"Não sei se faz bem", retorqui; "o doente é um solteirão e a casa não tem senhoras..."

"Sua mana?"

"Há de vir cá passar uns dias, mas não pode ser antes de sábado."

Virgília refletiu um instante, levantou os ombros e disse com gravidade:

"Estou velha! Ninguém mais repara em mim. Mas, para cortar dúvidas, virei com o Nhonhô[21]."

Nhonhô era um bacharel, único filho de seu casamento, que, na idade de cinco anos, fora cúmplice inconsciente de nossos amores. Vieram juntos, dois dias depois, e confesso que, ao vê-los ali, na minha alcova, fui tomado de um acanhamento que nem me permitiu corresponder logo às palavras afáveis do rapaz. Virgília adivinhou-me e disse ao filho:

"Nhonhô, não repares nesse grande manhoso que aí está; não quer falar para fazer crer que está à morte."

Sorriu o filho, eu creio que também sorri, e tudo acabou em pura galhofa. Virgília estava serena e risonha, tinha o aspecto das vidas imaculadas. Nenhum olhar suspeito, nenhum gesto que pudesse denunciar nada; uma igualdade de palavra e de espírito, uma dominação sobre si mesma, que pareciam e talvez fossem raras. Como tocássemos, casualmente, nuns amores ilegítimos, meio secretos, meio divulgados, vi-a falar com desdém e um pouco de indignação da mulher de que se tratava, aliás sua amiga. O filho sentia-se satisfeito, ouvindo aquela palavra digna e forte, e eu perguntava a mim mesmo o que diriam de nós os gaviões, se Buffon tivesse nascido gavião...

Era o meu delírio que começava.

---

21 Naquela época, costumava ser chamado de Nhonhô, o filho do senhor da casa; a palavra significa "pequeno mestre" ou "sinhozinho".

The Delirium

To my knowledge, no one has yet reported his own delirium; I do it, and science will thank me. If the reader does not appreciate the contemplation of these mental phenomena, he may skip the chapter; go straight to the narration. But, less curious as it may be, I always tell you that it is interesting to know what went on in my head for about twenty to thirty minutes.

In the first place, I assumed the figure of a bulging and skilful Chinese barber shaving a Mandarin, who paid me the job with pinches and confectionary: Mandarin whims.

Soon after, I was transformed into St. Thomas' THEOLOGICAL SUMMA, printed in one volume, and bound in goatskin, with silver clasps and prints; this idea gave to my body the utmost immobility; and even now I remember that, with my hands being the clasps of the book, and crossing them over my womb, someone was uncrossing them (Virgilia certainly), because the attitude gave her the image of a corpse.

Immediately after, restored to human form, I saw a hippopotamus come, which snatched me. I let myself go, silent, I don't know if by fear or trust; but soon the race became so dizzying that I dared question it, and gently and tactfully I told it that the journey was seemingly without destination.

"You are wrong", replied the animal, "we go to the origin of the centuries."

I insinuated that it should be very far; but the hippopotamus did not understand me or did not hear me, if he did not pretend one of these things; and asking him, since he spoke, whether he was a descendant of Achilles' horse or Balaam's donkey, retorted me with a gesture peculiar to these two four-legged ones: he wagged his ears. For my part I closed my eyes and let myself go at random. By now I do not mind confessing that I was feeling some tickles of curiosity to know where the origin of the centuries was, if it was as mysterious as the origin

7 O Delírio

Que me conste, ainda ninguém relatou o seu próprio delírio; faço-o eu, e a ciência mo agradecerá. Se o leitor não é dado à contemplação destes fenômenos mentais, pode saltar o capítulo; vá direito à narração. Mas, por menos curioso que seja, sempre lhe digo que é interessante saber o que se passou na minha cabeça durante uns vinte a trinta minutos.

Primeiramente, tomei a figura de um barbeiro chinês, bojudo, destro, escanhoando um mandarim, que me pagava o trabalho com beliscões e confeitos: caprichos de mandarim.

Logo depois, senti-me transformado na Suma Teológica de São Tomás, impressa num volume, e encadernada em marroquim, com fechos de prata e estampas; ideia esta que me deu ao corpo a mais completa imobilidade; e ainda agora me lembra de que, sendo as minhas mãos os fechos do livro, e cruzando-as eu sobre o ventre, alguém as descruzava (Virgília decerto), porque a atitude lhe dava a imagem de um defunto.

Ultimamente, restituído à forma humana, vi chegar um hipopótamo, que me arrebatou. Deixei-me ir, calado, não sei se por medo ou confiança; mas, dentro em pouco, a carreira de tal modo se tornou vertiginosa, que me atrevi a interrogá-lo, e com alguma arte lhe disse que a viagem me parecia sem destino.

"Engana-se", replicou o animal, "nós vamos à origem dos séculos."

Insinuei que deveria ser muitíssimo longe; mas o hipopótamo não me entendeu ou não me ouviu, se é que não fingiu uma dessas coisas; e, perguntando-lhe, visto que ele falava, se era descendente do cavalo de Aquiles ou da asna de Balaão, retorquiu-me com um gesto peculiar a estes dois quadrúpedes: abanou as orelhas. Pela minha parte fechei os olhos e deixei-me ir à ventura. Já agora não se me dá de confessar que sentia umas tais ou quais cócegas de curiosidade, por saber onde ficava a origem dos séculos, se era tão misteriosa como a origem do

of the Nile, and especially if it was worth something more or less than the consummation of the same centuries: reflections of ailing brain. As I went with my eyes closed, I did not see the way; I remember only that the feeling of cold increased with the journey, and that it seemed to me that I had entered the region of eternal ice. In fact, I opened my eyes and saw that my animal was galloping on a snowy white plain along with several large, snowy animals. All was snow; a snowy sun was freezing us. I tried to speak but could only grunt this anxious question:

"Where were we?"

"We have passed Eden."

"Well, let's stop at Abraham's tent."

"But we walked backwards!" my four legged beast retorted jestingly.

I was vexed and stunned. The journey had become most boring and extravagant to me, the uncomfortable cold, the violent driving, and the impalpable result. And then – reflections of an ailing man – once we came to the appointed end, it was not impossible that the centuries, irritated by the disclosure of their origin, would crush me between their nails, which should be as secular as they were. While I was thinking like this, we were making headway, and the lowland flew under our feet, until the animal stopped, and I could look more calmly around me. To look, only; I saw nothing but the immense whiteness of the snow, which this time had invaded the sky itself, hitherto blue. Perhaps, at times, it seemed to me like a huge, rough plant, wagging its broad leaves in the wind. The silence of that region was the same of the sepulchre: it had been said that the life of things became stupid before man.

Had it fallen from the sky? Had it stood out from the earth? I do not know; I know that a huge figure, a woman's figure appeared to me then, looking at me with the eyes as bright as the sun. Everything about this figure had the vastness of the wild forms, and everything was beyond the comprehension of the human gaze, because the outlines were lost in the environment, and what seemed thick was often diaphanous. Stunned, I said nothing, I didn't even scream; but after a while, that was brief, I asked who she was and what her name was: curiosity of delirium.

Nilo, e sobretudo se valia alguma coisa mais ou menos do que a consumação dos mesmos séculos: reflexões de cérebro enfermo. Como ia de olhos fechados, não via o caminho; lembra-me só que a sensação de frio aumentava com a jornada, e que chegou uma ocasião em que me pareceu entrar na região dos gelos eternos. Com efeito, abri os olhos e vi que o meu animal galopava numa planície branca de neve, e vários animais grandes e de neve. Tudo neve; chegava a gelar-nos um sol de neve. Tentei falar, mas apenas pude grunhir esta pergunta ansiosa:

"Onde estamos?"

"Já passamos o Éden."

"Bem; paremos na tenda de Abraão."

"Mas se nós caminhamos para trás!" redarguiu motejando a minha cavalgadura.

Fiquei vexado e aturdido. A jornada entrou e parecer-me enfadonha e extravagante, o frio incômodo, a condução violenta, e o resultado impalpável. E depois – cogitações do enfermo – dado que chegássemos ao fim indicado, não era impossível que os séculos, irritados com lhes devassarem a origem, me esmagassem entre as unhas, que deviam ser tão seculares como eles. Enquanto assim pensava, íamos devorando caminho, e a planície voava debaixo dos nossos pés, até que o animal estacou, e pude olhar mais tranquilamente em torno de mim. Olhar somente; nada vi, além da imensa brancura da neve, que desta vez invadira o próprio céu, até ali azul. Talvez, a espaços, me parecia uma ou outra planta, enorme, brutesca, meneando ao vento as suas largas folhas. O silêncio daquela região era igual ao do sepulcro: dissera-se que a vida das coisas ficara estúpida diante do homem.

Caiu do ar? destacou-se da terra? não sei; sei que um vulto imenso, uma figura de mulher me apareceu então, fitando-me uns olhos rutilantes como o sol. Tudo nessa figura tinha a vastidão das formas selváticas, e tudo escapava à compreensão do olhar humano, porque os contornos perdiam-se no ambiente, e o que parecia espesso era muita vez diáfano. Estupefato, não disse nada, não cheguei sequer a soltar um grito; mas, ao cabo de algum tempo, que foi breve, perguntei quem era e como se chamava: curiosidade de delírio.

"Call me Nature or Pandora; I am your mother and your enemy."

Hearing this last word, I backed away a little, startled. The figure cackled, which produced the effect of a typhoon around us; the plants twisted and a long moan broke the muteness of external things.

"Do not be afraid," she said "my enmity does not kill; above all it is through life that it affirms itself. You live; I don't want another scourge."

"Do I live?" I asked, burying my nails in my hands, as if to make sure of my own existence.

"Yes, worm, you do. Do not be afraid to lose this rag, which is your pride; for within a few hours you will taste the bread of pain and the wine of misery. You live: right now that you have gone mad, you live; and if your conscience regains a moment of wit, you will say that you want to live."

Having said that, the vision reached out, grabbed my hair and lifted me up like a feather. Only then could I see closely her face, which was huge. Nothing more quiet; no violent writhing, no expression of hatred or ferocity; the single, general, complete feature, was that of selfish impassibility, that of eternal deafness, that of immovable will. Anger, if she had it, was locked in her heart. At the same time, in that face of glacial expression, there was an air of youth, mix of strength and vigour, before which I felt the weakest and most decrepit of beings.

"Did you understand me?" she said after some time of mutual contemplation.

"I did not" I answered; "I don't even want to understand you; you are absurd, you are a fable. I am dreaming, surely, or, if it is true that I have gone mad, you are but a conception of an alienated man, that is, a vain thing, that absent reason can neither rule nor touch. Nature, you? The Nature I know is only mother and not enemy; it does not make life a scourge, nor does, like you, bear that indifferent face, like the sepulchre. And why Pandora?"

"Because I carry in my bag the Good and the Evil, and the greatest of all, the Hope, the comfort of men. Do you tremble?"

"Yes; your glare fascinates me."

"Chama-me Natureza ou Pandora; sou tua mãe e tua inimiga."

Ao ouvir esta última palavra, recuei um pouco, tomado de susto. A figura soltou uma gargalhada, que produziu em torno de nós o efeito de um tufão; as plantas torceram-se e um longo gemido quebrou a mudez das coisas externas.

"Não te assustes", disse ela, "minha inimizade não mata; é sobretudo pela vida que se afirma. Vives; não quero outro flagelo."

"Vivo?" perguntei eu, enterrando as unhas nas mãos, como para certificar-me da existência.

"Sim, verme, tu vives. Não receies perder esse andrajo que é teu orgulho; provarás ainda, por algumas horas, o pão da dor e o vinho da miséria. Vives: agora mesmo que ensandeceste, vives; e se a tua consciência reouver um instante de sagacidade, tu dirás que queres viver."

Dizendo isto, a visão estendeu o braço, segurou-me pelos cabelos e levantou-me ao ar, como se fora uma pluma. Só então pude ver-lhe de perto o rosto, que era enorme. Nada mais quieto; nenhuma contorção violenta, nenhuma expressão de ódio ou ferocidade; a feição única, geral, completa, era a da impassibilidade egoísta, a da eterna surdez, a da vontade imóvel. Raivas, se as tinha, ficavam encerradas no coração. Ao mesmo tempo, nesse rosto de expressão glacial, havia um ar de juventude, mescla de força e viço, diante do qual me sentia eu o mais débil e decrépito dos seres.

"Entendeste-me?" disse ela, no fim de algum tempo de mútua contemplação.

"Não", respondi; "nem quero entender-te; tu és absurda, tu és uma fábula. Estou sonhando, decerto, ou, se é verdade, que enlouqueci, tu não passas de uma concepção de alienado, isto é, uma coisa vã, que a razão ausente não pode reger nem palpar. Natureza, tu? a Natureza que eu conheço é só mãe e não inimiga; não faz da vida um flagelo, nem, como tu, traz esse rosto indiferente, como o sepulcro. E por que Pandora?"

"Porque levo na minha bolsa os bens e os males, e o maior de todos, a esperança, consolação dos homens. Tremes?"

"Sim; o teu olhar fascina-me."

"I believe; I am not only life; I am also death, and you are about to give me back what I lent you. Great lewd, the voluptuousness of nothing awaits you."

As this word echoed like thunder in that great valley, it seemed to me that it was the last sound that came to my ears; I seemed to feel the sudden decomposition of myself. Then I looked at her with pleading eyes, and asked for a few more years.

"Poor minute!" she exclaimed. "What for do you want a few more moments of life? To devour and to be devoured later? Aren't you ill of the spectacle and the fight? You know excessively all things less lousy or less distressing that I presented to you: the first light of the day, the melancholy of the afternoon, the stillness of the night, the aspects of the earth, the sleep – the greatest benefit of my hands. What more do you want, sublime idiot?"

"Only to live, I ask you nothing more. Who has put this love of life in my heart but you? And if I love life, why should you strike yourself by killing me?"

"Because I don't need you anymore. For Time, it doesn't matter the minute that passes, but the minute that comes. The minute that comes is strong, joyful, supposed to bring eternity in itself and brings death, and perish like the other, but time subsists. Selfishness, you say? Yes, selfishness, I have no other law. Selfishness, conservation. The jaguar kills the calf because the reasoning of the jaguar is that it must live, and the tender the calf, the better: this is the universal status. Go up and look."

That said, she carried me to the summit of a mountain. I tilted my eyes to one of the slopes and contemplated, for a long time, in the distance, through a fog, a unique thing. Imagine, reader, a reduction of the centuries, and a parade of them all, all races, all passions, the tumult of Empires, the war of appetites and hatred, the reciprocal destruction of beings and things. Such was the spectacle, bitter and curious spectacle. The history of man and Earth thus had an intensity which neither imagination nor science could give him, because science is slower and imagination vaguer, whereas what I saw there was the living condensation of all times. To describe it one would have to firm the lightning. The centuries paraded in a whirlwind, and yet, because the eyes of delirium are different, I saw everything that passed before me – scourges and delights – from this thing

"Creio; eu não sou somente a vida; sou também a morte, e tu estás prestes a devolver-me o que te emprestei. Grande lascivo, espera-te a voluptuosidade do nada."

Quando esta palavra ecoou, como um trovão, naquele imenso vale, afigurou-se-me que era o último som que chegava a meus ouvidos; pareceu-me sentir a decomposição súbita de mim mesmo. Então, encarei-a com olhos súplices, e pedi mais alguns anos.

"Pobre minuto!" exclamou. "Para que queres tu mais alguns instantes de vida? Para devorar e seres devorado depois? Não estás farto do espetáculo e da luta? Conheces de sobejo tudo o que eu te deparei menos torpe ou menos aflitivo: o alvor do dia, a melancolia da tarde, a quietação da noite, os aspectos da Terra, o sono, enfim, o maior benefício das minhas mãos. Que mais queres tu, sublime idiota?"

"Viver somente, não te peço mais nada. Quem me pôs no coração este amor da vida, senão tu? e, se eu amo a vida, por que te hás de golpear a ti mesma, matando-me?"

"Porque já não preciso de ti. Não importa ao tempo o minuto que passa, mas o minuto que vem. O minuto que vem é forte, jucundo, supõe trazer em si a eternidade, e traz a morte, e perece como o outro, mas o tempo subsiste. Egoísmo, dizes tu? Sim, egoísmo, não tenho outra lei. Egoísmo, conservação. A onça mata o novilho porque o raciocínio da onça é que ela deve viver, e se o novilho é tenro tanto melhor: eis o estatuto universal. Sobe e olha."

Isto dizendo, arrebatou-me ao alto de uma montanha. Inclinei os olhos a uma das vertentes, e contemplei, durante um tempo largo, ao longe, através de um nevoeiro, uma coisa única. Imagina tu, leitor, uma redução dos séculos, e um desfilar de todos eles, as raças todas, todas as paixões, o tumulto dos Impérios, a guerra dos apetites e dos ódios, a destruição recíproca dos seres e das coisas. Tal era o espetáculo, acerbo e curioso espetáculo. A história do homem e da Terra tinha assim uma intensidade que lhe não podiam dar nem a imaginação nem a ciência, porque a ciência é mais lenta e a imaginação mais vaga, enquanto que o que eu ali via era a condensação viva de todos os tempos. Para descrevê-la seria preciso fixar o relâmpago. Os séculos desfilavam num turbilhão, e, não obstante, porque os olhos do delírio são outros, eu via tudo o que passava diante de

called glory to this thing called misery, and I saw love multiplying misery, and I saw misery aggravating weakness. Here came the lust that devours, the wrath that ignites, the envy that drools, and the hoe and the feather, wet with sweat, and the ambition, the hunger, the vanity, the melancholy, the wealth, the love, and all stirred the man, like a rattle, until it destroyed him, like a rag. They were the various forms of an evil, which sometimes bit at the gut, sometimes bit at the thought, and perpetually wandered its harlequin robes around the human race. The pain gave way sometimes, but it gave way to indifference, which was a dreamless sleep, or to pleasure, which was a bastard pain. Then the man, flogged and rebellious, ran before the fatality of things, ran after a hazy, elusive figure, made of shreds, a shred of impalpable, another one of improbable, another one of invisible, all sewn in a precarious point, with the needle of imagination; and this figure – nothing less than the chimera of happiness – either perpetually fled from him, or let herself be caught at the last minute, and the man embraced her, and then she laughed, like a derision, and vanished, like an illusion.

Contemplating such calamity, I could not hold a cry of anguish, that Nature or Pandora listened without protesting or laughing; and I don't know by which law of brain disorder, I was the one who started laughing – with a wild and stupid laugh.

"You're right" I said, "the thing is funny and worth it – perhaps dull – but worth it. When Job cursed the day he was conceived, it was because he was eager to see the spectacle from above. Come on, Pandora, open your womb and digest me; the thing is fun, but digest me."

The answer was to compel myself to look down, and to see the centuries that passed, fast and turbulent, the generations that overlapped the generations, some sad, like the Hebrews of captivity, others happy, like the wantons of Commodus, and all of them punctual in the grave. I wanted to escape, but a mysterious force held my feet; then I said to myself, "Well, the centuries are passing, mine will come, and it will pass too, until the last one, which will give me the decipherment of eternity." And I fixed my eyes, and I continued to see the ages, that are coming and then passing. I was already calm and resolute, I do not know if I was joyful. Perhaps joyful. Each century brought its share of shadow and light, apathy and combat, truth and error, and its procession of systems, new ideas, new illusions; each of them sprouted

mim – flagelos e delícias – desde essa coisa que se chama glória até essa outra que se chama miséria, e via o amor multiplicando a miséria, e via a miséria agravando a debilidade. Aí vinham a cobiça que devora, a cólera que inflama, a inveja que baba, e a enxada e a pena, úmidas de suor, e a ambição, a fome, a vaidade, a melancolia, a riqueza, o amor, e todos agitavam o homem, como um chocalho, até destruí-lo, como um farrapo. Eram as formas várias de um mal, que ora mordia a víscera, ora mordia o pensamento, e passeava eternamente as suas vestes de arlequim, em derredor da espécie humana. A dor cedia alguma vez, mas cedia à indiferença, que era um sono sem sonhos, ou ao prazer, que era uma dor bastarda. Então o homem, flagelado e rebelde, corria diante da fatalidade das coisas, atrás de uma figura nebulosa e esquiva, feita de retalhos, um retalho de impalpável, outro de improvável, outro de invisível, cosidos todos a ponto precário, com a agulha da imaginação; e essa figura – nada menos que a quimera da felicidade – ou lhe fugia perpetuamente, ou deixava-se apanhar pela fralda, e o homem a cingia ao peito, e então ela ria, como um escárnio, e sumia-se, como uma ilusão.

Ao contemplar tanta calamidade, não pude reter um grito de angústia, que Natureza ou Pandora escutou sem protestar nem rir; e não sei por que lei de transtorno cerebral, fui eu que me pus a rir – de um riso descompassado e idiota.

"Tens razão", disse eu, "a coisa é divertida e vale a pena – talvez monótona – mas vale a pena. Quando Jó amaldiçoava o dia em que fora concebido, é porque lhe davam ganas de ver cá de cima o espetáculo. Vamos lá, Pandora, abre o ventre, e digere-me; a coisa é divertida, mas digere-me."

A resposta foi compelir-me fortemente a olhar para baixo, e a ver os séculos que continuavam a passar, velozes e turbulentos, as gerações que se superpunham às gerações, umas tristes, como os Hebreus do cativeiro, outras alegres, como os devassos de Cômodo, e todas elas pontuais na sepultura. Quis fugir, mas uma força misteriosa me retinha os pés; então disse comigo: "Bem, os séculos vão passando, chegará o meu, e passará também, até o último, que me dará a decifração da eternidade." E fixei os olhos, e continuei a ver as idades, que vinham chegando e passando, já então tranquilo e resoluto, não sei até se alegre. Talvez alegre. Cada século trazia a sua porção de sombra e de luz, de apatia e de combate, de verdade e de erro, e o seu cortejo de sistemas, de ideias novas, de novas ilusões;

the green of the Spring, and then turned yellow, to rejuvenate later. Whereas life thus had a calendar regularity, history and civilization were made, and the man, naked and unarmed, has armed and dressed himself, built the shack and the palace, the rough village and Thebes of hundred doors, created science, which investigates, and art which delights, made himself orator, mechanic, philosopher, ran the face of the globe, descended into the womb of the Earth, ascended the sphere of clouds, thus collaborating in the mysterious work, with which entertained the necessity of life and the melancholy of helplessness.

My gaze, queasy and distracted, saw at last the present century come, and behind it the future. This one comes agile, skilful, vibrant, arrogant, a little diffuse, bold, knower, but as miserable as the first, and so it passed and so did the others, just as quickly and as monotonously. I redoubled my attention; I stared at the view; I would finally see the last – the last! – but then the speed of the march was such that it was beyond comprehension; compared to it, the lightning would be a century. Perhaps that's why the objects began to change; some grew, some withered, others got lost in the environment; a fog covered everything but the hippopotamus that had brought me there, which by the way began to shrink, shrink, shrink, until it was the size of a cat. It was effectively a cat. I stared at him; it was my cat Sultan that was playing at the alcove door with a paper ball...

Reason against Foolishness 8

The reader has already understood that it was Reason returning home, and inviting Foolishness to come out, claiming, with better justice, Tartuffe's words:

La maison est à moi, c'est à vous d'en sortir[22].

---

22 "THIS IS MY HOUSE; IT IS YOU WHO MUST LEAVE": In French, originally. Quote of TARTUFFE, a play by French author Jean-Baptiste Poquelin (1622/1673), known by his stage name MOLIÈRE in 1664.

cada um deles rebentavam as verduras de uma primavera, e amareleciam depois, para remoçar mais tarde. Ao passo que a vida tinha assim uma regularidade de calendário, fazia-se a história e a civilização, e o homem, nu e desarmado, armava-se e vestia-se, construía o tugúrio e o palácio, a rude aldeia e Tebas de cem portas, criava a ciência, que perscruta, e a arte que enleva, fazia-se orador, mecânico, filósofo, corria a face do globo, descia ao ventre da Terra, subia à esfera das nuvens, colaborando assim na obra misteriosa, com que entretinha a necessidade da vida e a melancolia do desamparo.

Meu olhar, enfarado e distraído, viu enfim chegar o século presente, e atrás deles os futuros. Aquele vinha ágil, destro, vibrante, cheio de si, um pouco difuso, audaz, sabedor, mas ao cabo tão miserável como os primeiros, e assim passou e assim passaram os outros, com a mesma rapidez e igual monotonia. Redobrei de atenção; fitei a vista; ia enfim ver o último – o último! – mas então já a rapidez da marcha era tal, que escapava a toda a compreensão; ao pé dela o relâmpago seria um século. Talvez por isso entraram os objetos a trocarem-se; uns cresceram, outros minguaram, outros perderam-se no ambiente; um nevoeiro cobriu tudo, "menos o hipopótamo que ali me trouxera, e que aliás começou a diminuir, a diminuir, a diminuir, até ficar do tamanho de um gato. Era efetivamente um gato. Encarei-o bem; era o meu gato Sultão, que brincava à porta da alcova, com uma bola de papel...

Razão contra Sandice

Já o leitor compreendeu que era a Razão que voltava à casa, e convidava a Sandice a sair, clamando, e com melhor jus, as palavras de TARTUFO:

LA MAISON EST À MOI, C'EST À VOUS D'EN SORTIR[22].

---

22   "ESTA É A MINHA CASA; ÉS TU QUE DEVES SAIR": originalmente em francês. Citação de TARTUFO, peça de 1664 do autor francês Jean-Baptiste Poquelin (1622/1673), conhecido pelo seu nome artístico MOLIÈRE.

But it is a former habit of Foolishness to create love for the homes of others, so that, once had it dominated one, it will hardly be dumped. It is a vice; it will not get out of there. It has long hardened its shame. Now, if we look at the immense number of houses it occupies, some for a time and some during its quiet periods, we will conclude that this lovely pilgrim is the terror of the landlords. In our case, there was almost a commotion at the door of my brain, because the foreigner did not want to surrender the house, and the owner did not give up the intention of taking what was his own. After all, Foolishness was already content with a little corner in the attic.

"No, madam," Reason replied, "I'm tired of ceding you attics, tired and experienced, what you want is to go smoothly from the attic to the dining room, then to the visitor room and the rest."

"All right, let me stay a while longer, I'm on the track of a mystery..."

"What mystery?"

"Of two," emended Foolishness; "that of life and that of death; I only ask you for about ten minutes."

Reason laughed.

"You'll always be the same thing... always the same thing... always the same thing..."

And saying this, it caught its wrists and dragged it out; then it went in and closed itself. Foolishness still moaned a few pleas grunted a few grouches; but it quickly disillusioned itself, stuck its tongue out, in a mockingly air, and walked away...

Transition 9

And now you can see how much skill, how much art I use to make the biggest transition of this book. You see, my delirium began in the presence of Virgilia; Virgilia was my great sin of youth; there is no youth without childhood; childhood

Mas é sestro antigo da Sandice criar amor às casas alheias, de modo que, apenas senhora de uma, dificilmente lha farão despejar. É sestro; não se tira daí; há muito que lhe calejou a vergonha. Agora, se advertirmos no imenso número de casas que ocupa, umas de vez, outras durante as suas estações calmosas, concluiremos que esta amável peregrina é o terror dos proprietários. No nosso caso, houve quase um distúrbio à porta do meu cérebro, porque a adventícia não queria entregar a casa, e a dona não cedia da intenção de tomar o que era seu. Afinal, já a Sandice se contentava com um cantinho no sótão.

"Não, senhora", replicou a Razão, "estou cansada de lhe ceder sótãos, cansada e experimentada, o que você quer é passar mansamente do sótão à sala de jantar, daí à de visitas e ao resto."

"Está bem, deixe-me ficar algum tempo mais, estou na pista de um mistério..."

"Que mistério?"

"De dois," emendou a Sandice; "o da vida e o da morte; peço-lhe só uns dez minutos."

A Razão pôs-se a rir.

"Hás de ser sempre a mesma coisa... sempre a mesma coisa... sempre a mesma coisa..."

E dizendo isto, travou-lhe dos pulsos e arrastou-a para fora; depois entrou e fechou-se. A Sandice ainda gemeu algumas súplicas, grunhiu algumas zangas; mas desenganou-se depressa, deitou a língua de fora, em ar de surriada, e foi andando...

Transição

E vejam agora com que destreza, com que arte faço eu a maior transição deste livro. Vejam: o meu delírio começou em presença de Virgília; Virgília foi o meu grão pecado da juventude; não há juventude sem meninice; meninice supõe nascimento; e

presupposes birth; and here it is how we arrived, without effort, on 20th October, 1805, when I was born. Did you see? No apparent junction, nothing to distract the reader's paused attention: nothing. So the book gets all the advantages of the method, without the rigidity of the method. In fact, it was time. That this thing of method, bein, as it is, an indispensable thing, it is always better to have it without tie or suspenders, but a little fresh and loose, as if it does not care about the neighbouring border, nor the inspector of the block. It is like eloquence, there is a genuine and vibrant one, of a natural and witching art, and another rigid one, starched and insipid. Let's go to 20th October.

That Day

That day the Cubas tree sprouted a graceful flower. I was born; Pascoela, a distinguished midwife born in Minho, who boasted that she had opened the door of the world to an entire generation of noblemen, received me in her arms. It is not impossible that my father had heard such a statement from her; I believe, however, that it was the paternal feeling that induced him to gratify her with two half dobras[23]. Washed and bandaged, I was immediately the hero of our house. Each one made predictions about me what best suited their taste. My uncle João, the old infantry officer, thought I had a certain look of Bonaparte, something that my father could not hear without nausea; my uncle Ildefonso, then a mere priest, imagined me a canon.

"Canon, he will be, and I say no more not to look proud; but I would not be surprised if God designed him to a bishopric... True, a bishopric; it is not impossible. What do you say, brother Bento?"

My father answered everyone that I would be whatever God wanted; and he lifted me up, as if trying to show me to the

---

23 DOBRA is an old Portuguese currency that was in circulation between the twelfth and fourteenth centuries.

eis aqui como chegamos nós, sem esforço, ao dia 20 de outubro de 1805, em que nasci. Viram? Nenhuma juntura aparente, nada que divirta a atenção pausada do leitor: nada. De modo que o livro fica assim com todas as vantagens do método, sem a rigidez do método. Na verdade, era tempo. Que isto de método, sendo, como é, uma coisa indispensável, todavia é melhor tê-lo sem gravata nem suspensórios, mas um pouco à fresca e à solta, como quem não se lhe dá da vizinha fronteira, nem do inspetor de quarteirão. É como a eloquência, que há uma genuína e vibrante, de uma arte natural e feiticeira, e outra tesa, engomada e chocha. Vamos ao dia 20 de outubro.

Naquele Dia

Naquele dia, a árvore dos Cubas brotou uma graciosa flor. Nasci; recebeu-me nos braços a Pascoela, insigne parteira minhota, que se gabava de ter aberto a porta do mundo a uma geração inteira de fidalgos. Não é impossível que meu pai lhe ouvisse tal declaração; creio, todavia, que o sentimento paterno é que o induziu a gratificá-la com duas meias dobras[23]. Lavado e enfaixado, fui desde logo o herói da nossa casa. Cada qual prognosticava a meu respeito o que mais lhe quadrava ao sabor. Meu tio João, o antigo oficial de infantaria, achava-me um certo olhar de Bonaparte, coisa que meu pai não pôde ouvir sem náuseas; meu tio Ildefonso, então simples padre, farejava-me cônego.

"Cônego é o que ele há de ser, e não digo mais por não parecer orgulho; mas não me admiraria nada se Deus o destinasse a um bispado... É verdade, um bispado; não é coisa impossível. Que diz você, mano Bento?"

Meu pai respondia a todos que eu seria o que Deus quisesse; e alçava-me ao ar, como se intentasse mostrar-me à

---

23   DOBRA é uma antiga moeda portuguesa que esteve em circulação entre os séculos XII e XIV.

city and the world; he asked everyone if I looked like him, if I was smart, handsome...

I say these things unsurely, as I heard those recounted years later; I ignore most of the details of that famous day. I know that the neighbourhood came or sent congratulations to the new-born, and during the first weeks there were many visits to our home. There was no seat that did not work; a lot of coats and a lot of shorts stirred up. If I do not talk about the pampering, the kisses, the admiration, the blessings, it is because, if I told them, the chapter would no longer end, and we must finish it.

ITEM, I cannot say anything of my baptism either, because nothing was referred to me about it, except that it was one of the most celebrated feasts of the following year, 1806; I was baptized in the São Domingos Church, one Tuesday of March, a clear, bright and pure day, being my godparents Colonel Rodrigues de Matos and his wife. Both were descended from old Northern families and indeed honoured the blood that flowed in their veins, once shed in the war against Holland. I suppose that the names of both were one of the first things I learned; and I surely would say their names very gracefully, or revealed some precocious talent, because there was no stranger before whom I was not forced to recite them.

"Nhonhô, tell these gentlemen what is the name of your godfather."

"My godfather? He is the Honourable Colonel Paulo Vaz Lobo Cesar de Andrade e Sousa Rodrigues de Matos; my godmother is the Honourable Mrs. Maria Luísa de Macedo Resende e Sousa Rodrigues de Matos."

"Such a clever boy!" exclaimed the listeners.

"Very clever," my father agreed; and his eyes drooled with pride, and he put his hand over my head, looked at me for a long time, delighted, very proud.

Likewise, I started walking, I am not sure when, but ahead of time. Perhaps to stimulate nature, I was forced early to attach me to the chairs, they caught me by the diaper, gave me wooden carts.

"So, so, nhonhô, so, so" said the mucama[24].

---

24   In Brazil and in Portuguese Africa, a black female slave or servant, usu-

cidade e ao mundo; perguntava a todos se eu me parecia com ele, se era inteligente, bonito...

Digo essas coisas por alto, segundo as ouvi narrar anos depois; ignoro a mor parte dos pormenores daquele famoso dia. Sei que a vizinhança veio ou mandou cumprimentar o recém-nascido, e que durante as primeiras semanas muitas foram as visitas em nossa casa. Não houve cadeirinha que não trabalhasse; aventou-se muita casaca e muito calção. Se não conto os mimos, os beijos, as admirações, as bênçãos, é porque, se os contasse, não acabaria mais o capítulo, e é preciso acabá-lo.

Item, não posso dizer nada do meu batizado, porque nada me referiram a tal respeito, a não ser que foi uma das mais galhardas festas do ano seguinte, 1806; batizei-me na igreja de São Domingos, uma terça-feira de março, dia claro, luminoso e puro, sendo padrinhos o Coronel Rodrigues de Matos e sua senhora. Um e outro descendiam de velhas famílias do Norte e honravam deveras o sangue que lhes corria nas veias, outrora derramado na guerra contra Holanda. Cuido que os nomes de ambos foram das primeiras coisas que aprendi; e certamente os dizia com muita graça, ou revelava algum talento precoce, porque não havia pessoa estranha diante de quem me não obrigassem a recitá-los.

"Nhonhô, diga a estes senhores como é que se chama seu padrinho."

"Meu padrinho? é o Excelentíssimo Senhor Coronel Paulo Vaz Lobo César de Andrade e Sousa Rodrigues de Matos; minha madrinha é a Excelentíssima Senhora D. Maria Luísa de Macedo Resende e Sousa Rodrigues de Matos."

"É muito esperto o seu menino!" exclamavam os ouvintes.

"Muito esperto," concordava meu pai; e os olhos babavam-se-lhe de orgulho, e ele espalmava a mão sobre a minha cabeça, fitava-me longo tempo, namorado, cheio de si.

Item, comecei a andar, não sei bem quando, mas antes do tempo. Talvez por apressar a natureza, obrigavam-me cedo a agarrar às cadeiras, pegavam-me da fralda, davam-me carrinhos de pau.

"Só só, nhonhô, só só" dizia-me a mucama[24].

---

24   No Brasil e na África portuguesa, uma escrava ou serva, geralmente jovem,

And I, attracted by the tin rattle, which my mother was shaking before me, would go forward, fall here, fall there; and walked, probably in a bad way, but walked, and I kept walking.

The Boy is the Father of the Man

I grew up; and this is where the family did not intervene; I grew up in a natural way, as do magnolias and cats. Perhaps cats are less cunning, and surely magnolias are less restless than I was in my childhood. A poet said that the boy is the father of the man. If this is true, let's look at some of the boy's guidelines.

From the age of five I had earned the nickname "devil boy"; and I truly was nothing else; I was one of the most evil of my time, shrewd, indiscreet, impish and wilful. For example, one day I broke a slave's head because she had denied me a spoonful of coconut candy she was making, and, not content with the harm, I put a handful of ash in the pan, and, not satisfied with the mischief, I said to my mother that the slave had botched the candy "for provocation"; and I was only six years old. Prudêncio, a houseboy, was my everyday horse; he put his hands on the floor, received a twine on his chin, pretending to be the brake, I climbed on his back, with a stick in my hand, I beat him, I went around a thousand times, and he obeyed – sometimes groaning – but obeyed without saying a word, or, at most, a mere "oh, nhonhô!" – to which I retorted: "Shut up, beast!" Hiding hats from visitors, putting paper tails at serious people, tugging at the wigs, pinching the arms of the matrons, and many other pranks of this kind, were all signs of an indocile character, but I must believe they were also expressions of a

---

ally young, who was chosen to live closer to the masters, helped with household services and accompanied her mistress on walks; on several occasions she was also chosen to babysit her masters' children.

E eu, atraído pelo chocalho de lata, que minha mãe agitava diante de mim, lá ia para a frente, cai aqui, cai acolá; e andava, provavelmente mal, mas andava, e fiquei andando.

II O Menino É o Pai do Homem

Cresci; e nisso é que a família não interveio; cresci naturalmente, como crescem as magnólias e os gatos. Talvez os gatos são menos matreiros, e com certeza, as magnólias são menos inquietas do que eu era na minha infância. Um poeta dizia que o menino é pai do homem. Se isto é verdade, vejamos alguns lineamentos do menino.

Desde os cinco anos merecera eu a alcunha de "menino diabo"; e verdadeiramente não era outra coisa; fui dos mais malignos do meu tempo, arguto, indiscreto, traquinas e voluntarioso. Por exemplo, um dia quebrei a cabeça de uma escrava, porque me negara uma colher do doce de coco que estava fazendo, e, não contente com o malefício, deitei um punhado de cinza ao tacho, e, não satisfeito da travessura, fui dizer à minha mãe que a escrava é que estragara o doce "por pirraça"; e eu tinha apenas seis anos. Prudêncio, um moleque de casa, era o meu cavalo de todos os dias; punha as mãos no chão, recebia um cordel nos queixos, à guisa de freio, eu trepava-lhe ao dorso, com uma varinha na mão, fustigava-o, dava mil voltas a um e outro lado, e ele obedecia, "algumas vezes gemendo, "mas obedecia sem dizer palavra, ou, quando muito, um "ai, nhonhô!" – ao que eu retorquia: "Cala a boca, besta!" Esconder os chapéus das visitas, deitar rabos de papel a pessoas graves, puxar pelo rabicho das cabeleiras, dar beliscões nos braços das matronas, e outras muitas façanhas deste jaez, eram mostras de um gênio indócil,

---

que era escolhida para morar perto dos senhores, ajudar nos serviços domésticos e acompanhar a sua senhora em passeios; em várias ocasiões, ela também era escolhida para cuidar dos filhos dos seus senhores.

robust spirit, for my father had a great admiration for me; and if he sometimes scolded me in front of people, he would do so for the sake of formality: in private he would kiss me.

Let it not be concluded from here that I would lead the rest of my life breaking the heads of others or hiding their hats; but opinionated, selfish and a somewhat contemptuous of men, that had been me; if I didn't spend my time hiding their hats, I would have pulled them by the wigs queue.

Anyway, I attached myself to contemplation of human injustice, inclined myself to attenuate it, to explain it, to understand it, to classify it in parts, not by a rigid standard, but according the situations and the places. My mother indoctrinated me in her own way, made me memorize some precepts and prayers; but I felt that, more than the prayers, the nerves and the blood ruled me, and the good rule lost the spirit that makes it live to become a vain formula. In the morning, before the porridge, and at night, before the bed, I asked God to forgive me, as I forgive my debtors; but between the morning and the night I was doing great evil, and my father, after the commotion, kindly touched my face and exclaimed, laughing: "Ah! you impish! Ah! you impish!"

Yes, my father adored me. My mother was a weak lady, with little brain and great heart, very gullible, sincerely pious, homely, though beautiful, and modest, though wealthy; with fear of thunderstorms and of her husband. Her husband was her god on earth. From the collaboration of these two creatures was born my upbringing, which, if it had anything good, was generally vicious, incomplete, and partly negative. My uncle who was a canon sometimes did make some criticism to his brother; He told him that my father gave me more freedom than manners, and more affection than amendment; but my father responded that he applied in my raising a system entirely superior to the system used; and in this way, without confusing his brother, he deceived himself.

Mixed with the transmission and the upbringing, there was still the strange example, the domestic environment. We saw the parents; let's look at the uncles. One of them, João, was a man with a loose tongue, gallant life and picaresque conversation. From the age of eleven he started introducing me to the anecdotes, real or not, all of them contaminated by obscenity or filth. He

mas devo crer que eram também expressões de um espírito robusto, porque meu pai tinha-me em grande admiração; e se às vezes me repreendia, à vista de gente, fazia-o por simples formalidade: em particular dava-me beijos.

Não se conclua daqui que eu levasse todo o resto da minha vida a quebrar a cabeça dos outros nem a esconder-lhes os chapéus; mas opiniático, egoísta e algo contemptor dos homens, isso fui; se não passei o tempo a esconder-lhes os chapéus, alguma vez lhes puxei pelo rabicho das cabeleiras.

Outrossim, afeiçoei-me à contemplação da injustiça humana, inclinei- me a atenuá-la, a explicá-la, a classifiquei-a por partes, a entendê-la, não segundo um padrão rígido, mas ao sabor das circunstâncias e lugares. Minha mãe doutrinava-me a seu modo, fazia-me decorar alguns preceitos e orações; mas eu sentia que, mais do que as orações, me governavam os nervos e o sangue, e a boa regra perdia o espírito, que a faz viver, para se tornar uma vã fórmula. De manhã, antes do mingau, e de noite, antes da cama, pedia a Deus que me perdoasse, assim como eu perdoava aos meus devedores; mas entre a manhã e a noite fazia uma grande maldade, e meu pai, passado o alvoroço, dava-me pancadinhas na cara, e exclamava a rir: "Ah! brejeiro! ah! brejeiro!"

Sim, meu pai adorava-me. Minha mãe era uma senhora fraca, de pouco cérebro e muito coração, assaz crédula, sinceramente piedosa, caseira, apesar de bonita, e modesta, apesar de abastada; temente às trovoadas e ao marido. O marido era na Terra o seu deus. Da colaboração dessas duas criaturas nasceu a minha educação, que, se tinha alguma coisa boa, era no geral viciosa, incompleta, e, em partes, negativa. Meu tio cônego fazia às vezes alguns reparos ao irmão; dizia-lhe que ele me dava mais liberdade do que ensino, e mais afeição do que emenda; mas meu pai respondia que aplicava na minha educação um sistema inteiramente superior ao sistema usado; e por este modo, sem confundir o irmão, iludia-se a si próprio.

De envolta com a transmissão e a educação, houve ainda o exemplo estranho, o meio doméstico. Vimos os pais; vejamos os tios. Um deles, o João, era um homem de língua solta, vida galante, conversa picaresca. Desde os onze anos entrou a admitir-me às anedotas reais ou não, eivadas todas de obscenidade ou imundície. Não me respeitava a adolescência,

did not respect my adolescence, as well as he did not respect his brother's cassock; with the difference that this last one fled as soon as he entered in a scabrous subject. I did not; I stayed, understanding nothing at first, then making sense of it, and finally fiding it quite funny. After a while it was me who was looking for him; and he liked me very much, gave me candies, and took me for a walk. At home, when he was going to spend a few days there, it often occurred to me to find him at the bottom of the farmstead, in the laundry, talking with the slaves who were doing the laundry; and then it was a succession of anecdotes, jokes, questions, and a burst of laughter that no one could hear, because the laundry tank was so far from home. Black women, with a loincloth on their bellies, rolling up a little their dresses, some inside the tank, some outside, bending over the garments, beating, lathering, twisting them, stayed listening and responding uncle João's jokes, and commenting them from time to time with this word:

"Good heavens!... Master João is a devil!"

Quite different was my canon uncle. This one had a lot of austerity and purity; such gifts, however, did not enhance a superior spirit, but only compensated for a mediocre one. He was not a man who saw the substantial part of the church; he saw the exterior appearance, the hierarchy, the pre-eminence, the surplices, the circumflexions. It came rather from the sacristy than the altar. A gap in the ritual inflamed him more than a breach of the commandments. Now, after many years, I am not sure if he could easily recall a Tertullian's passage, or if he could relate, without hesitation, the history of the symbol of Nicaea; but no one at the religious celebrations knew better the number and cases of courtesies due to the officiant. To be a canon was the only ambition of his life; and he said from his heart that it was the greatest dignity he could aspire to. Godly, with severe manners, meticulous in observance of the rules, weak, shy, subaltern, he had some virtues, in which he was exemplar, but he absolutely lacked the power to instil them, to impose them on others.

I say nothing about my maternal aunt, Dona[25] Emerenciana, and indeed she was the person who had the most authority over me; this lady differed greatly from others; but she lived a

---

25   DONA is a title of ladies from noble families in Portugal, Spain and Brazil, which preceded the women's first names; later it was extended to all women with some title of respect, such as married women, widows, nuns and elderly women.

como não respeitava a batina do irmão; com a diferença que este fugia logo que ele enveredava por assunto escabroso. Eu não; deixava-me estar, sem entender nada, a princípio, depois entendendo, e enfim achando-lhe graça. No fim de certo tempo, quem o procurava era eu; e ele gostava muito de mim, dava-me doces, levava-me a passeio. Em casa, quando lá ia passar alguns dias, não poucas vezes me aconteceu achá-lo, no fundo da chácara, no lavadouro, a palestrar com as escravas que batiam roupa; aí é que era um desfiar de anedotas, de ditos, de perguntas, e um estalar de risadas, que ninguém podia ouvir, porque o lavadouro ficava muito longe de casa. As pretas, com uma tanga no ventre, a arregaçar-lhes um palmo dos vestidos, umas dentro do tanque, outras fora, inclinadas sobre as peças de roupa, a batê-las, a ensaboá-las, a torcê-las, iam ouvindo e redarguindo às pilhérias do tio João, e a comentá-las de quando em quando com esta palavra:

"Cruz, diabo!... Este sinhô João é o diabo!"

Bem diferente era o tio cônego. Esse tinha muita austeridade e pureza; tais dotes, contudo, não realçavam um espírito superior, apenas compensavam um espírito medíocre. Não era homem que visse a parte substancial da igreja; via o lado externo, a hierarquia, as preeminências, as sobrepelizes, as circunflexões. Vinha antes da sacristia que do altar. Uma lacuna no ritual excitava-o mais do que uma infração dos mandamentos. Agora, a tantos anos de distância, não estou certo se ele poderia atinar facilmente com um trecho de Tertuliano, ou expor, sem titubear, a história do símbolo de Niceia; mas ninguém, nas festas cantadas, sabia melhor o número e casos das cortesias que se deviam ao oficiante. Cônego foi a única ambição de sua vida; e dizia de coração que era a maior dignidade a que podia aspirar. Piedoso, severo nos costumes, minucioso na observância das regras, frouxo, acanhado, subalterno, possuía algumas virtudes, em que era exemplar, mas carecia absolutamente da força de as incutir, de as impor aos outros.

Não digo nada de minha tia materna, D[25]. Emerenciana, e aliás era a pessoa que mais autoridade tinha sobre mim; essa diferençava-se grandemente dos outros; mas viveu pouco tempo

---

25 DONA é um pronome de tratamento das senhoras de famílias nobres de Portugal, Espanha e do Brasil, de que era precedido o nome próprio das mulheres; posteriormente estendeu-se a todas as mulheres com algum título de respeito, como as casadas, as viúvas, as religiosas e as idosas.

short time with us, about two years. Other relatives and some close friends are not worth mentioning; we did not have an ordinary but intermittent life, with great periods of separation. What matters is the general air of the domestic environment, and that is indicated here – vulgarity of characters, love of shimmering appearances, love of noisy, weakness of will, mastery of whim, and so on. From this land and from this manure this flower was born.

An Episode of 1814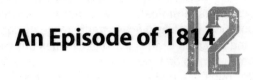

But I do not want to proceed without briefly telling a gallant episode in 1814; I was nine years old.

Napoleon[26], when I was born, was already in all the splendour of glory and power; he was emperor and had entirely won the admiration of men. My father, who by virtue of persuading others of our nobility had eventually persuaded himself, harboured a purely mental hatred against him. That was the cause of fierce strife in our house, because my uncle João, I do not know if for the spirit of class and professional sympathy, forgave in the despot what he admired in the General; my uncle priest was inflexible against the Corsican; the other relatives were divided: hence the controversies and the raids.

As the news of the first fall of Napoleon arrived in Rio de Janeiro, there was naturally great shock in our house, but no mockery or malice. The vanquished, witnesses of the public rejoicing, considered the silence more decorous; some went further and clapped their hands. The cordially cheerful population did not deny demonstrations of affection to the royal family; there were illuminations, salutes, TE-DEUM[27], procession and acclama-

---

26   NAPOLEON I (1769/1821), emperor of France from 1804 until 1815.

27   TE-DEUM is the psalm musicalization of the ancient Latin hymn "TE-DEUM LAUDAMUS" ("We praise you God") often used in Catholic rites to exalt or give thanks to someone or something; traditionally, the authorship of the hymn is attributed to Saint Ambrose, on the occasion of Saint Augustine's baptism by the first in the cathedral of Milan, in the year 387.

em nossa companhia, uns dois anos. Outros parentes e alguns íntimos não merecem a pena de ser citados; não tivemos uma vida comum, mas intermitente, com grandes claros de separação. O que importa é a expressão geral do meio doméstico, e essa aí fica indicada – vulgaridade de caracteres, amor das aparências rutilantes, do arruído, frouxidão da vontade, domínio do capricho, e o mais. Dessa terra e desse estrume é que nasceu esta flor.

Um Episódio de 1814

Mas eu não quero passar adiante, sem contar sumariamente um galante episódio de 1814; tinha nove anos.

Napoleão[26], quando eu nasci, estava já em todo o esplendor da glória e do poder; era imperador e granjeara inteiramente a admiração dos homens. Meu pai, que à força de persuadir os outros da nossa nobreza, acabara persuadindo-se a si próprio, nutria contra ele um ódio puramente mental. Era isso motivo de renhidas contendas em nossa casa, porque meu tio João, não sei se por espírito de classe e simpatia de ofício, perdoava no déspota o que admirava no general, meu tio padre era inflexível contra o corso; os outros parentes dividiam-se: daí as controvérsias e as rusgas.

Chegando ao Rio de Janeiro a notícia da primeira queda de Napoleão, houve naturalmente grande abalo em nossa casa, mas nenhum chasco ou remoque. Os vencidos, testemunhas do regozijo público, julgaram mais decoroso o silêncio; alguns foram além e bateram palmas. A população, cordialmente alegre, não regateou demonstrações de afeto à real família; houve iluminações, salvas, TE-DEUM[27], cortejo e aclamações. Figurei

---

26   NAPOLEÃO I (1769/ 1821), imperador da França de 1804 a 1815.

27   O TE-DEUM é a musicalização em forma de salmo do antigo hino latino "TE-DEUM LAUDAMUS" ("Louvamos-te Deus") frequentemente utilizado nos ritos católicos para exaltar ou dar graças a algo ou a alguém; tradicionalmente, a autoria do hino é atribuída a Santo Ambrósio, na ocasião do batismo de Santo Agostinho na catedral de Milão, no ano 387.

tions. I figured these days with a new marlin, which my godfather had given me on Saint Anthony's Day; and frankly, I was more interested in the marlin than the fall of Bonaparte. I have never forgotten this phenomenon. I never stopped thinking to myself that our marlin is always bigger than Napoleon's sword. And notice that I heard a lot of speech, when I was alive, I read a lot of noisy pages of great ideas and bigger words, but I don't know why, in the deep of the applause that were pulled out from my mouth, there echoed sometimes this concept of an experienced one:

"Go away; you are only interested in the marlin."

To my family was not enough to have an anonymous share in the public rejoicing; they thought it appropriate and indispensable to celebrate the emperor's dismissal with a dinner, and such a dinner that the noise of the acclamations would reach the ears of His Highness, or at least his ministers. And so it was. There came down all the old silverware, inherited from my grandfather Luis Cubas; came down the towels of Flanders, the great jars of India; a pig was killed; the jams and marmalades are ordered to the nuns of Ajuda[28]; they washed, scoured, polished the rooms, stairs, candlesticks, sconces, the vast sleeves of glass, all the appliances of the classical luxury.

When the time has come, a select society was assembled: the judge[29], three or four military officers, some tradesmen and scholars, several officers from the state administration, some with their wives and daughters, some without them, but all united in the desire to bog Bonaparte's memory in a turkey's craw. It was not a dinner but a TE-DEUM; that's what was more or less said by one of the present scholars, Dr. Vilaça, a distinguished glosser[30], who added to the dishes of the house the tidbit of the muses. I remember as if it were yesterday, I remember watching him rise, with his long wig with a tail, silk coat, an emerald

---

28   The author refers to CONVENT OF AJUDA, an ancient convent in Rio de Janeiro; the nuns in the convent used to make jams and marmalade to sell.

29   JUIZ-DE-FORA (a judge from another district) in Portuguese, originally. This judge was a magistrate appointed by the King of Portugal to serve in councils where it was necessary the intervention of an impartial judge, who would normally come from another district.

30   GLOSADOR, or GLOSSER, is someone who makes a gloss, an improvised poetic composition based in the four verses of a quatrain, which are used as a mot.

nesses dias com um espadim novo, que meu padrinho me dera no dia de Santo Antônio; e, francamente, interessava-me mais o espadim do que a queda de Bonaparte. Nunca me esqueceu esse fenômeno. Nunca mais deixei de pensar comigo que o nosso espadim é sempre maior do que a espada de Napoleão. E notem que eu ouvi muito discurso, quando era vivo, li muita página rumorosa de grandes ideias e maiores palavras, mas não sei por que, no fundo dos aplausos que me arrancavam da boca, lá ecoava alguma vez este conceito de experimentado:

"Vai-te embora, tu só cuidas do espadim."

Não se contentou a minha família em ter um quinhão anônimo no regozijo público; entendeu oportuno e indispensável celebrar a destituição do imperador com um jantar, e tal jantar que o ruído das aclamações chegasse aos ouvidos de Sua Alteza, ou quando menos, de seus ministros. Dito e feito. Veio abaixo toda a velha prataria, herdada do meu avô Luís Cubas; vieram as toalhas de Flandres, as grandes jarras da Índia; matou-se um capado; encomendaram-se às madres da Ajuda[28] as compotas e as marmeladas; lavaram-se, arearam-se, poliram-se as salas, escadas, castiçais, arandelas, as vastas mangas de vidro, todos os aparelhos do luxo clássico.

Dada a hora, achou-se reunida uma sociedade seleta: o juiz-de-fora[29], três ou quatro oficiais militares, alguns comerciantes e letrados, vários funcionários da administração, uns com suas mulheres e filhas, outros sem elas, mas todos comungando no desejo de atolar a memória de Bonaparte no papo de um peru. Não era um jantar, mas um TE-DEUM; foi o que pouco mais ou menos disse um dos letrados presentes, o Dr. Vilaça, glosador[30] insigne, que acrescentou aos pratos de casa o acepipe das musas. Lembra-me, como se fosse ontem, lembra-me de o ver erguer-se, com a sua longa cabeleira de rabicho, casaca de

---

28 O autor se refere ao CONVENTO DE AJUDA, um antigo convento no Rio de Janeiro; as freiras do convento costumavam fazer doces e geléias para vender.

29 JUIZ-DE-FORA (juiz de outro distrito) Este juiz era um magistrado designado pelo rei de Portugal para servir em conselhos onde era necessária a intervenção de um juiz imparcial, que normalmente vinha de outro distrito.

30 GLOSADOR é alguém que faz um glosa, uma composição poética improvisada baseada nos quatro versos de uma quadra que são usadas como um tema, ou mote.

on his finger, to ask my uncle priest to repeat him the mot, and, repeated the mot, to stare into a lady's forehead, then cough, then raise his right hand, all closed but the index finger which pointed to the ceiling; and, so composed, to return the mot in the form of a gloss. He did not make one gloss only, but three; then he swore to his gods that he would not end. He would request a mot, they would give it to him; he promptly would make a gloss with it, and then would request another and another; to the point that one of the ladies could not silence her great admiration.

"You say that" Vilaça replied modestly, "because you never heard Bocage, as I heard at the end of the century in Lisbon. That one, oh yes! How easy is it for him! What verses! We had one-hour and two-hour fights in Nicola's tavern, making glosses, among claps and bravos. What a huge talent does Bocage have! That's what told me few days ago the Duchess of Cadaval..."

And these last three words, expressed with great emphasis, produced throughout the assembly a thrill of wonder and astonishment. For this so affable man, so modest, besides competing with poets, conversed with duchesses! A Bocage and a Cadaval! At the contact of such a man, the ladies felt superfine; the men looked upon him with respect, some with envy, not few with unbelief. He, however, went on, accumulating adjective over adjective, adverb over adverb, unravelling all rhymes of tyrant and usurper. It was at dessert time; no one even thought about eating. Between the glosses, there was a cheerful buzz, a chatter of satisfied stomachs; the eyes soft and moist, or alive and warm, lounged or jumped from an end to the other of the table, which was crammed with confectionery and fruit, here the sliced pineapple, there the sliced melon, the crystal jars showing the coconut candy, finely grated, yellow as a yolk – or else the dark and thick molasses, not far from the cheese and the yam[31]. From time to time a jovial, broad, open laugh, a family laugh, would break the political gravity of the banquet. In the midst of the great and common interest, the small and private ones also stirred. The girls spoke of the little songs they had to sing to the harpsichord, and of the minuet and the English soil; there was no shortage of matron either, who promised to dance an octave of beat, just to show how she had a good time in her good days as a child. A lad, next to me, gave to another the recent news of the new slaves that were coming, according to letters he

---

[31]   CARÁ, or yam, is a typical Brazilian tuber; it can be served with treacle.

seda, uma esmeralda no dedo, pedir a meu tio padre que lhe repetisse o mote, e, repetido o mote, cravar os olhos na testa de uma senhora, depois tossir, alçar a mão direita, toda fechada, menos o dedo índice, que apontava para o teto; e, assim posto e composto, devolver o mote glosado. Não fez uma glosa, mas três; depois jurou aos seus deuses não acabar mais. Pedia um mote, davam-lho, ele glosava-o prontamente, e logo pedia outro e mais outro; a tal ponto que uma das senhoras presentes não pôde calar a sua grande admiração.

"A senhora diz isso", retorquia modestamente o Vilaça, "porque nunca ouviu o Bocage, como eu ouvi, no fim do século, em Lisboa. Aquilo sim! que facilidade! e que versos! Tivemos lutas de uma e duas horas, no botequim do Nicola, a glosarmos, no meio de palmas e bravos. Imenso talento o do Bocage! Era o que me dizia, há dias, a senhora Duquesa de Cadaval..."

E estas três palavras últimas, expressas com muita ênfase, produziram em toda a assembleia um frêmito de admiração e pasmo. Pois esse homem tão dado, tão simples, além de pleitear com poetas, discreteava com duquesas! Um Bocage e uma Cadaval! Ao contato de tal homem, as damas sentiam-se superfinas; os varões olhavam-no com respeito, alguns com inveja, não raros com incredulidade. Ele, entretanto, ia caminho, a acumular adjetivo sobre adjetivo, advérbio sobre advérbio, a desfiar todas as rimas de tirano e de usurpador. Era à sobremesa; ninguém já pensava em comer. No intervalo das glosas, corria um burburinho alegre, um palavrear de estômagos satisfeitos; os olhos moles e úmidos, ou vivos e cálidos, espreguiçavam-se ou saltitavam de uma ponta à outra da mesa, atulhada de doces e frutas, aqui o ananás em fatias, ali o melão em talhadas, as compoteiras de cristal deixando ver o doce de coco, finamente ralado, amarelo como uma gema – ou então o melado escuro e grosso, não longe do queijo e do cará[31]. De quando em quando um riso jovial, amplo, desabotoado, um riso de família, vinha quebrar a gravidade política do banquete. No meio do interesse grande e comum, agitavam-se também os pequenos e particulares. As moças falavam das modinhas que haviam de cantar ao cravo, e do minuete e do solo inglês; nem faltava matrona que prometesse bailar um oitavado de compasso, só para mostrar como folgara nos seus bons tempos de criança. Um sujeito, ao pé de mim, dava a outro notícia recente dos negros novos, que estavam a

---

31   CARÁ é um tubérculo brasileiro típico; pode ser servido com melaço.

had received from Luanda, a letter in which his nephew said he had already negotiated about forty heads, and another letter in which... He had them in his pocket, but he could not read them at that moment. What he guaranteed was that we could count, on this single trip, at least one hundred and twenty slaves.

"Clap... clap... clap..." Vilaça clapped his hands. The noise had suddenly ceased, like an orchestra staccato, and all eyes turned towards the glosser. Those who stayed far put their hands behind their ears so as not to miss a word; the majority, even before the gloss, already had a kind of laugh of applause, trivial and candid.

As for me, there I was, lonely and forgotten, coveting a certain jam of my passion. At the end of each gloss I was very happy, hoping it was the last, but it wasn't, and the dessert remained intact. No one remembered to give the first voice. My father, at the head of the table, savoured the joy of the guests in long swallows, mirrored himself in the cheerful faces, the dishes, the flowers, delighted himself in the familiarity between the most distant spirits, influence of a good dinner. I saw this because I dragged my eyes from the jam to him and from him to the jam, as if asking him to serve it to me; but I did it in vain. He saw nothing; he saw himself. And the glosses followed one another like a downpour, forcing me to retract the desire and the request. I was patient as much as I could; and I couldn't so much. I asked for the candy in a low voice; finally, I shouted, yelled, stamped my feet. My father, who would be able to give me the sun, if I demanded it, called a slave to serve me the candy; but it was late. Aunt Emerenciana had pulled me from my chair and handed me to a slave, despite my shouts and twitches.

The glosser's offense was no other: he had retarded the jam and caused my exclusion. It was enough for me to start thinking about revenge, whatever it was, but large and exemplary, something that somehow would make him ridiculous. For he was a serious man, Dr. Vilaça, measured and slow, forty-seven years old, a married man and father. I was not content with the tail of paper or the tail of wig; it had to be worse. I began to stalk him for the rest of the afternoon, following him in the farmstead, where everyone went for a walk. I saw him talking to Dona Eusebia, the sister of Sergeant Major Domingues, a robust maiden, who, if not pretty, was not ugly either.

"I am very angry with you" she said.

vir, segundo cartas que recebera de Loanda, uma carta em que o sobrinho lhe dizia ter já negociado cerca de quarenta cabeças, e outra carta em que... Trazia-as justamente na algibeira, mas não as podia ler naquela ocasião. O que afiançava é que podíamos contar, só nessa viagem, uns cento e vinte negros, pelo menos.

"Trás... trás... trás..." fazia o Vilaça batendo com as mãos uma na outra. O rumor cessava de súbito, como um estacado de orquestra, e todos os olhos se voltavam para o glosador. Quem ficava longe aconcheava a mão atrás da orelha para não perder palavra; a mor parte, antes mesmo da glosa, tinha já um meio riso de aplauso, trivial e cândido.

Quanto a mim, lá estava, solitário e deslembrado, a namorar certa compota da minha paixão. No fim de cada glosa ficava muito contente, esperando que fosse a última, mas não era, e a sobremesa continuava intata. Ninguém se lembrava de dar a primeira voz. Meu pai, à cabeceira, saboreava a goles extensos a alegria dos convivas, mirava-se todo nos carões alegres, nos pratos, nas flores, deliciava-se com a familiaridade travada entre os mais distantes espíritos, influxo de um bom jantar. Eu via isso, porque arrastava os olhos da compota para ele e dele para a compota, como a pedir-lhe que ma servisse; mas fazia-o em vão. Ele não via nada; via-se a si mesmo. E as glosas sucediam-se, como bátegas d'água, obrigando-me a recolher o desejo e o pedido. Pacientei quanto pude; e não pude muito. Pedi em voz baixa o doce; enfim, bradei, berrei, bati com os pés. Meu pai, que seria capaz de me dar o sol, se eu lho exigisse, chamou um escravo para me servir o doce; mas era tarde. A tia Emerenciana arrancara-me da cadeira e entregara-me a uma escrava, não obstante os meus gritos e repelões.

Não foi outro o delito do glosador: retardara a compota e dera causa à minha exclusão. Tanto bastou para que eu cogitasse uma vingança, qualquer que fosse, mas grande e exemplar, coisa que de alguma maneira o tornasse ridículo. Que ele era um homem grave o Dr. Vilaça, medido e lento, quarenta e sete anos, casado e pai. Não me contentava o rabo de papel nem o rabicho da cabeleira; havia de ser coisa pior. Entrei a espreitá-lo, durante o resto da tarde, a segui-lo, na chácara, aonde todos desceram a passear. Vi-o conversar com D. Eusébia, irmã do sargento-mor Domingues, uma robusta donzelona, que se não era bonita, também não era feia.

"Estou muito zangada com o senhor", dizia ela.

"Why?"

"Because... I don't know why... because it's my fate... I sometimes think it's better to die."

they had gone into a small thicket; it was already dusk and the sun had almost set; I followed them. Vilaça had in his eyes sparks of wine and lust.

"Leave me!" she said.

"Nobody sees us. Die, my angel? What ideas you have! You know that I will die too... what am I saying? I die every day, of passion, of longing..."

Dona Eusebia put her scarf in the eyes. The glosser searched his memory for some literary piece and found this, which I later discovered to be from one of the Jew[32]'s operas:

"DON'T CRY, HONEY; DO NOT WANT THE DAY TO DAWN WITH TWO DAWNS.[33]"

He said this; pulled her to himself; she resisted a little, but abandoned herself; their faces joined, and I heard a kiss snap, lightly, the most scared of kisses.

"Dr. Vilaça kissed Dona Eusebia!" I shouted, running across the farmstead.

It was an explosion, this word of mine; amazement paralyzed everyone; the eyes extended to one side and to another; smiles and secrets were exchanged, furtively, the mothers dragged their daughters, pretexting the dew. My father tugged at my ears, disguised, very irritated by the indiscretion; but the next day at lunch, remembering the case, he shook my nose laughing: "Ah! you impish! Ah! you impish!"

---

32 The author refers to the Portuguese playwright and writer, born in Brazil, ANTONIO JOSÉ DA SILVA COUTINHO (1705/1739), known as "The Jew" who was condemned by the Inquisition and executed in an Auto-de-Fé on charges of professing the Jewish faith in secrecy.

33 Extract quote from the play "AMPHITRYON OR JUPITER E ALCMENE", part I, scene V, by António José da Silva Coutinho.

"Por quê?"

"Porque... não sei por quê... porque é a minha sina... creio às vezes que é melhor morrer."

Tinham penetrado numa pequena moita; era lusco-fusco; eu segui-os. O Vilaça levava nos olhos umas chispas de vinho e de volúpia.

"Deixe-me!", disse ela.

"Ninguém nos vê. Morrer, meu anjo? Que ideias são essas! Você sabe que eu morrerei também... que digo?... morro todos os dias, de paixão, de saudades..."

D. Eusébia levou o lenço aos olhos. O glosador vasculhava na memória algum pedaço literário e achou este, que mais tarde verifiquei ser de uma das óperas do Judeu[32]:

"NÃO CHORES, MEU BEM; NÃO QUEIRAS QUE O DIA AMANHEÇA COM DUAS AURORAS.[33]"

Disse isto; puxou-a para si; ela resistiu um pouco, mas deixou-se ir; uniram os rostos, e eu ouvi estalar, muito ao de leve, um beijo, o mais medroso dos beijos.

"O Dr. Vilaça deu um beijo em D. Eusébia!" bradei eu correndo pela chácara.

Foi um estouro esta minha palavra; a estupefação imobilizou a todos; os olhos espraiavam-se a uma e outra banda; trocavam-se sorrisos, segredos, à socapa, as mães arrastavam as filhas, pretextando o sereno. Meu pai puxou-me as orelhas, disfarçadamente, irritado deveras com a indiscrição; mas no dia seguinte, ao almoço, lembrando o caso, sacudiu-me o nariz a rir: "Ah! brejeiro! ah! brejeiro!"

---

[32] O autor refere-se ao dramaturgo e escritor português, nascido no Brasil, ANTÓNIO JOSÉ DA SILVA COUTINHO (1705/1739), conhecido como "O Judeu" que foi condenado pela Inquisição e executado em um Auto-de-Fé por acusação de professar a fé judaica em segredo.

[33] Trecho da peça "ANFITRIÃO, OU JÚPITER E ALCMENE", parte I, cena V, de António José da Silva Coutinho.

A Jump

Let us now join our feet and take a leap over the school, the dull school, where I learned to read, write, count, rap, to take them, and to go outside for pranks, sometime on the hills, or sometime on the beaches, wherever it was good for idlers.

There was some bitterness at that time; there was the scolding, the punishments, the arduous and long lessons, and little more, very little and very light. Only the ferule was heavy, and yet... Oh, ferule, terror of my childish days, you who were the COMPELLE INTRARE[34] with which an old, bony and bald master instilled in my brain the alphabet, the prosody, the syntax, and as much as he knew, blessed ferule, so cursed by the modern ones, I wish I had remained under your yoke, with my young soul, my ignorance, and my marlin, that marlin of 1814, so superior to the sword from Napoleon! What did you want, after all, my old master of primary education? Lesson by heart and composure in class; nothing more, nothing less than life wants, which is the master of last education; with the difference that you, if you caused me fear, never provoked me to anger. I still see you now entering the room, with your white leather slippers, cloak, handkerchief in hand, naked bald, shaved beard; I watch you sit, snort, grunt, absorb a first pinch of snuff, and then call us to the lesson. And you did this for twenty-three years, silent, dark, punctual, stuck in a little house on Piolho Street[35], without pestering the world with your mediocrity, until one day you did the great plunge into darkness, and no one wept for you, except an old black – no one, not me, who owe you the rudiments of writing.

The Christian name of the master was Ludgero; I want to write his full name on this page: Ludgero Barata[36] – a dismal name, which the boys used as an eternal motto to mockery. One of us, Quincas Borba, this one was cruel to the poor man.

---

34 A Latin expression which means "FORCED TO ENTER".

35 The current Carioca Street, downtown Rio de Janeiro.

36 Barata means cockroach in Portuguese, and is also a family name.

# Um Salto

Unamos agora os pés e demos um salto por cima da escola, a enfadonha escola, onde aprendi a ler, escrever, contar, dar cacholetas, apanhá-las, e ir fazer diabruras, ora nos morros, ora nas praias, onde quer que fosse propício a ociosos.

Tinha amarguras esse tempo; tinha os ralhos, os castigos, as lições árduas e longas, e pouco mais, muito pouco e muito leve. Só era pesada, a palmatória, e ainda assim... Ó palmatória, terror dos meus dias pueris, tu que foste o COMPELLE INTRARE[34] com que um velho mestre, ossudo e calvo, me incutiu no cérebro o alfabeto, a prosódia, a sintaxe, e o mais que ele sabia, benta palmatória, tão praguejada dos modernos, quem me dera ter ficado sob o teu jugo, com a minha alma imberbe, as minhas ignorâncias, e o meu espadim, aquele espadim de 1814, tão superior à espada de Napoleão! Que querias tu, afinal, meu velho mestre de primeiras letras? Lição de cor e compostura na aula; nada mais, nada menos do que quer a vida, que é das últimas letras; com a diferença que tu, se me metias medo, nunca me meteste zanga. Vejo-te ainda agora entrar na sala, com as tuas chinelas de couro branco, capote, lenço na mão, calva à mostra, barba rapada; vejo-te sentar, bufar, grunhir, absorver uma pitada inicial, e chamar-nos depois à lição. E fizeste isto durante vinte e três anos, calado, obscuro, pontual, metido numa casinha da Rua do Piolho[35], sem enfadar o mundo com a tua mediocridade, até que um dia deste o grande mergulho nas trevas, e ninguém te chorou, salvo um preto velho – ninguém, nem eu, que te devo os rudimentos da escrita.

Chamava-se Ludgero o mestre; quero escrever-lhe o nome todo nesta página: Ludgero Barata[36] – um nome funesto, que servia aos meninos de eterno mote a chufas. Um de nós, o Quincas Borba, esse então era cruel com o pobre homem. Duas,

---

34   Uma expressão latina que significa "FORÇADO A ENTRAR".

35   A atual Rua da Carioca, na região central do Rio de Janeiro.

36   Baratas são usadas nas crueldades por ser o nome da personagem.

Twice, three times a week, he would leave in the pocket of his trousers – some baggy trousers – or in the desk drawer, or at the inkwell, a dead cockroach. If he found it still during class hours, he would jump, revolving his flaming eyes, and saying us the last epithets: we were maggots, scoundrels, rude, brats. Some trembled, others growled; Quincas Borba, however, would stay quiet, his eyes fixed on the air.

A charming boy, that Quincas Borba. Never in my childhood, never in all my life, have I found a boy more graceful, inventive and mischievous. He was the charm, not of the school, but of the whole city. The mother, a widow with something of her own, adored her son and brought him pampered, neat, decked, with a handsome page behind him, a page who let us skip class, to go out bird-hunting, or to chase lizards on the hills of Livramento and Conceição, or just fooling around like two wanderers, some naughty children, without a job. And emperor! It was a pleasure to see Quincas Borba play emperor at the Holy Ghost festivals. In our childish games, moreover, he always chose the role of king, minister, General, a supremacy, whatever. He had elegance, this impish boy, and gravity, certain magnificence in attitude, in gesture. Who would say... Let's suspend the quill; let's not advance the events. Let's jump to 1822, the date of our political independence, and my first personal captivity.

The First Kiss

I was seventeen years old; I was tortured by a small fluff, which fluff I struggled to convert in moustache. The eyes, alive and resolute, were my truly manly features. As I boasted certain arrogance, one could not distinguish well if I was a child with the air of a man, or a man who looked like a boy. In the end, I was a handsome lad, handsome and daring, who entered life wearing boots and spurs, whip in hand and blood in his veins, riding a nervous, hard, fast steed, like the steed of the old ballads that romanticism sought in the medieval castle, to find it on the streets of our century. The worst thing was that it was so

três vezes por semana, havia de lhe deixar na algibeira das calças – largas calças de enfiar – ou na gaveta da mesa, ou ao pé do tinteiro, uma barata morta. Se ele a encontrava ainda nas horas da aula, dava um pulo, circulava os olhos chamejantes, dizia-nos os últimos nomes: éramos sevandijas, capadócios, malcriados, moleques. Uns tremiam, outros rosnavam; o Quincas Borba, porém, deixava-se estar quieto, com os olhos espetados no ar.

Uma flor, o Quincas Borba. Nunca em minha infância, nunca em toda a minha vida, achei um menino mais gracioso, inventivo e travesso. Era a flor, e não já da escola, senão de toda a cidade. A mãe, viúva, com alguma coisa de seu, adorava o filho e trazia-o amimado, asseado, enfeitado, com um vistoso pajem atrás, um pajem que nos deixava gazear a escola, ir caçar ninhos de pássaros, ou perseguir lagartixas nos morros do Livramento e da Conceição, ou simplesmente arruar, à toa, como dois peraltas sem emprego. E de imperador! Era um gosto ver o Quincas Borba fazer de imperador nas festas do Espírito Santo. De resto, nos nossos jogos pueris, ele escolhia sempre um papel de rei, ministro, general, uma supremacia, qualquer que fosse. Tinha garbo o traquinas, e gravidade, certa magnificência nas atitudes, nos meneios. Quem diria que... Suspendamos a pena; não adiantemos os sucessos. Vamos de um salto a 1822, data da nossa independência política, e do meu primeiro cativeiro pessoal.

14 O Primeiro Beijo

Tinha dezessete anos; pungia-me um buçozinho que eu forcejava por trazer a bigode. Os olhos, vivos e resolutos, eram a minha feição verdadeiramente máscula. Como ostentasse certa arrogância, não se distinguia bem se era uma criança, com fumos de homem, se um homem com ares de menino. Ao cabo, era um lindo garção, lindo e audaz, que entrava na vida de botas e esporas, chicote na mão e sangue nas veias, cavalgando um corcel nervoso, rijo, veloz, como o corcel das antigas baladas, que o romantismo foi buscar ao castelo medieval, para dar com ele nas ruas do nosso século. O pior é que o estafaram a tal ponto,

jaded, that it had to be laid on the shore, where realism came to find it, miserable and eaten by worms and, for compassion, carried it to its books.

Yes, I was this handsome, natty, wealthy lad; and it is easy to imagine that more than one lady bowed her thoughtful forehead before me, or raised her greedy eyes to me. Among all, however, that one that immediately captivated me was one... one... I don't know if I say so; this book is chaste, at least in intention; in intention it is most chaste. But there we go; we say all or we say nothing. The one that captivated me was a Spanish lady, Marcela, the "beautiful Marcela", as the boys of the time called her. And the boys were right. She was the daughter of an Asturian horticulturist; she told me, on a day of sincerity, because the accepted opinion is that she had been born of a scholar from Madrid, victim of the French invasion, wounded, imprisoned, killed by a shotgun, when she was only twelve years old.

Cosas de España[37]. But whoever was the father, scholar or horticulturist, the truth is that Marcela did not have the rustic innocence, and barely understood the moral of the code. She was a good girl, agile, without scruples, a little hindered by the austerity of the time, which did not allow her to drag by the streets her heedlessness and her coaches; luxurious, impatient, friend of money and boys. That year, she was in love with a certain Xavier, a wealthy and tuberculous guy – a charming man.

I saw her for the first time at Rossio Grande[38], on the night of the lamps, as soon as the declaration of independence was released, a spring party, a dawn for the public soul. We were two boys, the people and me; we came from childhood, with all the raptures of youth. I saw her come out of a litter[39], pretty and showy, a slender, undulating body, looking bold, something I had never found in virtuous women. "Follow me," she told the page. And I followed her, as page as the other one, as if she had given me the order, I let myself go enchanted, vibrant, full of the first dawns. Midway, someone called her "beautiful Marcela", it

---

37   "THINGS OF SPAIN": in Spanish, originally.

38   ROSSIO GRANDE was an old square in Rio de Janeiro; it is currently called Tiradentes Square; it was an area of great commercial and cultural activity in the city.

39   It was a chair, closed by curtains, carried by slaves through the streets. It was used as urban transport by the city's elite.

que foi preciso deitá-lo à margem, onde o realismo o veio achar, comido de lazeira e vermes, e, por compaixão, o transportou para os seus livros.

Sim, eu era esse garção bonito, airoso, abastado; e facilmente se imagina que mais de uma dama inclinou diante de mim a fronte pensativa, ou levantou para mim os olhos cobiçosos. De todas porém a que me cativou logo foi uma... uma... não sei se diga; este livro é casto, ao menos na intenção; na intenção é castíssimo. Mas vá lá; ou se há de dizer tudo ou nada. A que me cativou foi uma dama espanhola, Marcela, a "linda Marcela", como lhe chamavam os rapazes do tempo. E tinham razão os rapazes. Era filha de um hortelão das Astúrias; disse-mo ela mesma, num dia de sinceridade, porque a opinião aceita é que nascera de um letrado de Madri, vítima da invasão francesa, ferido, encarcerado, espingardeado, quando ela tinha apenas doze anos.

Cosas de España[37]. Quem quer que fosse, porém, o pai, letrado ou hortelão, a verdade é que Marcela não possuía a inocência rústica, e mal chegava a entender a moral do código. Era boa moça, lépida, sem escrúpulos, um pouco tolhida pela austeridade do tempo, que lhe não permitia arrastar pelas ruas os seus estouvamentos e berlindas; luxuosa, impaciente, amiga de dinheiro e de rapazes. Naquele ano, morria de amores por um certo Xavier, sujeito abastado e tísico – uma pérola.

Vi-a pela primeira vez, no Rossio Grande[38], na noite das luminárias, logo que constou a declaração da independência, uma festa de primavera, um amanhecer da alma pública. Éramos dois rapazes, o povo e eu; vínhamos da infância, com todos os arrebatamentos da juventude. Vi-a sair de uma cadeirinha[39], airosa e vistosa, um corpo esbelto, ondulante, um desgarre, alguma coisa que nunca achara nas mulheres puras. "Segue-me", disse ela ao pajem. E eu segui-a, tão pajem como o outro, como se a ordem me fosse dada, deixei-me ir namorado, vibrante, cheio das primeiras auroras. A meio caminho, chamaram-lhe "linda

---

[37] "COISAS DE ESPANHA": em espanhol, no original.

[38] ROSSIO GRANDE era uma antiga praça do Rio de Janeiro; atualmente é chamada Praça Tiradentes; era uma área de grande atividade comercial e cultural na cidade.

[39] Era uma cadeira, ou liteira, fechada por cortinas, carregada por escravos pelas ruas e usada como transporte urbano pela elite da cidade.

reminded me that I had heard such name from my uncle João, and I stayed, converted.

Three days later my uncle asked me, secretly, if I wanted to go to a girls' supper in the Cajueiros[40]. We went; it was at Marcela's house. Xavier, with all his tubers, presided over the evening banquet, in which I ate little or nothing, because I had eyes only for the lady of the house. How nice was the Spanish one! There were half a dozen more women – all at your disposal – and beautiful, full of grace, but the Spanish one... The enthusiasm, a few sips of wine, my imperious, heedless genius, all this led me to do something unique; When we were leaving, at the front door, I told my uncle to wait a moment, and I went back upstairs.

"Did you forget anything?" Marcela asked, standing on the landing.

"The handkerchief."

She was going to make way for me to return to the living room; I held her hands, pulled her to me, and gave her a kiss. I don't know if she said anything, if she shouted, if she called someone; I know nothing; I know I went down the stairs again, fast as a typhoon, and uncertain as a drunkard.

Marcela 15

It took me thirty days to go from Rossio Grande to Marcela's heart, no longer riding the steed of blind desire, but the arse of patience, at the same time tricky and stubborn. For there are, in fact, two ways of conquer women's will: the violent way, like the bull of Europe, and the insinuating one, like the swan of Leda and the golden shower of Danae, three inventions of Father Zeus,

---

40   CAJUEIROS is a neighbourhood in Rio de Janeiro, located between downtown and the port area, close to the São Cristóvão neighbourhood; it was known for its clean water and sandy beaches and was home to part of the 18,000 nobles who came with the Portuguese royal family in 1808.

Marcela", lembrou-me que ouvira tal nome a meu tio João, e fiquei, confesso

Três dias depois perguntou-me meu tio, em segredo, se queria ir a uma ceia de moças, nos Cajueiros[40]. Fomos; era em casa de Marcela. O Xavier, com todos os seus tubérculos, presidia ao banquete noturno, em que eu pouco ou nada comi, porque só tinha olhos para a dona da casa. Que gentil que estava a espanhola! Havia mais uma meia dúzia de mulheres – todas de partido – e bonitas, cheias de graça, mas a espanhola... O entusiasmo, alguns goles de vinho, o gênio imperioso, estouvado, tudo isso me levou a fazer uma coisa única; à saída, à porta da rua, disse a meu tio que esperasse um instante, e tornei a subir as escadas.

"Esqueceu alguma coisa?" perguntou Marcela de pé, no patamar.

"O lenço."

Ela ia abrir-me caminho para tornar à sala; eu segurei-lhe nas mãos, puxei-a para mim, e dei-lhe um beijo. Não sei se ela disse alguma coisa, se gritou, se chamou alguém; não sei nada; sei que desci outra vez as escadas, veloz como um tufão, e incerto como um ébrio.

Marcela

Gastei trinta dias para ir do Rossio Grande ao coração de Marcela, não já cavalgando o corcel do cego desejo, mas o asno da paciência, a um tempo manhoso e teimoso. Que, em verdade, há dois meios de granjear a vontade das mulheres: o violento, como o touro de Europa, e o insinuativo, como o cisne de Leda e a chuva de ouro de Danae, três inventos do Padre Zeus, que,

---

40   CAJUEIROS é um bairro do Rio de Janeiro, localizado entre o centro e a zona portuária, próximo ao bairro São Cristóvão; era conhecido por suas águas limpas e praias de areia e abrigou parte dos 18.000 nobres que vieram com a família real portuguesa em 1808.

and since, they are out of fashion, they are replaced by the horse and the donkey. I will not say the plans I machinated, nor the bribes, nor the alternations of trust and fear, nor the long waits in vain, nor any of these preliminary things. I assure you that the donkey was worthy of the steed, a Sancho's donkey, great philosopher, which took me to her house at the end of this period; I dismounted, hit its hip, and had it graze.

First commotion of my youth, how sweet you were to me! Such should be, in biblical creation, the effect of the first sun. Imagine this effect of the first sun touching directly the face of a blossomy world. For it was the same thing, dear reader, and if you ever were eighteen, you must remember that it was like this.

Our passion had two phases, or our attachment, or any other name, for I don't know about names, it had the consular phase and the imperial phase. In the first, which was short, we governed Xavier and me, without his knowledge that he ever shared with me the government of Rome; but when credulity could not resist the evidence, Xavier deposed the insignias, and I concentrated all the powers in my hand; it was the caesarean phase. The universe was mine; but, alas! It was not for free. I had to collect money, multiply it, invent it. First I explored my father's broad resources; he gave me all that I asked of him, without reproach, without delay, without coldness; he told everybody that I was a boy and that he once had been a boy too. But the abuse came to such an extreme that he somewhat restricted his liberality, then more, then more. So I appealed to my mother, and induced her to divert something, which she secretly given to me. It was little; I appealed to one last resort: I began to draw upon my father's inheritance, to sign credit bonds, which I would have to redeem one day with interest.

"Really," Marcela said, when I brought her some silk, some jewellery, "in fact, you want to fight with me... to do something like this... such an expensive gift..."

And if it was a jewel, she would say this by gazing at it between her fingers, searching for the best light, trying it, and by laughing, and by kissing me with an ardent and sincere repetition; but, protesting, happiness was reflected in her eyes, and I was glad to see her like this. She was very fond of our old golden coins, and I took her as many as I could get; Marcela gathered them all in an iron box, whose key no one ever knew where it was; she hid it for fear of the slaves. The house where

por estarem fora da moda, aí ficam trocados no cavalo e no asno. Não direi as traças que urdi, nem as peitas, nem as alternativas de confiança e temor, nem as esperas baldadas, nem nenhuma outra dessas coisas preliminares. Afirmo-lhes que o asno foi digno do corcel, um asno de Sancho, deveras filósofo, que me levou à casa dela, no fim do citado período; apeei-me, bati-lhe na anca e mandei-o pastar.

Primeira comoção da minha juventude, que doce que me foste! Tal devia ser, na criação bíblica, o efeito do primeiro sol. Imagina tu esse efeito do primeiro sol, a bater de chapa na face de um mundo em flor. Pois foi a mesma coisa, leitor amigo, e se alguma vez contaste dezoito anos, deves lembrar-te que foi assim mesmo.

Teve duas fases a nossa paixão, ou ligação, ou qualquer outro nome, que eu de nomes não curo, teve a fase consular e a fase imperial. Na primeira, que foi curta, regemos o Xavier e eu, sem que ele jamais acreditasse dividir comigo o governo de Roma; mas, quando a credulidade não pôde resistir à evidência, o Xavier depôs as insígnias, e eu concentrei todos os poderes na minha mão; foi a fase cesariana. Era meu o universo; mas, ai triste! não o era de graça. Foi-me preciso coligir dinheiro, multiplicá-lo, inventá-lo. Primeiro explorei as larguezas de meu pai; ele dava-me tudo o que eu lhe pedia, sem repreensão, sem demora, sem frieza; dizia a todos que eu era rapaz e que ele o fora também. Mas a tal extremo chegou o abuso, que ele restringiu um pouco as franquezas, depois mais, depois mais. Então recorri a minha mãe, e induzi-a a desviar alguma coisa, que me dava às escondidas. Era pouco; lancei mão de um recurso último: entrei a sacar sobre a herança de meu pai, a assinar obrigações, que devia resgatar um dia com usura.

"Em verdade", dizia-me Marcela, quando eu lhe levava alguma seda, alguma joia: "em verdade, você quer brigar comigo... Pois isto é coisa que se faça... um presente tão caro..."

E, se era joia, dizia isto a contemplá-la entre os dedos, a procurar melhor luz, a ensaiá-la em si, e a rir, e a beijar-me com uma reincidência impetuosa e sincera; mas, protestando, derramava-se-lhe a felicidade dos olhos, e eu sentia-me feliz com vê-la assim. Gostava muito das nossas antigas dobras de ouro, e eu levava-lhe quantas podia obter; Marcela juntava-as todas dentro de uma caixinha de ferro, cuja chave ninguém nunca jamais soube onde ficava; escondia-a por medo dos escravos. A

she lived, in Cajueiros, was her own. The furniture, made of carved rosewood, was solid and good, and so were all the other appliances, mirrors, jars, serving set – a beautiful East India Company serving set that a judge had given her. Devil's plates, you gave me some big nervous breakdowns. I often said it to the owner herself; I did not conceal the boredom that gave me these and other spoils of her old loves.

She listened to me and laughed, with a candid air – candid and another thing, which I did not understand well at the time; but now, remembering the case, I think it was a mixed laugh, the same of a creature that have been born, for example, of a Shakespeare's witch with a Klopstock's[41] seraph. I don't know if I explain myself. And because she was aware of my late jealousies, she seemed to like to incite them still more. So one day, as I could not give her a necklace she had seen in a jeweller, she replied that it was a mere joke, that our love did not need such vulgar stimulation.

"I won't forgive you if you make this sad idea of me," she concluded, threatening me with her finger.

And then, suddenly as a bird, she spread her hands, put them on my face, pulled me to her, and made a graceful gesture, a pout. Then, lying in the divan, she continued to talk about it, simply and candidly. She would never consent to her affections being bought. She had often sold appearances, but the reality, she kept it for a few. Duarte, for example, Ensign Duarte, whom she had really loved two years earlier, barely could give her something of value, as it happened to me; she only accepted without reluctance gifts of small value, like the golden cross that he once gave her, for her birthday.

"This cross..."

She said this, putting the hand in her breast and pulling out a thin gold cross, attached to a blue ribbon and hanging from her lap.

"But that cross," I observed, "did you not tell me that it was your father who..." Marcela shook her head, with an air of pity.

"Didn't you realize that it was a lie, that I said that not to bother you? Come here, baby, don't be so suspicious of me...

---

41   FRIEDRICH GOTTLIEB KLOPSTOCK (1724/1803) was a German poet.

casa em que morava, nos Cajueiros, era própria. Eram sólidos e bons os móveis, de jacarandá lavrado, e todas as demais alfaias, espelhos, jarras, baixela – uma linda baixela da Índia, que lhe doara um desembargador. Baixela do diabo, deste-me grandes repelões aos nervos. Disse-o muita vez à própria dona; não lhe dissimulava o tédio que me faziam esses e outros despojos dos seus amores de antanho.

Ela ouvia-me e ria, com uma expressão cândida – cândida e outra coisa, que eu nesse tempo não entendia bem; mas agora, relembrando o caso, penso que era um riso misto, como devia ter a criatura que nascesse, por exemplo, de uma bruxa de Shakespeare com um serafim de Klopstock[41]. Não sei se me explico. E porque tinha notícia dos meus zelos tardios, parece que gostava de os açular mais. Assim foi que um dia, como eu lhe não pudesse dar certo colar, que ela vira num joalheiro, retorquiu-me que era um simples gracejo, que o nosso amor não precisava de tão vulgar estímulo.

"Não lhe perdoo, se você fizer de mim essa triste ideia", concluiu ameaçando-me com o dedo.

E logo, súbita como um passarinho, espalmou as mãos, cingiu-me com elas o rosto, puxou-me a si e fez um trejeito gracioso, um momo de criança. Depois, reclinada na marquesa, continuou a falar daquilo, com simplicidade e franqueza. Jamais consentiria que lhe comprassem os afetos. Vendera muita vez as aparências, mas a realidade, guardava-a para poucos. Duarte, por exemplo, o alferes Duarte, que ela amara deveras, dois anos antes, só a custo conseguia dar-lhe alguma coisa de valor, como me acontecia a mim; ela só lhe aceitava sem relutância os mimos de escasso preço, como a cruz de ouro, que lhe deu, uma vez, de festas.

"Esta cruz..."

Dizia isto, metendo a mão no seio e tirando uma cruz fina, de ouro, presa a uma fita azul e pendurada ao colo.

"Mas essa cruz", observei eu, "não me disseste que era teu pai que..." Marcela abanou a cabeça com um ar de lástima:

"Não percebeste que era mentira, que eu dizia isso para te não molestar? Vem cá, chiquito, não sejas assim desconfiado

---

41   FRIEDRICH GOTTLIEB KLOPSTOCK (1724/1803) foi um poeta alemão.

I loved another; what does it matter, if it's over? One day, when we split up..."

"Do not say that!" I shouted.

"Everything ends! One day..."

She could not end; a sob strangled her voice; she stretched her hands, took mine, snuggled me up to her breast, and whispered in my ear, "Never, never, my sweet love!" I thanked her with tearful eyes. The next day I brought her the necklace I had refused.

"To remember me by when we split up," I said.

Marcela had an indignant silence at first; then she made a magnificent gesture: she tried to throw the necklace into the street. I held her arm; I asked her very much not to make me such offense, to keep the jewel. She smiled and kept it.

In the meantime, she paid me abundantly for the sacrifices; observed my deepest thoughts; there was no wish she would not satisfy with soul, effortlessly, for a kind of law of conscience and need of heart. The wish would never be reasonable, but a pure whim, a childishness, to see her dressed in a certain way, with such and such ornaments, this dress and not that one, go for a walk or something, and she gave in to everything, smiling and talkative.

"You're a piece of work," she told me.

And she was going to put on the dress, the lace, the earrings, with a charming obedience.

An Immoral Reflection

An immoral reflection occurs to me, which is at the same time a style correction. I think I said in chapter XIV that Marcela was in love with Xavier, a love to die for. She didn't die, she lived. Living is not the same as dying; so say all the jewellers of this

comigo... Amei a outro; que importa, se acabou? Um dia, quando nos separarmos..."

"Não digas isso!" bradei eu.

"Tudo cessa! Um dia..."

Não pôde acabar; um soluço estrangulou-lhe a voz; estendeu as mãos, tomou das minhas, conchegou-me ao seio, e sussurrou-me baixo ao ouvido: "Nunca, nunca, meu amor! Eu agradeci-lho com os olhos úmidos. No dia seguinte levei-lhe o colar que havia recusado.

"Para lembrares de mim, ao nos separarmos", disse eu.

Marcela teve primeiro um silêncio indignado; depois fez um gesto magnífico: tentou atirar o colar à rua. Eu retive-lhe o braço; pedi-lhe muito que não me fizesse tal desfeita, que ficasse com a joia. Sorriu e ficou.

Entretanto, pagava-me à farta os sacrifícios; espreitava os meus mais recônditos pensamentos; não havia desejo a que não acudisse com alma, sem esforço, por uma espécie de lei da consciência e necessidade do coração. Nunca o desejo era razoável, mas um capricho puro, uma criancice, vê-la trajar de certo modo, com tais e tais enfeites, este vestido e não aquele, ir a passeio ou outra coisa assim, e ela cedia a tudo, risonha e palreira.

"Você é das Arábias", dizia-me.

E ia a pôr o vestido, a renda, os brincos, com uma obediência de encantar.

16 Uma Reflexão Imoral

Ocorre-me uma reflexão imoral, que é ao mesmo tempo uma correção de estilo. Cuido haver dito, no capítulo XIV, que Marcela morria de amores pelo Xavier. Não morria, vivia. Viver não é a mesma coisa que morrer; assim o afirmam todos os

world, people very much wise in grammar. Good jewellers, what would love are if it weren't for your jewels and your credit? One third or one fifth of the universal commerce of hearts. This is the immoral reflection I intended to make, which is even darker than immoral, because it cannot be understood what I mean. What I mean is that the most beautiful forehead in the world is no less beautiful if it is wrapped around a fine gems diadem; no less beautiful, no less loved. Marcela, for example, who was very pretty, Marcela loved me...

About Trapeze and Other Things

...Marcela loved me for fifteen months and eleven contos; nothing less. My father, as soon as he realized the eleven contos, was really startled; he thought the case went beyond the limits of a youthful whim.

"This time," he said, "you are going to Europe; you will attend a university, probably Coimbra; I want you a serious man and not a wanderer and a prowler." And when he saw that I made a gesture of amazement:

"Yes, a prowler; a son who does this to me is not something else..."

He took my credit bonds, which he had already redeemed, and shook them in my face. "Do you see, you impish? Is that the way a lad should take care of his parent's name? Do you think my grandparents and I make money at gambling houses or wandering around the streets? Shameless! This time either you come to your senses or you're left with nothing."

He was furious, but his enthusiasm was tempered and short. I listened quietly, and I did not oppose to the order of the trip, as I had done on other occasions; I was ruminating on the idea of taking Marcela with me. I went to her; I exposed the crisis

joalheiros deste mundo, gente muito vista na gramática. Bons joalheiros, que seria do amor se não fossem os vossos dixes e fiados? Um terço ou um quinto do universal comércio dos corações. Esta é a reflexão imoral que eu pretendia fazer, a qual é ainda mais obscura do que imoral, porque não se entende bem o que eu quero dizer. O que eu quero dizer é que a mais bela testa do mundo não fica menos bela, se a cingir um diadema de pedras finas; nem menos bela, nem menos amada. Marcela, por exemplo, que era bem bonita, Marcela amou-me...

17 Do Trapézio e Outras Coisas

...Marcela amou-me durante quinze meses e onze contos de réis; nada menos. Meu pai, logo que teve aragem dos onze contos, sobressaltou-se deveras; achou que o caso excedia as raias de um capricho juvenil.

"Desta vez", disse ele, "vais para a Europa; vais cursar uma Universidade, provavelmente Coimbra; quero-te para homem sério e não para arruador e gatuno." E como eu fizesse um gesto de espanto:

"Gatuno, sim senhor; não é outra coisa um filho que me faz isto..."

Sacou da algibeira os meus títulos de dívida, já resgatados por ele, e sacudiu-mos na cara. "Vês, peralta? é assim que um moço deve zelar o nome dos seus? Pensas que eu e meus avós ganhamos o dinheiro em casas de jogo ou a vadiar pelas ruas? Pelintra! Desta vez ou tomas juízo, ou ficas sem coisa nenhuma."

Estava furioso, mas de um furor temperado e curto. Eu ouvi-o calado, e nada opus à ordem da viagem, como de outras vezes fizera; ruminava a ideia de levar Marcela comigo. Fui ter com ela; expus-lhe a crise e fiz-lhe a proposta. Marcela ouviu-

to her and made the proposal. Marcela listened to me with her eyes in the air, not answering immediately; as I insisted, she told me she would stay, that she could not go to Europe.

"Why not?"

"I can't," she said, with an expression of sorrow; "I can't breathe those airs, I remember my poor father, killed by Napoleon..."

"Which one: the horticulturist or the lawyer?"

Marcela frowned, hummed a Spanish song, a seguidilla, softly; then she complained of the heat, and sent for a glass of aluá[42]. It was brought by the mucama in a silver plate that was part of my eleven contos. Marcela politely offered me the refreshment; my answer was to throw the glass and the plate; the liquid poured in her lap, the black one screamed, I shouted at her to leave. When we were alone, I poured out all the despair of my heart; I told her that she was a monster, that she had never loved me, that she had allowed me to humiliate myself, without even the excuse of sincerity; I said many insulting words to her, making many rambling gestures. Marcela had been sitting, tapping her nails on her teeth, cold as a piece of marble. I had the wish to strangle her, to humiliate her at least, to overwhelm her at my feet. Perhaps I was going to do it; but the action changed into another; it was me who threw myself at her feet, contrite and suppliant; I kissed her feet, remembered those months of our lonely happiness, repeated the beloved names of another time, sitting on the floor, with my head between her knees, tightening her hands; breathless, frantic, I asked her, in tears, not to forsake me... Marcela stood for a moment looking at me, we both silent, until she gently turned me away, and, with a weary air:

"Don't bother me" she said.

She got up, shook her dress, still wet, and walked into the alcove. "No!" I shouted; "you will not enter... I don't want..." I was about to hold her: it was late; she came in and closed the door.

I left, like an insane; I spent two mortal hours wandering through the more eccentric, deserted neighbourhoods, where it was hard to find me. I was chewing on my despair with a kind

---

42 Refreshing drink made with rice or corn flour, citrus peels, crushed or grated ginger root, sugar or cane juice and lemon juice.

-me com os olhos no ar, sem responder logo; como insistisse, disse-me que ficava, que não podia ir para a Europa.

"Por que não?"

"Não posso", disse ela com ar dolente; "não posso ir respirar aqueles ares, enquanto me lembrar de meu pobre pai, morto por Napoleão..."

"Qual deles: o hortelão ou o advogado?"

Marcela franziu a testa, cantarolou uma seguidilha, entre dentes; depois queixou-se do calor, e mandou vir um copo de aluá[42]. Trouxe-lho a mucama, numa salva de prata, que fazia parte dos meus onze contos. Marcela ofereceu-me polidamente o refresco; minha resposta foi dar com a mão no copo e na salva; entornou-se-lhe o líquido no regaço, a preta deu um grito, eu bradei-lhe que se fosse embora. Ficando a sós, derramei todo o desespero de meu coração; disse-lhe que ela era um monstro, que jamais me tivera amor, que me deixara descer a tudo, sem ter ao menos a desculpa da sinceridade; chamei-lhe muitos nomes feios, fazendo muitos gestos descompostos. Marcela deixara-se estar sentada, a estalar as unhas nos dentes, fria como um pedaço de mármore. Tive ímpetos de a estrangular, de a humilhar ao menos, subjugando-a a meus pés. Ia talvez fazê-lo; mas a ação trocou-se noutra; fui eu que me atirei aos pés dela, contrito e súplice; beijei-lhos, recordei aqueles meses da nossa felicidade solitária, repeti-lhe os nomes queridos de outro tempo, sentado no chão, com a cabeça entre os joelhos dela, apertando-lhe muito as mãos; ofegante, desvairado, pedi-lhe com lágrimas que me não desamparasse... Marcela esteve alguns instantes a olhar para mim, calados ambos, até que brandamente me desviou e, com um ar enfastiado:

"Não me aborreça", disse.

Levantou-se, sacudiu o vestido, ainda molhado, e caminhou para a alcova. "Não!" bradei; "não hás de entrar... não quero..." Ia a lançar-lhe as mãos: era tarde; ela entrara e fechara-se.

Saí desatinado; gastei duas mortais horas em vaguear pelos bairros mais excêntricos e desertos, onde fosse difícil dar comigo. Ia mastigando o meu desespero, com uma espécie de gula mórbida; evocava os dias, as horas, os instantes de delírio,

---

42 Bebida refrescante feita de farinha de arroz ou de milho, cascas de frutas cítricas, raiz de gengibre esmagada ou ralada, garapa e sumo de limão.

of morbid gluttony; I recalled the days, the hours, the moments of mad love, and now I was glad to believe that they were eternal, that all this was a nightmare, and now, deceiving myself, I was trying to reject them from me, as an useless burden... So I decided to embark immediately, to cut my life in two halves, and delighted me the idea that Marcela, knowing about the departure, would be sad with longing and remorse. That she had loved me, the foolish one, she must have felt something, some reminder, like that one from Ensign Duarte... Then, the tooth of jealousy was buried in my heart; the entire nature shouted that it was necessary to take Marcela with me.

"By force... by force..." I said, striking the air with my fist.

At last, I had a saving idea... Ah! Trapeze of my sins, trapeze of abstruse conceptions! The saving idea worked on it, like that one of the plaster (chapter II). It was nothing less than fascinating her, fascinating her very much, dazzling her, dragging her; I thought to ask her by more concrete means than supplication. I did not measure the consequences; I resorted to a last loan; I went to Ourives Street[43], bought the best jewel in town, three large diamonds embedded in an ivory comb; I ran to Marcela's house.

Marcela was reclining in a hammock, her gesture soft and tired, one of her legs dangling, letting see her little foot in a silky sock, her loose and stretched hair, and with a quiet, sleepy gaze.

"Come with me," I said. "I got resources. We have a lot of money. You'll have everything you want. Look, take it."

And I showed her the comb with the diamonds... Marcela gave a slight start, lifted half of her body, and, leaning on her elbow, stared at the comb for a few short moments; then she diverted her eyes; she had mastered herself. So I put my hands on her hair, gathered it and tied it back with hasty gestures, without care, and finished it with the diamond comb; I stepped back, approached again, corrected her locks, lowered them at one side, sought some symmetry in that disorder, all with a thoroughness and an affection of mother.

---

43   OURIVES STREET – Rua do Ourives – was located downtown Rio de Janeiro and bore this name until the beginning of the twentieth century when it was divided by Rio Branco Avenue and renamed with the names of Rodrigo Silva Street and Miguel Couto Street.

e ora me comprazia em crer que eles eram eternos, que tudo aquilo era um pesadelo, ora, enganando-me a mim mesmo, tentava rejeitá-los de mim, como um fardo inútil. Então resolvia embarcar imediatamente para cortar a minha vida em duas metades, e deleitava-me com a ideia de que Marcela, sabendo da partida, ficaria ralada de saudades e remorsos. Que ela amara-me a tonta, devia de sentir alguma coisa, uma lembrança qualquer, como do alferes Duarte... Nisto, o dente do ciúme enterrava-se-me no coração; toda a natureza bradava que era preciso levar Marcela comigo.

"Por força... por força... dizia eu ferindo o ar com uma punhada."

Enfim, tive uma ideia salvadora... Ah! trapézio dos meus pecados, trapézio das concepções abstrusas! A ideia salvadora trabalhou nele, como a do emplasto (capítulo II). Era nada menos que fasciná-la, fasciná-la muito, deslumbrá-la, arrastá-la; lembrou-me pedir-lhe por um meio mais concreto do que a súplica. Não medi as consequências; recorri a um derradeiro empréstimo; fui à Rua dos Ourives[43], comprei a melhor joia da cidade, três diamantes grandes encastoados num pente de marfim; corri à casa de Marcela.

Marcela estava reclinada numa rede, o gesto mole e cansado, uma das pernas pendentes, a ver-se-lhe o pezinho calçado de meia de seda, os cabelos soltos, derramados, o olhar quieto e sonolento.

"Vem comigo", disse eu, "arranjei recursos... temos muito dinheiro, terás tudo o que quiseres... Olha, toma."

E mostrei-lhe o pente com os diamantes... Marcela teve um leve sobressalto, ergueu metade do corpo, e, apoiada num cotovelo, olhou para o pente durante alguns instantes curtos; depois retirou os olhos; tinha-se dominado. Então, eu lancei-lhe as mãos aos cabelos, coligi-os, enlacei-os à pressa, improvisei um toucado, sem nenhum alinho, e rematei-o com o pente de diamantes; recuei, tornei a aproximar-me, corrigi-lhe as madeixas, abaixei-as de um lado, busquei alguma simetria naquela desordem, tudo com uma minuciosidade e um carinho de mãe.

---

[43] A RUA DO OURIVES estava localizada no centro do Rio de Janeiro e recebeu esse nome até o início do século XX, quando foi dividida pela Avenida Rio Branco e renomeada com os nomes Rua Rodrigo Silva e Rua Miguel Couto.

"There it is" I said.

"You're crazy!" was her first answer.

The second one was to pull me to her, and pay me for the sacrifice with a kiss, the most ardent of all. Then she took the comb, she admired very much the material and the art work, looking at me from time to time, and shaking her head with a reproving expression.

"Oh! You..." she said.

"Will you come with me?"

Marcela considered for a moment. I didn't like the expression with which she looked from me to the wall, and from the wall to the jewel; but all the bad impression vanished when she answered me resolutely:

"I will. When are you leaving?"

"In a couple of days."

"I will."

I thanked her on my knees. I had found my Marcela of the first days, and I told her; she smiled, and went to store the jewel, as I went downstairs.

Vision from the Corridor

At the bottom of the stairs, at the end of the dark corridor, I paused for a moment to breathe, to touch me, to summon the scattered ideas, to finally recover me in the midst of so many deep and contrary sensations. I thought I was happy. Certainly, the diamonds corrupted my happiness a little; but it is no less certain that a beautiful lady may well love the Greeks and their gifts. Moreover, I trusted my good Marcela; she could have some flaws, but she loved me...

"An angel!" I muttered, staring at the ceiling of the corridor.

"Pronto", disse eu.

"Doudo!" foi a sua primeira resposta.

A segunda foi puxar-me para si, e pagar-me o sacrifício com um beijo, o mais ardente de todos. Depois tirou o pente, admirou muito a matéria e o lavor, olhando a espaços para mim, e abanando a cabeça, com um ar de repreensão:

"Ora você!" dizia.

"Vens comigo?"

Marcela refletiu um instante. Não gostei da expressão com que passeava os olhos de mim para a parede, e da parede para a joia; mas toda a má impressão se desvaneceu, quando ela me respondeu resolutamente:

"Vou. Quando embarcas?"

"Daqui a dois ou três dias."

"Vou."

Agradeci-lho de joelhos. Tinha achado a minha Marcela dos primeiros dias, e disse-lho; ela sorriu, e foi guardar a joia, enquanto eu descia a escada.

Visão do Corredor

No fim da escada, ao fundo do corredor escuro, parei alguns instantes para respirar, apalpar-me, convocar as ideias dispersas, reaver-me enfim no meio de tantas sensações profundas e contrárias. Achava-me feliz. Certo é que os diamantes corrompiam- me um pouco a felicidade; mas não é menos certo que uma dama bonita pode muito bem amar os gregos e os seus presentes. E depois eu confiava na minha boa Marcela; podia ter defeitos, mas amava- me...

"Um anjo!" murmurei olhando para o teto do corredor.

And then, like a mockery, I saw Marcela's gaze, that look that had just before given me a shadow of mistrust, which twinkled from on high of a nose, which was at the same time Bakbarah's[44] nose and mine. Poor lover of the ARABIAN NIGHTS! There I saw you running after the vizier's wife, along the gallery, she beckoning you with possession, and you running, running, running to the long alley, from where you came out into the street, where all the saddlers of the street mocked you and mistreated you. Then it seemed to me that Marcela's corridor was the alley, and that the street was Baghdad's street. Indeed, looking at the door, I saw on the sidewalk three of the saddlers, one in cassock, one in livery, one in plain clothes, and all three entered the corridor, took me by the arms, put me in a coach, my father on the right, my canon uncle on the left, the one in livery in the driver's seat, and from there they took me to the chief constable's house, from where I was transported to a ship that was going to Lisbon. I resisted, you can imagine; but all resistance was useless.

Three days later I was off shore, downcast and mute. I didn't even cry; I had a fixed idea... Damned fixed ideas! This time the idea was to have a dip in the ocean, repeating Marcela's name.

On Board

We were eleven passengers, a mad man, accompanied by his wife, two young men on a tour, four merchants, and two servants. My father recommended me to everyone, beginning with the ship's captain, who, moreover, had a lot of his own to take care of, for he was taking his wife, a woman suffering from galloping consumption.

I don't know if the captain suspected anything of my funereal project, or if my father warned him; I know he did not take his eyes off me; he used to call me everywhere. When he could

---

44 Character of the ARABIAN NIGHTS that came to symbolize the naive boyfriend who was treated with cruelty by a more experienced woman.

E aí, como um escárnio, vi o olhar de Marcela, aquele olhar que pouco antes me dera uma sombra de desconfiança, o qual chispava de cima de um nariz, que era ao mesmo tempo o nariz de Bakbarah[44] e o meu. Pobre namorado das MIL E UMA NOITES! Vi-te ali mesmo correr atrás da mulher do vizir, ao longo da galeria, ela a acenar-te com a posse, e tu a correr, a correr, a correr, até a alameda comprida, donde saíste à rua, onde todos os correeiros te apuparam e desancaram. Então pareceu-me que o corredor de Marcela era a alameda, e que a rua era a de Bagdá. Com efeito, olhando para a porta, vi na calçada três dos correeiros, um de batina, outro de libré, outro à paisana, os quais todos três entraram no corredor, tomaram-me pelos braços, meteram-me numa sege, meu pai à direita, meu tio cônego à esquerda, o da libré na boleia, e lá me levaram à casa do intendente de polícia, donde fui transportado a uma galera que devia seguir para Lisboa. Imaginem se resisti; mas toda a resistência era inútil.

Três dias depois segui barra fora, abatido e mudo. Não chorava sequer; tinha uma ideia fixa... Malditas ideias fixas! A dessa ocasião era dar um mergulho no oceano, repetindo o nome de Marcela.

19 A Bordo

Éramos onze passageiros, um homem doido, acompanhado pela mulher, dois rapazes que iam a passeio, quatro comerciantes e dois criados. Meu pai recomendou-me a todos, começando pelo capitão do navio que, aliás, tinha muito que cuidar de si, porque, além do mais, levava a mulher tísica em último grau.

Não sei se o capitão suspeitou alguma coisa do meu fúnebre projeto, ou se meu pai o pôs de sobreaviso; sei que não me tirava os olhos de cima; chamava-me para toda a parte. Quando

---

44 Personagem das MIL E UMA NOITES que passou a simbolizar o namorado ingênuo que era tratado com crueldade por uma mulher mais experiente.

not be with me, he would take me to his wife. The woman was almost always in a shallow bed, coughing a lot, and guaranteed that she would show me the surroundings of Lisbon. She was not thin, she was transparent; it was impossible not to die at a short notice. The captain pretended not to believe in the near death, perhaps to deceive himself. I knew nothing, I thought nothing. What did I care about the fate of a consumptive woman in the middle of the ocean? To me, the world was Marcela.

One night, at the end of a week, I thought it a good occasion to die. I climbed cautiously, but found the captain, who stood by the bulwark, his eyes fixed on the horizon.

"Any thunderstorm?" I said.

"No," he said, with a shudder; "no; I admire the splendour of the night. Look! It's divine!"

The style belied the person, quite rude and apparently strange to affected phrases. I stared at him; he seemed to savour my amazement. After a few seconds, he took my hand and pointed to the moon, wondering why I didn't make an ode to the night; I replied that I was not a poet. The captain growled something, took two steps, reached into his pocket, pulled out a very rumpled piece of paper; then, by the light of a lantern, he read an Horatian ode about the freedom of maritime life. They were his verses.

"What do you think?"

I don't remember what I told him; I remember that he shook my hand very hard and with thanks; soon after he recited two sonnets to me; he was going to recite another when they came to call him, his wife had sent for him. "There I go," he said; and he recited the third sonnet to me, with pause, with love.

I remained alone; but the captain's muse had driven evil thoughts out of my mind; I preferred to sleep, which is a provisory way of dying. The next day, we woke up under a storm that scared everyone but the madman; this one started jumping, saying that his daughter sent for him, in a coach; the death of a daughter was the cause of his madness. No, I will never forget the hideous figure of the poor man, amid the tumult of people and the howls of the hurricane, humming and dancing, his eyes bulging from his face, completely pale, a dishevelled, long hair. Sometimes he would stop, raise his

não podia estar comigo, levava-me para a mulher. A mulher ia quase sempre numa camilha rasa, a tossir muito, e a afiançar que me havia de mostrar os arredores de Lisboa. Não estava magra, estava transparente; era impossível que não morresse de uma hora para outra. O capitão fingia não crer na morte próxima, talvez por enganar-se a si mesmo. Eu não sabia nem pensava nada. Que me importava a mim o destino de uma mulher tísica, no meio do oceano? O mundo para mim era Marcela.

Uma noite, logo no fim de uma semana, achei ensejo propício para morrer. Subi cauteloso, mas encontrei o capitão, que junto à amurada, tinha os olhos fitos no horizonte.

"Algum temporal?" disse eu.

"Não", respondeu ele estremecendo; "não; admiro o esplendor da noite. Veja; está celestial!"

O estilo desmentia da pessoa, assaz rude e aparentemente alheia a locuções rebuscadas. Fitei-o; ele pareceu saborear o meu espanto. No fim de alguns segundos, pegou-me na mão e apontou para a lua, perguntando-me por que não fazia uma ode à noite; respondi-lhe que não era poeta. O capitão rosnou alguma coisa, deu dois passos, meteu a mão no bolso, sacou um pedaço de papel, muito amarrotado; depois, à luz de uma lanterna, leu uma ode horaciana sobre a liberdade da vida marítima. Eram versos dele.

"Que tal?"

Não me lembra o que lhe disse; lembra-me que ele me apertou a mão com muita força e muitos agradecimentos; logo depois recitou- me dois sonetos; ia recitar-me outro, quando o vieram chamar da parte da mulher. "Lá vou", disse ele; e recitou-me o terceiro soneto, com pausa, com amor.

Fiquei só; mas a musa do capitão varrera-me do espírito os pensamentos maus; preferi dormir, que é um modo interino de morrer. No dia seguinte, acordamos debaixo de um temporal, que meteu medo a toda a gente, menos ao doido; esse entrou a dar pulos, a dizer que a filha o mandava buscar numa berlinda; a morte de uma filha fora a causa da loucura. Não, nunca me há de esquecer a figura hedionda do pobre homem, no meio do tumulto das gentes e dos uivos do furacão, a cantarolar e a bailar, com os olhos a saltarem-lhe da cara, pálido, cabelo arrepiado e longo. Às vezes parava, erguia ao ar as mãos ossudas, fazia

bony hands in the air, make crosses with his fingers, then a chess, then some rings, and laugh a lot, desperately. His wife could no longer take care of him; rendered to the terror of death, she prayed for herself to all saints in heaven. At last, the storm subsided. I confess it was excellent fun to the storm of my heart. I, who meditated on going to death, did not dare look at it when it came to me.

The captain asked me if I had been afraid, if I had been at risk, if I had not thought the spectacle was sublime: all this with friend's interest. The conversation, of course, was about maritime life; the captain asked me if I disliked fishing idylls; I answered him, naively, that I did not know what it was.

"You will see" he said.

And he recited a little poem to me, then another one – a pastoral – and finally five sonnets, with which he finished his literary confidence that day. The next day, before reciting anything to me, the captain explained to me that only for serious reasons had he embraced the maritime profession, because his grandmother wanted him to be a priest, and indeed he had a superficial knowledge of Latin; he did not become a priest, but anyway he became a poet, his natural vocation. To prove it, he immediately recited to me, presently, a hundred verses. I noticed a phenomenon: his affected gestures were such that they once made me laugh; but the captain, when he recited, looked so much into himself that he saw and heard nothing.

The days passed, and the waters, and the verses, and with them went the life of the woman also. Death was near. One day, just after lunch, the captain told me that the invalid woman might not come to the end of the week.

"So soon?" I exclaimed.

"She had a very bad night."

I went to see her; I found her, in fact, almost dying, but still talking about resting in Lisbon a few days, before going with me to Coimbra, because it was her purpose to take me to the University. I left her, depressed; I found her husband looking at the waves that were dying on the side of the ship, and tried to comfort him; he thanked me, told me the story of his loves, praised the woman's fidelity and dedication, remembered the verses he made to her, and recited them. At this point they came

umas cruzes com os dedos, depois um xadrez, depois umas argolas, e ria muito, desesperadamente. A mulher não podia já cuidar dele; entregue ao terror da morte, rezava por si mesma a todos os santos do Céu. Enfim, a tempestade amainou. Confesso que foi uma diversão excelente à tempestade do meu coração. Eu, que meditava ir ter com a morte, não ousei fitá-la quando ela veio ter comigo.

O capitão perguntou-me se tivera medo, se estivera em risco, se não achara sublime o espetáculo: tudo isso com um interesse de amigo. Naturalmente a conversa versou sobre a vida do mar; o capitão perguntou-me se não gostava de idílios piscatórios; eu respondi-lhe ingenuamente que não sabia o que era.

"Vai ver", respondeu.

E recitou-me um poemazinho, depois outro – uma égloga – e enfim cinco sonetos, com os quais rematou nesse dia a confidência literária. No dia seguinte, antes de me recitar nada, explicou-me o capitão que só por motivos graves abraçara a profissão marítima, porque a avó queria que ele fosse padre e, com efeito, possuía algumas letras latinas; não chegou a ser padre, mas não deixou de ser poeta, que era a sua vocação natural. Para prová-lo, recitou-me logo, de corpo presente, uma centena de versos. Notei um fenômeno: os ademanes que ele usava eram tais, que uma vez me fizeram rir; mas o capitão, quando recitava, de tal sorte olhava para dentro de si mesmo, que não viu nem ouviu nada.

Os dias passavam, e as águas, e os versos, e com eles ia também passando a vida da mulher. Estava por pouco. Um dia, logo depois do almoço, disse-me o capitão que a enferma talvez não chegasse ao fim da semana.

"Já!" exclamei.

"Passou muito mal a noite."

Fui vê-la; achei-a, na verdade, quase moribunda, mas falando ainda de descansar em Lisboa alguns dias, antes de ir comigo a Coimbra, porque era seu propósito levar-me à Universidade. Deixei-a consternado; fui achar o marido a olhar para as vagas, que vinham morrer no costado do navio, e tratei de o consolar; ele agradeceu- me, relatou-me a história dos seus amores, elogiou a fidelidade e a dedicação da mulher, relembrou os versos que lhe fez, e recitou-mos. Neste ponto vieram

to fetch him on the part of her; we both rushed; it was a crisis. This day and the next day were cruel; the third was death; I fled the spectacle that disgusted me. A half hour later I found the captain, sitting in a bundle of cables, his head in his hands, and I said something to comfort him.

"She died like a saint," he answered; and so that these words could not be taken as a weakness, he immediately raised, shook his head, and gazed at the horizon, with a long, deep gesture. "Come on," he said, "Let's hand her to the grave that never opens again."

Indeed, few hours later, the corpse was thrown into the sea, with the usual ceremonies. Sorrow withered all faces; the face of the widower bore the expression of an iron column that had been severely chipped by lightning. Great silence. The wave opened its belly, took in the spoils, closed it – a slight wrinkle – and the ship moved on. I stayed at the stern for a few minutes, my eyes on that uncertain spot of the sea where one of us was... From there I went to the captain, to distract him.

"Thank you," he told me, understanding my intention; "believe me; I will never forget your good services. God will pay for them. Poor Leocádia! In Heaven will you remember us."

He wiped an inopportune tear with his sleeve; I sought a distraction in poetry, which was his passion. I told him about the verses he had read to me and offered to print them. The captain's eyes cheered up a little. "Perhaps I accept," he said; "but I don't know... they are very loose verses." I swore that it was not like that; I asked him to gather them and give me before the landing.

"Poor Leocádia!" he muttered without answering the request. "A corpse... the sea... the sky... the ship..."

The next day he came to me to read a freshly composed epicedium, in which the circumstances of the woman's death and burial were remembered; he read it with a very moved voice and a trembling hand; in the end, he asked me if the verses were worthy of the treasure he had lost.

"They are" I said.

"There will be no poetic talent," he mused at the end of an instant, "but no one will deny my feeling, if the very feeling has not damaged perfection."

buscá-lo da parte dela; corremos ambos; era uma crise. Esse e o dia seguinte foram cruéis; o terceiro foi o da morte; eu fugi ao espetáculo, tinha-lhe repugnância. Meia hora depois encontrei o capitão, sentado num molho de cabos, com a cabeça nas mãos, disse-lhe alguma coisa de conforto.

"Morreu como uma santa", respondeu ele; e, para que estas palavras não pudessem ser levadas à conta de fraqueza, ergueu-se logo, sacudiu a cabeça, e fitou o horizonte, com um gesto longo e profundo. "Vamos", continuou, "entreguemo-la à cova que nunca mais se abre."

Efetivamente, poucas horas depois, era o cadáver lançado ao mar, com as cerimônias do costume. A tristeza murchara todos os rostos; o do viúvo trazia a expressão de um cabeço rijamente lascado pelo raio. Grande silêncio. A vaga abriu o ventre, acolheu o despojo, fechou-se – uma leve ruga – e a galera foi andando. Eu deixei-me estar alguns minutos à popa, com os olhos naquele ponto incerto do mar em que ficava um de nós... Fui dali ter com o capitão, para distraí-lo.

"Obrigado", disse-me ele compreendendo a intenção; "creia que nunca me esquecerei dos seus bons serviços. Deus é que lhos há de pagar. Pobre Leocádia! tu te lembrarás de nós no Céu."

Enxugou com a manga uma lágrima importuna; eu busquei um derivativo na poesia, que era a paixão dele. Falei-lhe dos versos, que me lera, e ofereci-me para imprimi-los. Os olhos do capitão animaram-se um pouco. "Talvez aceite", disse ele; "mas não sei... são bem frouxos versos". Jurei-lhe que não; pedi que os reunisse e mos desse antes do desembarque.

"Pobre Leocádia!" murmurou sem responder ao pedido. "Um cadáver... o mar... o céu... o navio..."

No dia seguinte veio ler-me um epicédio composto de fresco, em que estavam memoradas as circunstâncias da morte e da sepultura da mulher; leu-mo com a voz comovida deveras, e a mão trêmula; no fim perguntou-me se os versos eram dignos do tesouro que perdera.

"São", disse eu.

"Não haverá estro", ponderou ele, no fim de um instante, "mas ninguém me negará sentimento, se não é que o próprio sentimento prejudicou a perfeição..."

"I don't think so; I think the verses are perfect."

"Yes, I believe that... seafarer verses."

"Of a seafarer poet."

He raised his shoulders, looked down at the paper, and recited the composition again, but already without trembling, accentuating the literary intentions, giving emphasis to images and melody to verses. In the end, he confessed to me that it was his most accomplished work; I fully agreed with him, it was; he shook my hand effusively and foretold me a great future.

I Graduate

A great future! While this word was falling on my ear, I was looking at the mysterious, vague horizon in the distance. One idea expelled another, ambition dismantled Marcela. Great future? Perhaps biologist, scholar, archaeologist, banker, politician, or even bishop – bishop, it might well be – provided it was a position, pre-eminence, a great reputation, a superior position. Ambition, since it was an eagle, on this occasion broke the egg and unveiled the fulvous and penetrating pupil. Goodbye, love! Goodbye, Marcela! Days of delirium, priceless jewellery, life without regimen, goodbye! Here I go to fatigue and glory; I leave you with the short trousers of the first age.

And that's how I landed in Lisbon and went to Coimbra. The university was waiting for me with its arduous subjects; I studied them in a very mediocre way, and yet I did not lose my bachelor's degree; they gave it to me with the solemnity of style, after the years stipulated in the law; a great party that gave me great pride and longing – especially longing. I had won in Coimbra a great reputation as a reveller; I was an extravagant, superficial, tumultuous, petulant student, prone to adventures, doing practical romanticism and theoretical liberalism, living in the mere faith of black eyes and written constitutions. On the day the university attested to me, in parchment paper, a science that

"Não me parece; acho os versos perfeitos."

"Sim, eu creio que... Versos de marujo."

"De marujo poeta."

Ele levantou os ombros, olhou para o papel, e tornou a recitar a composição, mas já então sem tremuras, acentuando as intenções literárias, dando relevo às imagens e melodia aos versos. No fim, confessou-me que era a sua obra mais acabada; eu disse-lhe que sim; ele apertou-me muito a mão e predisse-me um grande futuro.

20 Bacharelo-me

Um grande futuro! Enquanto esta palavra me batia no ouvido, devolvia eu os olhos, ao longe, no horizonte misterioso e vago. Uma ideia expelia outra, a ambição desmontava Marcela. Grande futuro? Talvez naturalista, literato, arqueólogo, banqueiro, político, ou até bispo – bispo que fosse – uma vez que fosse um cargo, uma preeminência, uma grande reputação, uma posição superior. A ambição, dado que fosse águia, quebrou nessa ocasião o ovo, e desvendou a pupila fulva e penetrante. Adeus, amores! adeus, Marcela! dias de delírio, joias sem preço, vida sem regímen, adeus! Cá me vou às fadigas e à glória; deixo-vos com as calcinhas da primeira idade.

E foi assim que desembarquei em Lisboa e segui para Coimbra. A Universidade esperava-me com as suas matérias árduas; estudei-as muito mediocremente, e nem por isso perdi o grau de bacharel; deram-mo com a solenidade do estilo, após os anos da lei; uma bela festa que me encheu de orgulho e de saudades – principalmente de saudades. Tinha eu conquistado em Coimbra uma grande nomeada de folião; era um acadêmico estroina, superficial, tumultuário e petulante, dado às aventuras, fazendo romantismo prático e liberalismo teórico, vivendo na pura fé dos olhos pretos e das constituições escritas. No dia em que a Universidade me atestou, em pergaminho, uma ciência que eu

was far from entrenched in my brain, I confess I thought myself somehow mistaken, though proud. I explain: the diploma was a certificate of manumission; if it gave me freedom, it gave me responsibility. I kept it, left the banks of Mondego river, and came from there quite disconsolate, but already feeling an impetus, a curiosity, a desire to push the others, to influence, to enjoy, to live – to prolong the university throughout life...

The Carrier[45]

And then it balked, the donkey I was riding; I struck it, it jumped twice, then three times, finally one more time, which shook me out of the saddle with such a disaster that my left foot caught in the stirrup; I tried to cling to the animal's belly, but then, startled, it darted down the road. I'm saying it wrong: it tried to dart, and in fact, it jumped twice, but a carrier, who was there, came in time to take its bridle and stop it, not without effort or danger. When the beast was dominated, I broke free of the stirrup and stood up.

"Look what guv'nor have escaped" said the carrier.

And it was true; if the donkey runs around, it would bruise me, and I do not know if death would not be at the end of the disaster; broken head, congestion, any trouble inside, and there it goes, the blooming science. The carrier had saved my life, perhaps; it was positive; I felt it in the blood that shook my heart. Good carrier! While I was recovering myself, he was repairing the donkey's harness, with great care and artistry. I decided to give him three gold coins out of the five I was carrying with me; not because such was the price of my life – that was priceless; but because it was a reward worthy of the dedication with which he saved me. It is decided, I give him the three coins.

---

45   ALMOCREVE, in Portuguese originally, a man who carries beasts of burden.

estava longe de trazer arraigada no cérebro, confesso que me achei de algum modo logrado, ainda que orgulhoso. Explico-me: o diploma era uma carta de alforria; se me dava a liberdade, dava-me a responsabilidade. Guardei-o, deixei as margens do Mondego, e vim por ali fora assaz desconsolado, mas sentindo já uns ímpetos, uma curiosidade, um desejo de acotovelar os outros, de influir, de gozar, de viver – de prolongar a Universidade pela vida adiante...

21 O Almocreve[45]

Vai então, empacou o jumento em que eu vinha montado; fustiguei- o, ele deu dois corcovos, depois mais três, enfim mais um, que me sacudiu fora da sela, com tal desastre, que o pé esquerdo me ficou preso no estribo; tento agarrar-me ao ventre do animal, mas já então, espantado, disparou pela estrada fora. Digo mal: tentou disparar, e efetivamente deu dois saltos, mas um almocreve, que ali estava, acudiu a tempo de lhe pegar na rédea e detê-lo, não sem esforço nem perigo. Dominado o bruto, desvencilhei-me do estribo e pus-me de pé.

"Olhe do que vosmecê escapou", disse o almocreve.

E era verdade; se o jumento corre por ali fora, contundia-me deveras, e não sei se a morte não estaria no fim do desastre; cabeça partida, uma congestão, qualquer transtorno cá dentro, lá se me ia a ciência em flor. O almocreve salvara-me talvez a vida; era positivo; eu sentia-no no sangue que me agitava o coração. Bom almocreve! enquanto eu tornava à consciência de mim mesmo, ele cuidava de consertar os arreios do jumento, com muito zelo e arte. Resolvi dar- lhe três moedas de ouro das cinco que trazia comigo; não porque tal fosse o preço da minha vida – essa era inestimável; mas porque era uma recompensa digna da dedicação com que ele me salvou. Está dito, dou-lhe as três moedas.

---

45   Indivíduo que tem por ofício conduzir bestas de carga

"There it is", he said, handing me the horse's riding bridle.

"Give me a moment," I said; "leave me; I'm not conscious yet..."

"Come on!"

"Isn't it right that I was dying?"

"If the donkey runs around, it's possible; but, with the help of the Lord, guv'nor saw that nothing happened."

I opened the saddlebag, took out an old vest, in whose pocket I had the five gold coins, and during that time I wondered if the gratification was not excessive, if two coins were not enough. Perhaps one. In fact, one coin was enough to make him jump for joy. I examined his clothes; he was a poor fellow who had never seen a gold coin. So, one coin. I took it off, saw it sparkle in the sunlight; the carrier did not saw it, for I had turned my back on him; but he suspected it, perhaps, he began to talk to the donkey in a meaningful way; he gave it advice, told the donkey to shape up, that "mister doctor" could punish it; a paternal monologue. God help me! I even heard a kiss snap: it was the carrier who kissed its forehead.

"Well done!" I exclaimed.

"Please, guv'nor, I beg you to forgive me, but the beast is looking at us with such grace..."

I laughed, hesitated, put a silver coin in his hand, rode the donkey, and followed in fast trot, a little ashamed, rather a little uncertain of the effect of the little silver coin. But a few fathoms away, I looked back; the carrier was greeting me with great courtesy, with obvious signs of contentment. I thought it must have been so; I had paid him well, perhaps I had paid him too much. I put my fingers into my vest pocket and felt some copper coins; it was the pennies I should have given the carrier instead of the silver coin. Because, well, he did not aim any reward or virtue, but yielded to a natural impulse, to temperament, to the habits of office; in addition, the fact that he was no further on or further back, but at the right point of disaster, seemed to make him a mere instrument of Providence; and either way, the merit of the act was positively none. I became disconsolate with this reflection, called myself a prodigal, considered the coin as part

"Pronto", disse ele, apresentando-me a rédea da cavalgadura.

"Daqui a nada", respondi; "deixa-me, que ainda não estou em mim..."

"Ora qual!"

"Pois não é certo que ia morrendo?"

"Se o jumento corre por aí fora, é possível; mas, com a ajuda do Senhor, viu vosmecê que não aconteceu nada."

Fui aos alforjes, tirei um colete velho, em cujo bolso trazia as cinco moedas de ouro, e durante esse tempo cogitei se não era excessiva a gratificação, se não bastavam duas moedas. Talvez uma. Com efeito, uma moeda era bastante para lhe dar estremeções de alegria. Examinei-lhe a roupa; era um pobre-diabo, que nunca jamais vira uma moeda de ouro. Portanto, uma moeda. Tirei-a, vi-a reluzir à luz do sol; não a viu o almocreve, porque eu tinha-lhe voltado as costas; mas suspeitou-o talvez, entrou a falar ao jumento de um modo significativo; dava-lhe conselhos, dizia-lhe que tomasse juízo, que o "senhor doutor" podia castigá-lo; um monólogo paternal. Valha-me Deus! até ouvi estalar um beijo: era o almocreve que lhe beijava a testa.

"Olé!" exclamei.

"Queira vosmecê perdoar, mas o diabo do bicho está a olhar para a gente com tanta graça..."

Ri-me, hesitei, meti-lhe na mão um cruzado em prata, cavalguei o jumento, e segui a trote largo, um pouco vexado, melhor direi um pouco incerto do efeito da pratinha. Mas a algumas braças de distância, olhei para trás, o almocreve fazia-me grandes cortesias, com evidentes mostras de contentamento. Adverti que devia ser assim mesmo; eu pagara-lhe bem, pagara-lhe talvez demais. Meti os dedos no bolso do colete que trazia no corpo e senti umas moedas de cobre; eram os vinténs que eu devera ter dado ao almocreve, em lugar do cruzado em prata. Porque, enfim, ele não levou em mira nenhuma recompensa ou virtude, cedeu a um impulso natural, ao temperamento, aos hábitos do ofício; acresce que a circunstância de estar, não mais adiante nem mais atrás, mas justamente no ponto do desastre, parecia constituí-lo simples instrumento da Providência; e de um ou de outro modo, o mérito do ato era positivamente nenhum. Fiquei

of my old wastefulness; I felt (why won't I say everything?) I felt remorse.

Back to Rio de Janeiro

Damn donkey, you cut the thread of my musings. Now I do not say anymore what I thought from there to Lisbon, or what I did in Lisbon, on the peninsula and elsewhere in Europe, the old Europe, which at that time seemed to rejuvenate. No, I will not say that I watched the dawn of romanticism; that I, too, went to do effective poetry in the lap of Italy; I won't say anything. I would have to write a travel journal and not some memoirs, like these, into which only the substance of life enters.

At the end of a few years of pilgrimage, I answered my father's supplications: "Come," he said in his last letter; "if you don't come quickly, you will find your mother dead!" This last word was a blow to me. I loved my mother; I still remembered the circumstances of her last blessing, that she had given me aboard the ship. "My sad son, I will never see you again," sobbed the poor lady, embracing me. And those words echoed in me now, like a fulfilled prophecy.

Note that I was in Venice, still exhaling Lord Byron's verses; there I was, dived in a dream, reliving the past, believing to be in the Most Serene Republic. It is true; once happened to me to ask the innkeeper if the doge was going for a walk that day. "What DOGE, SIGNOR MIO?[46] I come to my senses, but I did not confess the illusion; I told him that my question was a kind of American charade; he seemed to understand, and added that he was very fond of American charades. He was an innkeeper. For I left it all, the innkeeper, the doge, the Bridge of Sighs, the gondola, the lord's verses, the ladies of Rialto, I left everything and went off like a bullet towards Rio de Janeiro.

---

46   "WHAT DOGE, MY LORD?": The doge was the former ruler of the Most Serene Republic of Venice, a title used for over a thousand years.

desconsolado com esta reflexão, chamei-me pródigo, lancei o cruzado à conta das minhas dissipações antigas; tive (por que não direi tudo?) tive remorsos.

Volta ao Rio

Jumento de uma figa, cortaste-me o fio às reflexões. Já agora não digo o que pensei dali até Lisboa, nem o que fiz em Lisboa, na península e em outros lugares da Europa, da velha Europa, que nesse tempo parecia remoçar. Não, não direi que assisti às alvoradas do romantismo, que também eu fui fazer poesia efetiva no regaço da Itália; não direi coisa nenhuma. Teria de escrever um diário de viagem e não umas memórias, como estas são, nas quais só entra a substância da vida.

Ao cabo de alguns anos de peregrinação, atendi às súplicas de meu pai: "Vem", dizia ele na última carta; "se não vieres depressa, acharás tua mãe morta!" Esta última palavra foi para mim um golpe. Eu amava minha mãe; tinha ainda diante dos olhos as circunstâncias da última bênção que ela me dera, a bordo do navio. "Meu triste filho, nunca mais te verei", soluçava a pobre senhora apertando-me ao peito. E essas palavras ressoavam-me agora, como uma profecia realizada.

Note-se que eu estava em Veneza, ainda recendente aos versos de Lorde Byron; lá estava, mergulhado em pleno sonho, revivendo o pretérito, crendo-me na Seréníssima República. É verdade; uma vez aconteceu-me perguntar ao locandeiro se o doge ia a passeio nesse dia. "Que DOGE, SIGNOR MIO?"[46] Caí em mim, mas não confessei a ilusão; disse-lhe que a minha pergunta era um gênero de charada americana; ele mostrou compreender, e acrescentou que gostava muito das charadas americanas. Era um locandeiro. Pois deixei tudo isso, o locandeiro, o doge, a Ponte dos Suspiros, a gôndola, os versos do lorde, as damas do Rialto, deixei tudo e disparei como uma bala na direção do Rio de Janeiro.

---

46 "QUE DOGE, MEU SENHOR?": O doge era o antigo governante da Seréníssima República de Veneza, título usado por mais de mil anos.

I came... But no; let's not lengthen this chapter. Sometimes I forget everything, when I am writing, and the quill goes eating paper, to my grave loss, for I am an author. Long chapters best fit heavy readers; and we are not an IN-FOLIO audience, but IN-12, little text, wide margin, elegant type, gilded cut and vignettes... No, let's not lengthen the chapter.

Sad, but Short

I came. I don't deny that seeing my hometown I had a new feeling. It wasn't the effect of my political homeland; it was the effect of the place of childhood, the street, the tower, the fountain on the corner, the woman in headdress, the slave-of-gain[47], the things and scenes of childhood, chiselled in memory. Nothing less than a renaissance. The spirit, like a bird, did not realize the current of the years, raised flight towards the original source, and went to drink from the fresh and pure water, not yet mixed with the downpour of life.

Looking back, there is a commonplace there. Another commonplace, sadly common, was the family's dismay. My father hugged me, in tears. "Your mother can't live" she told me. In fact, it was no longer rheumatism that killed her, it was stomach cancer. The unfortunate woman suffered in a crude way, because cancer is indifferent to the virtues of the person; when it gnaws, it gnaws; to gnaw is its craft. My sister Sabina, already married to Cotrim, was dropping from exhaustion. Poor girl! She slept three hours a night, nothing more. Uncle João himself was downcast and sad. Dona Eusebia and some other ladies were there too, no less sad and no less dedicated.

"My son!"

The pain suspended its tongs a little; a smile lit the ill woman's face, on which death was beating the eternal wing.

---

47 Slave who, in colonial and the Brazilian Empire times, was forced by his slaveholders to look for paid occupation in the streets, taking home a stipulated sum of money at the end of the day.

Vim... Mas não; não alonguemos este capítulo. Às vezes, esqueço-me a escrever, e a pena vai comendo papel, com grave prejuízo meu, que sou autor. Capítulos compridos quadram melhor a leitores pesadões; e nós não somos um público IN-FOLIO, mas IN-12, pouco texto, larga margem, tipo elegante, corte dourado e vinhetas... Não, não alonguemos o capítulo.

Triste, mas Curto

Vim. Não nego que, ao avistar a cidade natal, tive uma sensação nova. Não era efeito da minha pátria política; era-o do lugar da infância, da rua, da torre, do chafariz da esquina, da mulher de mantilha, do preto do ganho[47], as coisas e cenas da meninice, buriladas na memória. Nada menos que uma renascença. O espírito, como um pássaro, não se lhe deu da corrente dos anos, arrepiou o voo na direção da fonte original, e foi beber da água fresca e pura, ainda não mesclada do enxurro da vida.

Reparando bem, há aí um lugar-comum. Outro lugar-comum, tristemente comum, foi a consternação da família. Meu pai abraçou-me com lágrimas. "Tua mãe não pode viver", disse-me. Com efeito, não era já o reumatismo que a matava, era um cancro no estômago. A infeliz padecia de um modo cru, porque o cancro é indiferente às virtudes do sujeito; quando rói, rói; roer é o seu ofício. Minha irmã Sabina, já então casada com o Cotrim, andava a cair de fadiga. Pobre moça! dormia três horas por noite, nada mais. O próprio tio João estava abatido e triste. D. Eusébia e algumas outras senhoras lá estavam também, não menos tristes e não menos dedicadas.

"Meu filho!"

A dor suspendeu por um pouco as tenazes; um sorriso alumiou o rosto da enferma, sobre o qual a morte batia a asa

---

47 Escravo que, no tempo da Colônia e do Império Brasileiro, era forçado pelos seus senhores a procurar uma ocupação remunerada nas ruas, levando para casa uma quantia estipulada em dinheiro no final do dia.

It was less a face than a skull: beauty had passed like a bright day; there were the bones left that never lose weight. Scarcely could I recognize her; we hadn't seen each other for eight or nine years. Kneeling by the bed, with her hands in mine, I was silent and quiet, not daring to speak, because every word would be a sob, and we were afraid to warn her of the end. Useless fear! She knew it was about to end; she said it to me; we confirmed it in the next morning.

Long was the agony; long and cruel; a meticulous, cold, repeated cruelty, that filled me with pain and astonishment. It was the first time I'd seen anyone die. I knew death just for hearing about; at most, I had seen it already petrified in some corpse I had accompanied to the cemetery, or I had its idea wrapped in the rhetorical amplifications of the teachers of ancient things – the treacherous death of Caesar, the austere one of Socrates, the proud one of Cato. But this duel of to be and not to be, the death in action, painful, contracted, convulsive, without political or philosophical apparatus, the death of a loved one, was the first time I could face it. I did not cry; I remember that I did not cry during the spectacle: I had stupid eyes, a constricted throat, astonished conscience. What? A creature so sweet, so mild, so sanctified, that had never provoked a tear of grief, a loving mother, an immaculate wife, was a force to die like this, tormented, bitten by the tenacious tooth of a disease without mercy? I confess that it all seemed to me obscure, incongruous, insane...

Sad chapter; let's move on to a happier one.

Short, but Joyful

I was prostrate. And yet I was, at that time, a perfect compendium of triviality and presumption. Never had the problem of life and death overwhelmed my brain; until that day, I had never leant over the abyss of the inexplicable; I lacked the essential, which is the stimulus, the vertigo...

eterna. Era menos um rosto do que uma caveira: a beleza passara, como um dia brilhante; restavam os ossos, que não emagrecem nunca. Mal poderia conhecê-la; havia oito ou nove anos que nos não víamos. Ajoelhado, ao pé da cama, com as mãos dela entre as minhas, fiquei mudo e quieto, sem ousar falar, porque cada palavra seria um soluço, e nós temíamos avisá-la do fim. Vão temor! Ela sabia que estava prestes a acabar; disse-mo; verificamo-lo na seguinte manhã.

Longa foi a agonia, longa e cruel, de uma crueldade minuciosa, fria, repisada, que me encheu de dor e estupefação. Era a primeira vez que eu via morrer alguém. Conhecia a morte de oitiva; quando muito, tinha-a visto já petrificada no rosto de algum cadáver, que acompanhei ao cemitério, ou trazia-lhe a ideia embrulhada nas amplificações de retórica dos professores de coisas antigas – a morte aleivosa de César, a austera de Sócrates, a orgulhosa de Catão. Mas esse duelo do ser e do não ser, a morte em ação, dolorida, contraída, convulsa, sem aparelho político ou filosófico, a morte de uma pessoa amada, essa foi a primeira vez que a pude encarar. Não chorei; lembra-me que não chorei durante o espetáculo: tinha os olhos estúpidos, a garganta presa, a consciência boquiaberta. Quê? uma criatura tão dócil, tão meiga, tão santa, que nunca jamais fizera verter uma lágrima de desgosto, mãe carinhosa, esposa imaculada, era força que morresse assim, trateada, mordida pelo dente tenaz de uma doença sem misericórdia? Confesso que tudo aquilo me pareceu obscuro, incongruente, insano...

Triste capítulo; passemos a outro mais alegre.

Curto, mas Alegre

Fiquei prostrado. E, contudo, era eu, nesse tempo, um fiel compêndio de trivialidade e presunção. Jamais o problema da vida e da morte me oprimira o cérebro; nunca até esse dia me debruçara sobre o abismo do Inexplicável; faltava-me o essencial, que é o estímulo, a vertigem...

To tell you the whole truth, I reflected the opinions of a hairdresser I found in Modena, who distinguished himself by not having any absolutely. He was the most fine of hairdressers; however long the operation of the hairstyle was, it never bored; he interspersed the combs with many motes and jokes, all full of grace, full of spirit... He had no other philosophy. Me neither. I do not say that the University had not taught me some philosophy; but I decorated only its formulas, its vocabulary, and its skeleton. I treated it as I treated Latin; I pocketed three verses from Virgil, two from Horace, a dozen moral and political phrases, for the sake of good conversation. I treated them as I treated history and jurisprudence. I took from all things, the phraseology, the shell, the ornamentation...

Perhaps the reader is amazed by the frankness with which I expose and emphasize my mediocrity; notice that frankness is the first virtue of the deceased. In life, the look of opinion, the contrast of interests, the struggle of greed compel us to silence the old rags, to disguise the tears and patches, not to extend to the world the revelations that we confess to consciousness; and the best of the obligation is when, by blurring others, a man blurs himself, for in such a case one spares the shame, which is a painful sensation, and the hypocrisy, which is a hideous vice. But in death, what a difference! What a relief! What freedom! How can we shake off the cloak, throw the sequins into the moat, unfurl, disfigure ourselves, remove the ornaments, flatly confess what it was and what it was not! For, in short, there are no neighbours, no friends, no enemies, no acquaintances, no strangers; there is no audience. The look of the opinion, this acute and judicial look, loses its virtue as soon as we tread the territory of death; I do not say that it does not come too close, and does not examine and judge us; but we don't care about the examination or the judgment anymore. Living lords, there is nothing as immeasurable as the contempt of the dead.

In Tijuca

Oh! There already went my quill slipping into the the grandiloquent and exaggeration. Let's be simple, as simple was the

Para lhes dizer a verdade toda, eu refletia as opiniões de um cabeleireiro, que achei em Modena, e que se distinguia por não as ter absolutamente. Era a flor dos cabeleireiros; por mais demorada que fosse a operação do toucado, não enfadava nunca; ele intercalava as penteadelas com muitos motes e pulhas, cheios de um pico, de um sabor... Não tinha outra filosofia. Nem eu. Não digo que a Universidade me não tivesse ensinado alguma; mas eu decorei-lhe só as fórmulas, o vocabulário, o esqueleto. Tratei-a como tratei o latim; embolsei três versos de Virgílio, dois de Horácio, uma dúzia de locuções morais e políticas, para as despesas da conversação. Tratei-os como tratei a história e a jurisprudência. Colhi de todas as coisas a fraseologia, a casca, a ornamentação...

Talvez espante ao leitor a franqueza com que lhe exponho e realço a minha mediocridade; advirta que a franqueza é a primeira virtude de um defunto. Na vida, o olhar da opinião, o contraste dos interesses, a luta das cobiças obrigam a gente a calar os trapos velhos, a disfarçar os rasgões e os remendos, a não estender ao mundo as revelações que faz à consciência; e o melhor da obrigação é quando, à força de embaçar os outros, embaça-se um homem a si mesmo, porque em tal caso poupa-se o vexame, que é uma sensação penosa, e a hipocrisia, que é um vício hediondo. Mas, na morte, que diferença! que desabafo! que liberdade! Como a gente pode sacudir fora a capa, deitar ao fosso as lantejoulas, despregar-se, despintar-se, desafeitar-se, confessar lisamente o que foi e o que deixou de ser! Porque, em suma, já não há vizinhos, nem amigos, nem inimigos, nem conhecidos, nem estranhos; não há plateia. O olhar da opinião, esse olhar agudo e judicial, perde a virtude, logo que pisamos o território da morte; não digo que ele se não estenda para cá, e nos não examine e julgue; mas a nós é que não se nos dá do exame nem do julgamento. Senhores vivos, não há nada tão incomensurável como o desdém dos finados.

Na Tijuca

Ui! Lá me ia a pena a escorregar para o enfático. Sejamos simples, como era simples a vida que levei na Tijuca, durante as

life I led in Tijuca during the first weeks after my mother's death.

On the seventh day, after the requiem mass, I caught a rifle, some books, clothes, cigars, a brat – Prudêncio, from chapter XI – and went into an old house we owned. My father struggled to twist my resolution, but I could not and did not want to obey him. Sabina wanted me to live with her for a while – at least two weeks; my brother-in-law had come to a point of taking me by force. He was a good lad, Cotrim; he had gone from extravagant to circumspect. Now he traded goods, toiled from morning to night, with ardourand perseverance. At night, sitting at the window, curling his sideburns, he thought of nothing else. He loved his wife and a son, who he then had, and who happened to have died a few years later. They said he was a miser.

I renounced everything; my spirit was stunned. I think it was back then that hypochondria began to arise in me , this yellow, lonely, morbid flower, with a heady and subtle smell. "Tis good to be sad and say nothing!"[48] When these words of Shakespeare caught my attention, I confess that I felt in me an echo, a delicious echo. I remember I was sitting under a tamarind, with the poet's book opened in my hands, and the spirit even more downcast than the figure – or jururu[49], as we say of the sad chickens. I was tightening my taciturn pain to my chest with a unique sensation, something I might call the voluptuousness of boredom. Voluptuousness of boredom: memorize this expression, reader; keep it, examine it, and if you fail to understand it, you may conclude that you ignore one of the most subtle sensations of this world and that time.

Sometimes I hunted, sometimes I slept, sometimes I read – I read a lot – sometimes I did nothing at all; I let myself to be carried away from idea to idea, from imagination to imagination, like a vagrant or hungry butterfly. The hours dripped one by one, the sun fell, the shadows of the night veiled the mountain and the city. No one visited me; I thoroughly recommended they leave me alone. One day, two days, three days, a whole week went like that, without saying a word, was enough to rock me out of Tijuca and return to the hustle. Indeed, after seven days, I was fed up

---

48   The author refers to the quote from the play "AS YOU LIKE IT", by William Shakespeare (1564-1616), Act IV, scene I.

49   JURURU, in Portuguese, originally: devastated; melancholic.

primeiras semanas depois da morte de minha mãe.

No sétimo dia, acabada a missa fúnebre, travei de uma espingarda, alguns livros, roupa, charutos, um moleque – o Prudêncio do capítulo XI – e fui meter-me numa velha casa de nossa propriedade. Meu pai forcejou por me torcer a resolução, mas eu é que não podia nem queria obedecer-lhe. Sabina desejava que eu fosse morar com ela algum tempo – duas semanas, ao menos; meu cunhado esteve a ponto de me levar à fina força. Era um bom rapaz este Cotrim; passara de estroina a circunspecto. Agora comerciava em gêneros de estiva, labutava de manhã até à noite, com ardor, com perseverança. De noite, sentado à janela, a encaracolar as suíças, não pensava em outra coisa. Amava a mulher e um filho, que então tinha, e que lhe morreu alguns anos depois. Diziam que era avaro.

Renunciei tudo; tinha o espírito atônito. Creio que por então é que começou a desabotoar em mim a hipocondria, essa flor amarela, solitária e mórbida, de um cheiro inebriante e sutil. "Que bom que é estar triste e não dizer coisa nenhuma!"[48] Quando esta palavra de Shakespeare me chamou a atenção, confesso que senti em mim um eco, um eco delicioso. Lembra-me que estava sentado, debaixo de um tamarineiro, com o livro do poeta aberto nas mãos, e o espírito ainda mais cabisbaixo do que a figura – ou jururu[49], como dizemos das galinhas tristes. Apertava ao peito a minha dor taciturna, com uma sensação única, uma coisa a que poderia chamar volúpia do aborrecimento. Volúpia do aborrecimento: decora esta expressão, leitor; guarda-a, examina-a, e se não chegares a entendê-la, podes concluir que ignoras uma das sensações mais sutis desse mundo e daquele tempo.

Às vezes, caçava, outras dormia, outras lia – lia muito – outras enfim não fazia nada; deixava-me atoar de ideia em ideia, de imaginação em imaginação, como uma borboleta vadia ou faminta. As horas iam pingando uma a uma, o sol caía, as sombras da noite velavam a montanha e a cidade. Ninguém me visitava; recomendei expressamente que me deixassem só. Um dia, dois dias, três dias, uma semana inteira passada assim, sem dizer palavra, era bastante para sacudir-me da Tijuca fora e restituir-me ao bulício. Com efeito, ao cabo de sete dias, estava

---

48 O autor se refere à citação da peça "COMO GOSTAIS", de William Shakespeare (1564-1616), Ato IV, cena I.

49 JURURU, em português, originalmente: devastado; melancólico.

with loneliness; the pain had subsided; the spirit was no longer content with the use of the rifle and the books, or the sight of the grove and the sky. The youth in me reacted, it was necessary to live. I put in the trunk the problem of life and death, the poet's hypochondriacs, the shirts, the meditations, the ties, and was about to close it, when the kid, Prudêncio, told me that someone I knew had moved the day before to a purple house, two hundred steps from ours.

"Who?"

"Nhonhô may not remember Dona Eusebia anymore..."

"I remember... Is that her?"

"She and her daughter. They came yesterday morning."

The episode of 1814 immediately occurred to me, and I was ashamed; but I noticed that the events showed that I was right. In fact, it had been impossible to avoid Vilaça's intimate relations with the sergeant's sister; even before my departure, people already mysteriously murmured about the birth of a girl. My uncle João told me later that when Vilaça died he left a good inheritance to Dona Eusebia, which gave a lot to talk about throughout the neighbourhood. Uncle John himself, avid for scandals, did not deal with any other matter in the letter, a letter of many sheets, in fact. The events showed that I was right. But even if I wasn't, 1814 was already far away, and with it the mischief, and Vilaça, and the kiss of the thicket; finally, no close relations existed between she and I. I made this reflection to myself only and just closed the trunk.

"Nhonhô, will you not visit Dona Eusebia?" Prudêncio asked me. "She was the one who dressed the body of my late lady."

I remembered seeing her, among other ladies, at the occasion of death and burial; I did not know, however, that she did to my mother this last favour. The boy's reflexion was reasonable; I owed her a visit; I was determined to do it immediately, and leave.

farto da solidão; a dor aplacara; o espírito já se não contentava com o uso da espingarda e dos livros, nem com a vista do arvoredo e do céu. Reagia a mocidade, era preciso viver. Meti no baú o problema da vida e da morte, os hipocondríacos do poeta, as camisas, as meditações, as gravatas, e ia fechá-lo, quando o moleque Prudêncio me disse que uma pessoa do meu conhecimento se mudara na véspera para uma casa roxa, situada a duzentos passos da nossa.

"Quem?"

"Nhonhô talvez não se lembre mais de D. Eusébia..."

"Lembra-me... É ela?"

"Ela e a filha. Vieram ontem de manhã."

Ocorreu-me logo o episódio de 1814, e senti-me vexado; mas adverti que os acontecimentos tinham-me dado razão. Na verdade, fora impossível evitar as relações íntimas do Vilaça com a irmã do sargento-mor; antes mesmo do meu embarque, já se boquejava misteriosamente no nascimento de uma menina. Meu tio João mandou-me dizer depois que o Vilaça, ao morrer, deixara um bom legado a D. Eusébia, coisa que deu muito que falar em todo o bairro. O próprio tio João, guloso de escândalos, não tratou de outro assunto na carta, aliás de muitas folhas. Tinham-me dado razão os acontecimentos. Ainda porém que ma não dessem, 1814 lá ia longe, e, com ele, a travessura, e o Vilaça, e o beijo da moita; finalmente, nenhumas relações estreitas existiam entre mim e ela. Fiz comigo essa reflexão e acabei de fechar o baú.

"Nhonhô não vai visitar sinhá D. Eusébia?" perguntou-me o Prudêncio. "Foi ela quem vestiu o corpo da minha defunta senhora."

Lembrei-me que a vira, entre outras senhoras, por ocasião da morte e do enterro; ignorava porém que ela houvesse prestado a minha mãe esse derradeiro obséquio. A ponderação do moleque era razoável; eu devia-lhe uma visita; determinei fazê-la imediatamente, e descer.

The Author Hesitates 26

Suddenly I hear a voice: "Hello, my boy, this is not life!" It was my father, who arrived with two proposals in his pocket. I sat in the trunk and greeted him without fuss. He stood for a moment looking at me; then he reached out with a moving gesture.

"My son, conform yourself to God's will."

"I already did it", was my answer, and I kissed his hand.

I had not lunched; we lunched together. None of us alluded to the sad reason for my seclusion. Only once did we talk about this, in passing, when my father brought the conversation to the Regency: it was then he alluded to the letter of condolence that one of the Regents had sent him. He had the letter with him, already quite creased, perhaps because he had read it to many other people. I believe I said it was from one of the Regents. He read it to me twice[50].

"I've already thanked him for this token of consideration," my father concluded, "and I think you should go too..."

"Me?"

"You; he is a remarkable man, he is acting as emperor today. Moreover, I bring with me an idea, a project, or... yes, I tell you everything; I bring two projects, a deputy seat and a wedding."

My father said this with pause, not in the same tone, but giving the words some manner and disposition, the purpose of which was to bury them deeper into my spirit. The proposal, however, was so contrary to my last sensations, that I did not quite understand it. My father did not falter and repeated it; he praised the seat and the bride.

"Will you accept?"

---

50   Period in the history of Brazil between the years 1831 and 1840, from the abdication of Emperor D. Pedro I until the "Declaration of Majority", when his son and heir, D. Pedro II, had the majority proclaimed.

26 O Autor Hesita

Súbito ouço uma voz: "Olá, meu rapaz, isto não é vida!" Era meu pai, que chegava com duas propostas na algibeira. Sentei-me no baú e recebi-o sem alvoroço. Ele esteve alguns instantes de pé, a olhar para mim; depois estendeu-me a mão com um gesto comovido:

"Meu filho, conforma-te com a vontade de Deus."

"Já me conformei", foi a minha resposta, e beijei-lhe a mão.

Não tinha almoçado; almoçamos juntos. Nenhum de nós aludiu ao triste motivo da minha reclusão. Uma só vez falamos nisso, de passagem, quando meu pai fez recair a conversa na Regência: foi então que aludiu à carta de pêsames que um dos Regentes lhe mandara. Trazia a carta consigo, já bastante amarrotada, talvez por havê-la lido a muitas outras pessoas. Creio haver dito que era de um dos Regentes. Leu-ma duas vezes[50].

"Já lhe fui agradecer este sinal de consideração", concluiu meu pai, "e acho que deves ir também..."

"Eu?"

"Tu; é um homem notável, faz hoje as vezes de imperador. Demais trago comigo uma ideia, um projeto, ou... sim, digo-te tudo; trago dois projetos, um lugar de deputado e um casamento."

Meu pai disse isto com pausa, e não no mesmo tom, mas dando às palavras um jeito e disposição, cujo fim era cavá-las mais profundamente no meu espírito. A proposta, porém, desdizia tanto das minhas sensações últimas, que eu cheguei a não entendê-la bem. Meu pai não fraqueou e repetiu-a; encareceu o lugar e a noiva.

"Aceitas?"

---

50   Período na história do Brasil entre os anos de 1831 e 1840, desde a abdicação do imperador D. Pedro I até a "Declaração da Maioria", quando o seu filho e herdeiro, D. Pedro II, teve a maioridade proclamada.

"I don't know anything about politics," I said after a moment; "as for the bride... let me live like a bear, which I am."

"But bears marry," he replied.

"So, bring me a she-bear. Look, the Ursa Major..."

My father laughed, and after laughing, he was serious again. I needed a political career, he said, for twenty-odd reasons, which he deduced with singular volubility, illustrating them with examples of people of our acquaintanceship. As for the bride, I had only to see her; if I saw her I would soon ask her to the father, soon, without a day's delay. He thus tried fascination, then persuasion, then intimation; I gave no answer to him; I only sharpened the tip of a toothpick, or made balls with bread crumbs, smiling and reflecting; and, to say it all, neither docile nor rebellious to the proposal. I felt stunned. A part of me said yes, that a beautiful wife and a political position were worthy goods; another part said no; and my mother's death appeared to me as an example of the fragility of things, affections, family...

"I don't leave without a definitive answer" my father said. "De-fi-ni-ti-ve!" he repeated, tapping the syllables with his finger.

He drank the last sip of coffee; he sat up and started talking about everything, the Senate, the Chamber, the Regency, the Restoration[51], Evaristo, a carriage he wanted to buy, our house at Matacavalos[52]... I stayed in the corner of the table, writing wildly in a piece of paper with a little pencil; I would trace a word, a sentence, a verse, a nose, a triangle, and repeat them many times, without order, at random, like this:

ARMA VIRUMQUE CANO[53]

A

ARMA VIRUMQUE CANO

---

[51] Political movement led by the Restoration Party that intended the return of D. Pedro I to the throne of Brazil, after his abdication.

[52] The current Riachuelo Street, downtown Rio de Janeiro and one of the main avenues of the city in nineteenth century, connecting downtown with the suburbs, such as the São Cristóvão neighbourhood.

[53] "ARMS, AND THE MAN I SING...", AENEID's initial verses, epic poem by the classic Roman poet Publius Vergilius Maro, usually called Virgil (70 BC / 19 BC).

"Não entendo de política", disse eu depois de um instante; "quanto à noiva... deixe-me viver como um urso, que sou."

"Mas os ursos casam-se", replicou ele.

"Pois traga-me uma ursa. Olhe, a Ursa-Maior..."

Riu-se meu pai, e depois de rir, tornou a falar sério. Era-me necessária a carreira política, dizia ele, por vinte e tantas razões, que deduziu com singular volubilidade, ilustrando-as com exemplos de pessoas do nosso conhecimento. Quanto à noiva, bastava que eu a visse; se a visse, iria logo pedi-la ao pai, logo, sem demora de um dia. Experimentou assim a fascinação, depois a persuasão, depois a intimação; eu não dava resposta, afiava a ponta de um palito ou fazia bolas de miolo de pão, a sorrir ou a refletir; e, para tudo dizer, nem dócil nem rebelde à proposta. Sentia-me aturdido. Uma parte de mim mesmo dizia que sim, que uma esposa formosa e uma posição política eram bens dignos de apreço; outra dizia que não; e a morte de minha mãe me aparecia como um exemplo da fragilidade das coisas, das afeições, da família...

"Não vou daqui sem uma resposta definitiva", disse meu pai. "De-fi-ni-ti-va!" repetiu, batendo as sílabas com o dedo.

Bebeu o último gole de café; repoltreou-se, e entrou a falar de tudo, do Senado, da Câmara, da Regência, da restauração[51], do Evaristo, de um coche que pretendia comprar, da nossa casa de Matacavalos[52]... Eu deixava-me estar ao canto da mesa, a escrever desvairadamente num pedaço de papel, com uma ponta de lápis; traçava uma palavra, uma frase, um verso, um nariz, um triângulo, e repetia-os muitas vezes, sem ordem, ao acaso, assim:

Arma virumque cano[53]

A

Arma virumque cano

---

51 Movimento político liderado pelo Partido da Restauração que pretendia o retorno de D. Pedro I ao trono do Brasil, após a sua abdicação.

52 A atual Rua Riachuelo, no centro do Rio de Janeiro e uma das principais avenidas da cidade no século XIX, que conecta o centro da cidade com os subúrbios, como o bairro de São Cristóvão.

53 "AS ARMAS E UM VARÃO EU CANTO...", versos iniciais da ENEIDA, poema épico do poeta romano clássico Públio Virgílio Maro, usualmente chamado Virgílio (70a.C/ 19 a.C).

ARMA VIRUMQUE CANO ARMA VIRUMQUE

ARMA VIRUMQUE CANO VIRUMQUE

I did all this mechanically; and yet there was some logic, some deduction; for example, it was the VIRUMQUE who brought me to the name of the poet himself, because of the first syllable; I was going to write VIRUMQUE and resulted Virgil, so I went on:

VIR	VIRGIL
VIRGIL	VIRGIL
VIRGIL	
VIRGIL	

My father, a little displeased with that indifference, got up, came to me, glanced at the paper...

"Virgil!" he exclaimed. "It's you, my boy; your bride is named Virgilia, precisely."

Virgilia? But was she the same lady that a few years later...? The same; it was precisely the lady who in 1869 would attend my last days, and before, much earlier, had a large participation in my most intimate feelings. At that time she was only about fifteen or sixteen years old; she was perhaps the boldest creature of our race, and certainly the most wilful. I do not say that she had the primacy of beauty, among the young ladies of that time, because this is not romance, in which the author adorns reality and closes his eyes to freckles and pimples; nor do I say that her face was stained by any freckle or pimple; no. She was beautiful, fresh, emerged from the hands of nature, filled with that precarious and eternal spell that an individual passes to another individual for the secret purposes of the creation. This

Arma virumque cano arma virumque

Arma virumque cano virumque

Maquinalmente tudo isto; e, não obstante, havia certa lógica, certa dedução; por exemplo, foi o virumque que me fez chegar ao nome do próprio poeta, por causa da primeira sílaba; ia a escrever virumque e sai-me Virgílio, então continuei:

Vir   Virgílio
Virgílio   Virgílio
Virgílio
Virgílio

Meu pai, um pouco despeitado com aquela indiferença, ergueu-se, veio a mim, lançou os olhos ao papel...

"Virgílio!" exclamou. "És tu, meu rapaz; a tua noiva chama-se justamente Virgília."

Virgília?

Virgília? Mas então era a mesma senhora que alguns anos depois?... A mesma; era justamente a senhora, que em 1869 devia assistir aos meus últimos dias, e que antes, muito antes, teve larga parte nas minhas mais íntimas sensações. Naquele tempo contava apenas uns quinze ou dezesseis anos; era talvez a mais atrevida criatura da nossa raça, e, com certeza, a mais voluntariosa. Não digo que ia lhe coubesse a primazia da beleza, entre as mocinhas do tempo, porque isto não é romance, em que o autor sobredoura a realidade e fecha os olhos às sardas e espinhas; mas também não digo que lhe maculasse o rosto nenhuma sarda ou espinha, não. Era bonita, fresca, saía das mãos da natureza, cheia daquele feitiço, precário e eterno, que o indivíduo passa a outro indivíduo, para os fins secretos da

was Virgilia, and she was fair, very fair, vain, ignorant, childish, full of some mysterious impulses; a lot of laziness and some devotion – devotion, or perhaps fear; fear, I believe.

There it is, reader, in a few lines, the physical and moral portrait of the person who should later influence my life; she was like that at sixteen. You, who read me, if you are still alive, when these pages come to light – you, who read me, beloved Virgilia, you do not notice the difference between the language of today and the one I first used when I saw you? Believe me, I was as sincere then as now; death has not made me grumpy or unjust.

"But," you will say, "how can you thus discern the truth of that time and express it after so many years?"

Ah! Indiscreet! Ah! Ignorant! But that is what makes us masters of the earth, this power of restoring the past to touch the instability of our impressions and the vanity of our affections. Let Pascal say that man is a thinking reed. No; the man is a thinking erratum, that's it. Each season of life is an edition, which corrects the previous one, and that will be corrected also, until the definitive edition, which the editor gives to the worms for free.

Provide that...

"Virgilia?" I interrupted.

"Yes sir; it's the name of the bride. An angel, my goofy boy, an angel without wings. Imagine a girl like this, this height, very lively, very smart, and her eyes... Dutra's daughter..."

"Dutra?"

"Counsellor Dutra, you do not know him; a political influence. Come on, will you accept?"

I didn't answer immediately; I stared at the tip of the boot for a few seconds; then I declared that I was willing to examine both the candidacy and the marriage, provided that...

criação. Era isto Virgília, e era clara, muito clara, faceira, ignorante, pueril, cheia de uns ímpetos misteriosos; muita preguiça e alguma devoção – devoção, ou talvez medo; creio que medo.

Aí tem o leitor, em poucas linhas, o retrato físico e moral da pessoa que devia influir mais tarde na minha vida; era aquilo com dezesseis anos. Tu que me lês, se ainda fores viva, quando estas páginas vierem à luz, "tu que me lês, Virgília amada, não reparas na diferença entre a linguagem de hoje e a que primeiro empreguei quando te vi? Crê que era tão sincero então como agora; a morte não me tornou rabugento, nem injusto.

"Mas", dirás, "como é que podes assim discernir a verdade daquele tempo, e exprimi-la depois de tantos anos?"

Ah! indiscreta! ah! ignorantona! Mas é isso mesmo que nos faz senhores da Terra, é esse poder de restaurar o passado, para tocar a instabilidade das nossas impressões e a vaidade dos nossos afetos. Deixa lá dizer Pascal que o homem é um caniço pensante. Não; é uma errata pensante, isso sim. Cada estação da vida é uma edição, que corrige a anterior, e que será corrigida também, até a edição definitiva, que o editor dá de graça aos vermes.

28 Contanto que...

"Virgília?" interrompi eu.

"Sim, senhor; é o nome da noiva. Um anjo, meu pateta, um anjo sem asas. Imagina uma moça assim, desta altura, viva como um azougue, e uns olhos... a filha do Dutra..."

"Que Dutra?"

"O Conselheiro Dutra, não conheces; uma influência política. Vamos lá, aceitas?"

Não respondi logo; fitei por alguns segundos a ponta do botim; declarei depois que estava disposto a examinar as duas coisas, a candidatura e o casamento, contanto que...

"Provided that?"

"Provided that I don't have to accept both; I believe I can be a married man or a public man separately..."

"Every public man must be married," my father interrupted sententiously. "But have it your way; I accept everything, I am sure that the sight will convince you! Moreover, the bride and the Parliament are the same thing... that is, no... You will know later... All right; I accept the postponement, provided that..."

"Provided that?" I interrupted, imitating his voice.

"Ah! You impish! Provided that you don't stay there, feeling useless, obscure and sad; I have not spent money, care, efforts to see you not shine, as you must, and as it suits you, and all of us; we have to continue our name, continue it and glorify it even more. Look, I'm sixty, but if it was necessary to start a new life, I would start it without a moment's hesitation. Fear the obscurity, Bras; run away from the negligible. Look, men are worth in different ways, and the safest of all is to be worthy in the opinion of other men. Do not spoil the advantages of your position, your means..."

And the magician went on and on, shaking a rattle before me, as they used to do when I was a little boy, to make me walk fast, and the flower of hypochondria retired to the bud to let another flower less yellow grow, and not morbid – the love for renownment, the plaster Bras Cubas.

The Visit 29

My father won; I was willing to accept the legal diploma and the marriage, Virgilia and the House of Representatives. "The two Virgilias," he said in a sign of political tenderness. I accepted them; my father gave me two strong hugs. It was his own blood that he finally recognized.

"Are you coming with me?"

"Contanto quê?"

"Contanto que não fique obrigado a aceitar as duas; creio que posso ser separadamente homem casado ou homem público..."

"Todo o homem público deve ser casado", interrompeu sentenciosamente meu pai. "Mas seja como queres; estou por tudo, fico certo de que a vista fará fé! Demais, a noiva e o Parlamento são a mesma coisa... isto é, não... saberás depois... Vá; aceito a dilação, contanto que..."

"Contanto quê?..." interrompi eu, imitando-lhe a voz.

"Ah! brejeiro! Contanto que não te deixes ficar aí inútil, obscuro, e triste; não gastei dinheiro, cuidados, empenhos, para te não ver brilhar, como deves, e te convém, e a todos nós; é preciso continuar o nosso nome, continuá-lo e ilustrá-lo ainda mais. Olha, estou com sessenta anos, mas se fosse necessário começar vida nova, começava, sem hesitar um só minuto. Teme a obscuridade, Brás; foge do que é ínfimo. Olha que os homens valem por diferentes modos, e que o mais seguro de todos é valer pela opinião dos outros homens. Não estragues as vantagens da tua posição, os teus meios..."

E foi por diante o mágico, a agitar diante de mim um chocalho, como me faziam, em pequeno, para eu andar depressa, e a flor da hipocondria recolheu-se ao botão para deixar a outra flor menos amarela, e nada mórbida – o amor da nomeada, o emplasto Brás Cubas.

29
A Visita

Vencera meu pai; dispus-me a aceitar o diploma e o casamento, Virgília e a Câmara dos Deputados. "As duas Virgílias", disse ele num assomo de ternura política. Aceitei-os; meu pai deu-me dois fortes abraços. Era o seu próprio sangue que ele, enfim, reconhecia.

"Desces comigo?"

"I'm going tomorrow. I will first pay a visit to Dona Eusebia..."

My father frowned, but said nothing; he said goodbye and walked away. That same day in the afternoon, I went to visit Dona Eusebia. I found her scolding a black gardener, but she left everything to come and speak to me with such excitement, such a sincere pleasure, that I was soon relaxed. I believe she embraced me with her sturdy pair of arms. She made me sit next to her, on the porch, among many exclamations of contentment.

"Now, the little Bras! A man! Who would say, years ago... A big man! And handsome man! What! You do not remember me..."

I said yes, it was not possible to forget such a familiar friend of our house. Dona Eusebia began to talk about my mother with much nostalgia, with so much nostalgia, that she immediately captivated me, though it made me sad. She saw it in my eyes, and changed the subject of conversation; she asked me to tell her about the trip, the studies, the dating... Yes, the dating too; she confessed to me that she was a playful old woman. Then I remembered the episode of 1814, I remembered her, the Vilaça, the thicket, the kiss, my cry; and while I remembered it, I heard a door creak, a rustle of skirts, and this word:

"Mama... Mama..."

The Flower of the Thicket

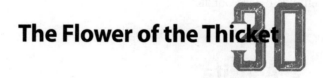

The voice and the skirts belonged to a dark-haired young lady, who stopped at the door for a moment, when she saw strange people. A short and awkward silence. Dona Eusebia broke it, finally, with resolution and frankness:

"Come here, Eugenia," she said, "greet Dr. Bras Cubas, son of Mr. Cubas; he came from Europe."

And turning to me:

"My daughter Eugenia."

"Desço amanhã. Vou fazer primeiramente uma visita a D. Eusébia..."

Meu pai torceu o nariz, mas não disse nada; despediu-se e desceu. Eu, na tarde desse mesmo dia, fui visitar D. Eusébia. Achei-a a repreender um preto jardineiro, mas deixou tudo para vir falar-me, com um alvoroço, um prazer tão sincero, que me desacanhou logo. Creio que chegou a cingir-me com o seu par de braços robustos. Fez- me sentar ao pé de si, na varanda, entre muitas exclamações de contentamento:

"Ora, o Brasinho! Um homem! Quem diria, há anos... Um homenzarrão! E bonito! Qual! Você não se lembra de mim..."

Disse-lhe que sim, que não era possível esquecer uma amiga tão familiar de nossa casa. D. Eusébia começou a falar de minha mãe, com muitas saudades, com tantas saudades, que me cativou logo, posto me entristecesse. Ela percebeu-o nos meus olhos, e torceu a rédea à conversação; pediu-me que lhe contasse a viagem, os estudos, os namoros... Sim, os namoros também; confessou-me que era uma velha patusca. Nisto recordei-me do episódio de 1814, ela, o Vilaça, a moita, o beijo, o meu grito; e estando a recordá-lo, ouço um ranger de porta, um farfalhar de saias e esta palavra:

"Mamãe... mamãe..."

A Flor da Moita

A voz a as saias pertenciam a uma mocinha morena, que se deteve à porta, alguns instantes, ao ver gente estranha. Silêncio curto e constrangido. D. Eusébia quebrou-o, enfim, com resolução e franqueza:

"Vem cá, Eugênia", disse ela, "cumprimenta o Dr. Brás Cubas, filho do Sr. Cubas; veio da Europa."

E voltando-se para mim:

"Minha filha Eugênia."

Eugenia, the flower of the thicket, barely responded to the courtesy gesture I made to her; she looked at me in wonder and shyness and slowly approached her mother's chair. The mother arranged one of her braids, whose end was loose. "Ah! You impish!" she said. "Don't you imagine, Sir, what this girl is..." And she kissed her with such expansive tenderness that it moved me a little; it reminded me of my mother, and – I'll say it all – I felt like becoming a father.

"Impish?" I said. "For she is no longer in the proper age for that, it seems."

"How old do you think?"

"Seventeen."

"One less."

"Sixteen. So! It's a young lady."

Eugenia could not cover up the satisfaction that she felt with my words; but soon came to her senses, and became as before, erect, cold and mute. In fact, she looked even more womanly than she was; she would be a child in her girlish jokes; but quiet like this, impassive, she had the composure of a married woman. Perhaps that circumstance diminished her virginal grace a little. We soon became familiar; her mother praised her a lot, I listened with good will, and she smiled with bright eyes, as if inside her brain a little butterfly with golden wings and diamond eyes was flying ...

I say inside, because outdoors flew out a black butterfly, which suddenly penetrated the porch, and began flapping its wings around Dona Eusebia. Dona Eusebia screamed, got up, said some expletives with a few loose words: "Good grief!... Get out, devil!... Blessed Mother of God!..."

"Don't be afraid," I said; and, taking off my handkerchief, I expelled the butterfly.

Dona Eusebia sat again, panting, a little ashamed; her daughter, perhaps pale with fear, concealed the impression willfully. I shook their hands and left, finding the superstition of the two women quite funny, a philosophical, disinterested, superior laugh. In the afternoon, I saw Dona Eusebia's daughter riding a horse, followed by a page; she saluted me with the tip of her whip. I confess that I flattered myself with the idea that,

Eugênia, a flor da moita, mal respondeu ao gesto de cortesia que lhe fiz; olhou-me admirada e acanhada, e lentamente se aproximou da cadeira da mãe. A mãe arranjou-lhe uma das tranças do cabelo, cuja ponta se desmanchara. "Ah! travessa!" dizia. "Não imagina, doutor, o que isto é..." E beijou-a com tão expansiva ternura que me comoveu um pouco; lembrou-me minha mãe, e – direi tudo – tive umas cócegas de ser pai.

"Travessa?" disse eu. "Pois já não está em idade própria, ao que parece."

"Quantos lhe dá?"

"Dezessete."

"Menos um."

"Dezesseis. Pois então! é uma moça."

Não pôde Eugênia encobrir a satisfação que sentia com esta minha palavra, mas emendou-se logo, e ficou como dantes, ereta, fria e muda. Em verdade, parecia ainda mais mulher do que era; seria criança nos seus folgares de moça; mas assim quieta, impassível, tinha a compostura da mulher casada. Talvez essa circunstância lhe diminuía um pouco da graça virginal. Depressa nos familiarizamos; a mãe fazia-lhe grandes elogios, eu escutava-os de boa sombra, e ela sorria com os olhos fúlgidos, como se lá dentro do cérebro lhe estivesse a voar uma borboletinha de asas de ouro e olhos de diamante...

Digo lá dentro, porque cá fora o que esvoaçou foi uma borboleta preta, que subitamente penetrou na varanda, e começou a bater as asas em derredor de D. Eusébia. D. Eusébia deu um grito, levantou- se, praguejou umas palavras soltas: "T'esconjuro! Sai, diabo! Virgem Nossa Senhora!..."

"Não tenha medo", disse eu; e, tirando o lenço, expeli a borboleta.

D. Eusébia sentou-se outra vez, ofegante, um pouco envergonhada; a filha, pode ser que pálida de medo, dissimulava a impressão com muita força de vontade. Apertei-lhes a mão e saí, a rir comigo da superstição das duas mulheres, um rir filosófico, desinteressado, superior. De tarde, vi passar a cavalo a filha de D. Eusébia, seguida de um pajem; fez-me um cumprimento com a ponta do chicote. Confesso que me lisonjeei com a ideia

some steps away, she would turn her head back towards me; but she didn't.

The Black Butterfly

The next day, while I was getting ready to go back, a butterfly entered my room, as black as the other, and much larger than it. It reminded me the case of the previous day, and I laughed; I immediately started thinking about Dona Eusebia's daughter, the fright she had had, and the dignity that she had managed to preserve her feelings despite it. The butterfly, after fluttering a lot around me, landed in my forehead. I shook it, it went to land on the windowpane; and, as I shook it again, it left and came to land over an old portrait of my father. The butterfly was black as night. Once it was there, the gentle gesture with which it began to move the wings had a certain mocking air, which annoyed me a lot. I shrugged, I left the room; but when I was back there, minutes later, and found it still in the same spot, I felt a nervous chill, I caught a towel, I hit it and it fell.

It fell, but it was not dead; it still twisted its body and moved the antennae on its head. I felt sorry; I took it in my palm and laid it on the windowsill. It was late; the unfortunate one died in a few seconds. I was a little annoyed, bothered.

"Why the hell was it not blue?" I said to myself.

And this reflexion – one of the most profound since the invention of butterflies – comforted me from the harm and reconciled me to myself. I stayed there contemplating the corpse, with some sympathy, I confess. I imagine the butterfly had come out of the woods, after having lunch, and was happy. The morning was beautiful. It came out, modest and black, fluttering around like the butterfly it was, beneath the vast dome of a blue sky, which is always blue, to all wings. It was passing by my window; it came in

de que, alguns passos adiante, ela voltaria a cabeça para trás; mas não voltou.

31 A Borboleta Preta

No dia seguinte, como eu estivesse a preparar-me para descer, entrou no meu quarto uma borboleta, tão negra como a outra, e muito maior do que ela. Lembrou-me o caso da véspera, e ri-me; entrei logo a pensar na filha de D. Eusébia, no susto que tivera, e na dignidade que, apesar dele, soube conservar. A borboleta, depois de esvoaçar muito em torno de mim, pousou-me na testa. Sacudi-a, ela foi pousar na vidraça; e, porque eu a sacudisse de novo, saiu dali e veio parar em cima de um velho retrato de meu pai. Era negra como a noite. O gesto brando com que, uma vez posta, começou a mover as asas, tinha um certo ar escarninho, que me aborreceu muito. Dei de ombros, saí do quarto; mas tornando lá, minutos depois, e achando-a ainda no mesmo lugar, senti um repelão dos nervos, lancei mão de uma toalha, bati-lhe e ela caiu.

Não caiu morta; ainda torcia o corpo e movia as farpinhas da cabeça. Apiedei-me; tomei-a na palma da mão e fui depô-la no peitoril da janela. Era tarde; a infeliz expirou dentro de alguns segundos. Fiquei um pouco aborrecido, incomodado.

"Também por que diabo não era ela azul?" disse comigo.

E esta reflexão – uma das mais profundas que se tem feito, desde a invenção das borboletas – me consolou do malefício, e me reconciliou comigo mesmo. Deixei-me estar a contemplar o cadáver, com alguma simpatia, confesso. Imaginei que ela saíra do mato, almoçada e feliz. A manhã era linda. Veio por ali fora, modesta e negra, espairecendo as suas borboletices, sob a vasta cúpula de um céu azul, que é sempre azul, para todas as asas. Passa pela minha janela, entra e dá comigo. Suponho que nunca

and found me. It would never have seen a man, I suppose; it did not know, therefore, what a man was; it described endless turns around my body, and saw that I moved that I had eyes, arms, legs, a divine appearance, a colossal stature. So it said to itself, "This is probably the inventor of butterflies." The idea overwhelmed it, terrified it; but fear, which is also suggestive, implied that the best way to please its creator was to kiss him on the forehead, and it kissed me on the forehead. When it was expelled by me, it landed on the windowpane, it saw my father's portrait from there, and it is not impossible that it discovered half-truth, namely, the father of the butterflies' inventor was there, and flew to beg him for mercy.

For the adventure ended with a towel stroke. It didn't help it the immensity of blue, or the joy of flowers, nor the pomp of green leaves, against a washcloth, two palms of raw linen. Look how good it is to be superior to butterflies! It is fair to say, if it were blue or orange, its life would no longer be secure; it was not impossible for me to cross it with a pin, for the pleasure of eyes. It was not. This last idea returned my consolation; I joined the middle finger to the thumb, flicked it and the corpse fell into the garden. It was time; there were already coming the timely ants... No, I return to the first idea; I think it was better for it to be born blue.

Born Lame

I started finishing the preparations of the trip. I won't be long anymore. I'm going back immediately; I'm going back, even if some circumspect reader holds me to ask if the last chapter is just tastelessness or if it's more a circumvention... Oh, I didn't notice Dona Eusebia. I was ready when she entered my house. She came to invite me to reschedule my return, and go there to dinner that day. I even refused; but she urged so, so, so much, that I could not help but to accept it; moreover, I owed her such compensation; I went.

Eugenia was not decked that day because of me. I think

teria visto um homem; não sabia, portanto, o que era o homem; descreveu infinitas voltas em torno do meu corpo, e viu que me movia, que tinha olhos, braços, pernas, um ar divino, uma estatura colossal. Então disse consigo: "Este é provavelmente o inventor das borboletas." A ideia subjugou-a, aterrou-a; mas o medo, que é também sugestivo, insinuou-lhe que o melhor modo de agradar ao seu criador era beijá-lo na testa, e beijou-me na testa. Quando enxotada por mim, foi pousar na vidraça, viu dali o retrato de meu pai, e não é impossível que descobrisse meia verdade, a saber, que estava ali o pai do inventor das borboletas, e voou a pedir-lhe misericórdia.

Pois um golpe de toalha rematou a aventura. Não lhe valeu a imensidade azul, nem a alegria das flores, nem a pompa das folhas verdes, contra uma toalha de rosto, dois palmos de linho cru. Vejam como é bom ser superior às borboletas! Porque, é justo dizê-lo, se ela fosse azul, ou cor de laranja, não teria mais segura a vida; não era impossível que eu a atravessasse com um alfinete, para recreio dos olhos. Não era. Esta última ideia restituiu-me a consolação; uni o dedo grande ao polegar, despedi um piparote e o cadáver caiu no jardim. Era tempo; aí vinham já as próvidas formigas... Não, volto à primeira ideia; creio que para ela era melhor ter nascido azul.

32 Coxa de Nascença

Fui dali acabar os preparativos da viagem. Já agora não me demoro mais. Desço imediatamente; desço, ainda que algum leitor circunspecto me detenha para perguntar se o capítulo passado é apenas uma sensaboria ou se chega a empulhação... Ai, não contava com D. Eusébia. Estava pronto, quando me entrou por casa. Vinha convidar-me para transferir a descida, e ir lá jantar nesse dia. Cheguei a recusar; mas instou tanto, tanto, tanto, que não pude deixar de aceitar; demais, era-lhe devida aquela compensação; fui.

Eugênia desataviou-se nesse dia por minha causa. Creio

it was because of me – although perhaps she used to be that way. Without the golden ornaments, that she was wearing the day before, the earrings now hang in her ears, two ears finely outlined in a nymph's head. A mere white linen dress, without ornaments, and in her lap, instead of a brooch, a button of mother-of-pearl, and another button on the cuffs, closing the sleeves, and no bracelet.

She was that in the body; she was nothing else in the spirit. Clear ideas, plain manners, some natural grace, a lady's appearance, and I don't know if anything else; yes, the mouth, exactly the same mouth of her mother, which reminded me of the episode of 1814, and so gave me an impetus to make a gloss with the same mot to the daughter...

"I'll show you the farmstead now" her mother said, as soon as we finished drinking the last sip of coffee.

We went out on the porch, from there to the farmstead, and that's when I noticed a circumstance. Eugenia was limping a little, so little that I even asked her if she had hurt her foot. The mother remained silent; the daughter answered without hesitation:

"No, sir, I was born lame."

I sent myself to hell, the most profound hell; I called myself clumsy, rude. In fact, the mere possibility of her being lame was enough to ask her nothing. Then I remembered that the first time I saw her, the day before, the girl had come slowly to her mother's chair – and that day I found her already at the dinner table. Perhaps it was to cover up the defect; but why did she confess it now? I looked at her and noticed that she was sad.

I tried to erase the remnants of my clumsiness; it was not difficult, because the mother was, as she had confessed, a playful old woman, and promptly started talking to me. We saw the entire farmstead, the trees, the flowers, the duck pond, the laundry tank, a multitude of things she was showing me, and commenting, while I investigated Eugenia's eyes...

I swear that Eugenia's gaze was not lame, but straight, perfectly healthy; it came from black peaceful eyes. I believe that two or three times these eyes were lowered, a little turbid; but two or three times only; in general, they stared at me frankly, without temerity or simulation.

que foi por minha causa – se é que não andava muita vez assim. Sem as bichas de ouro, que trazia na véspera, lhe pendiam agora das orelhas, duas orelhas finamente recortadas numa cabeça de ninfa. Um simples vestido branco, de cassa, sem enfeites, tendo ao colo, em vez de broche, um botão de madrepérola, e outro botão nos punhos, fechando as mangas, e nem sombra de pulseira.

Era isso no corpo; não era outra coisa no espírito. Ideias claras, maneiras chãs, certa graça natural, um ar de senhora, e não sei se alguma outra coisa; sim, a boca, exatamente a boca da mãe, a qual me lembrava o episódio de 1814, e então dava-me ímpetos de glosar o mesmo mote à filha...

"Agora vou mostrar-lhe a chácara", disse a mãe, logo que esgotamos o último gole de café.

Saímos à varanda, dali à chácara, e foi então que notei uma circunstância. Eugênia coxeava um pouco, tão pouco, que eu cheguei a perguntar-lhe se machucara o pé. A mãe calou-se; a filha respondeu sem titubear:

"Não, senhor, sou coxa de nascença."

Mandei-me a todos os diabos; chamei-me desastrado, grosseirão. Com efeito, a simples possibilidade de ser coxa era bastante para lhe não perguntar nada. Então lembrou-me que da primeira vez que a vi na véspera – a moça chegara-se lentamente à cadeira da mãe, e que naquele dia já a achei à mesa de jantar. Talvez fosse para encobrir o defeito; mas por que razão o confessava agora? Olhei para ela e reparei que ia triste.

Tratei de apagar os vestígios de meu desazo; não me foi difícil, porque a mãe era, segundo confessara, uma velha patusca, e prontamente travou de conversa comigo. Vimos toda a chácara, árvores, flores, tanque de patos, tanque de lavar, uma infinidade de coisas, que ela me ia mostrando, e comentando, ao passo que eu, de soslaio, perscrutava os olhos de Eugênia...

Palavra que o olhar de Eugênia não era coxo, mas direito, perfeitamente são; vinha de uns olhos pretos e tranquilos. Creio que duas ou três vezes baixaram estes, um pouco turvados; mas duas ou três vezes somente; em geral, fitavam-me com franqueza, sem temeridade, nem biocos.

Blessed Are Those Who Do Not Return

But the fact is that she was lame. Such lucid eyes, such a fresh mouth, such a majestic composure; and lame! This contrast would make one suspect that nature is sometimes an immense derision. Why beautiful, if lame? Why lame, if beautiful? Such was the question I had been asking myself as I returned home at night, without finding the solution for the enigma. The best thing to do, when you don't solve an enigma, is to throw it out of the window; that's what I did; I took a towel and expelled that other black butterfly that fluttered in my brain. I was relieved and I went to sleep. But the dream, which is a crack in the spirit, let the little butterfly back in, and I spent the whole night digging the mystery, without explaining it.

It was raining at daybreak, I rescheduled my return; but on the other day the morning was clear and blue, and I stayed despite it, not less than on the third day and on the fourth, until the end of the week. Beautiful, fresh, inviting mornings; down there the family calling me, and the bride, and the Parliament, and I without attending anything, rapt at the feet of my Lame Venus. To say rapt is a way to enhance the style; there was no rapture, but preference, a certain physical and moral satisfaction. I liked her, it is true; next to this creature, so simple, illegitimate daughter and lame, made of love and contempt, at her side I felt good, and I believe she felt still better at my side. And this at Tijuca. A mere pastoral. Dona Eusebia watched us, but little; she tempered need with convenience. The daughter, in this first explosion of nature, gave me her soul in bloom.

"Come back tomorrow?" she told me on Saturday.

"I intend to."

"Don't come back."

I did not come back, and I added a verse to the Gospel:
BLESSED ARE THOSE WHO DO NOT COME BACK, FOR THEIRS IS THE FIRST KISS

33 Bem-Aventurados Os que Não Descem

O pior é que era coxa. Uns olhos tão lúcidos, uma boca tão fresca, uma compostura tão senhoril; e coxa! Esse contraste faria suspeitar que a natureza é às vezes um imenso escárnio. Por que bonita, se coxa? Por que coxa, se bonita? Tal era a pergunta que eu vinha fazendo a mim mesmo ao voltar para casa, de noite, sem atinar com a solução do enigma. O melhor que há, quando se não resolve um enigma, é sacudi-lo pela janela fora; foi o que eu fiz; lancei mão de uma toalha e enxotei essa outra borboleta preta, que me adejava no cérebro. Fiquei aliviado e fui dormir. Mas o sonho, que é uma fresta do espírito, deixou novamente entrar o bichinho, e aí fiquei eu a noite toda a cavar o mistério, sem explicá-lo.

Amanheceu chovendo, transferi a descida; mas no outro dia, a manhã era límpida e azul, e apesar disso deixei-me ficar, não menos que no terceiro dia, e no quarto, até o fim da semana. Manhãs bonitas, frescas, convidativas; lá embaixo a família a chamar-me, e a noiva, e o Parlamento, e eu sem acudir a coisa nenhuma, enlevado ao pé da minha Vênus Manca. Enlevado é uma maneira de realçar o estilo; não havia enlevo, mas gosto, uma certa satisfação física e moral. Queria-lhe, é verdade; ao pé dessa criatura tão singela, filha espúria e coxa, feita de amor e desprezo, ao pé dela sentia-me bem, e ela creio que ainda se sentia melhor ao pé de mim. E isto na Tijuca. Uma simples égloga. D. Eusébia vigiava-nos, mas pouco; temperava a necessidade com a conveniência. A filha, nessa primeira explosão da natureza, entregava-me a alma em flor.

"O senhor desce amanhã?" disse-me ela no sábado.

"Pretendo."

"Não desça."

Não desci, e acrescentei um versículo ao Evangelho: BEM--AVENTURADOS OS QUE NÃO DESCEM, PORQUE DELES É O PRIMEIRO BEIJO DAS

OF THE YOUNG LADIES. Indeed, it was on Sunday this first kiss of Eugenia, the first kiss that no other man had ever taken from her, and it was not stolen or taken, but candidly delivered, like an honest debtor pays a debt. Poor Eugenia! If only you knew what ideas were running through my mind at that occasion! You, trembling with commotion, with your arms around my shoulders, contemplating your welcome husband in me, and I with the eyes of 1814, in the thicket, in Vilaça, and suspecting that you could not lie to your blood, to your origin...

Dona Eusebia entered so unexpectedly, but not so suddenly to catch us at each other's side. I went to the window; Eugenia sat down fixing one of the braids. What a gracious concealment! What infinite and delicate art! What a profound hypocrisy! And all this was natural, alive, unstudied, natural as appetite, natural as sleep. The entire better! Dona Eusebia suspected nothing.

To a Sensitive Soul

There is, among the five or ten people who read me, there is a sensitive soul, who is certainly a little annoyed with the previous chapter, begins to fear for Eugenia's fate, and perhaps... yes, perhaps, deep down in his mind, call me cynical. Me, cynical, sensitive soul? By the thigh[54] of Diana! This insult deserved to be washed with blood, if the blood washed anything in this world. No, sensitive soul, I am not cynical, I was a man; my brain was a stage in which plays of all kinds took place, the sacred drama, the austere, the sentimental, the gracious comedy, the disordered farce, the autos[55], the buffoonery; a pandemonium, sensitive soul, a

---

54 The author here makes a pun. THIGH and LAME in Portuguese originally are translated by the same word, COXA.

55 AUTO is a dramatic composition from the Middle Ages, with allegorical

MOÇAS. Com efeito, foi no domingo esse primeiro beijo de Eugênia, "o primeiro que nenhum outro varão jamais lhe tomara, e não furtado ou arrebatado, mas candidamente entregue, como um devedor honesto paga uma dívida. Pobre Eugênia! Se tu soubesses que ideias me vagavam pela mente fora naquela ocasião! Tu, trêmula de comoção, com os braços nos meus ombros, a contemplar em mim o teu bem-vindo esposo, e eu com os olhos de 1814, na moita, no Vilaça, e a suspeitar que não podias mentir ao teu sangue, à tua origem...

D. Eusébia entrou inesperadamente, mas não tão súbita, que nos apanhasse ao pé um do outro. Eu fui até à janela; Eugênia sentou-se a concertar uma das tranças. Que dissimulação graciosa! que arte infinita e delicada! que tartufice profunda! e tudo isso natural, vivo, não estudado, natural como o apetite, natural como o sono. Tanto melhor! D. Eusébia não suspeitou nada.

A Uma Alma Sensível

Há aí, entre as cinco ou dez pessoas que me leem, há aí uma alma sensível, que está decerto um tanto agastada com o capítulo anterior, começa a tremer pela sorte de Eugênia, e talvez... sim, talvez, lá no fundo de si mesma, me chame cínico. Eu cínico, alma sensível? Pela coxa[54] de Diana! esta injúria merecia ser lavada com sangue, se o sangue lavasse alguma coisa nesse mundo. Não, alma sensível, eu não sou cínico, eu fui homem; meu cérebro foi um tablado em que se deram peças de todo gênero, o drama sacro, o austero, o piegas, a comédia louçã, a desgrenhada farsa, os autos[55], as bufonerias, um pandemônio,

---

54 O autor aqui faz um trocadilho: COXA (a parte superior da perna) e COXA (aquela que coxeia ao caminhar).

55 AUTO é uma composição dramática da Idade Média, com personagens

clutter of things and people, where you could see everything, from the rose of Smyrna to the common rue of your backyard, from the magnificent Cleopatra bed to the corner of the beach where the beggar shivers in his sleep. In my brain thoughts of various caste and form crossed. There was not only the atmosphere of the eagle and the hummingbird; there was also of the slug and the frog. So remove the expression, sensitive soul, punish the nerves, clean the glasses – that sometimes is the glasses – and let's put an end at once with this flower of the thicket.

The Path of Damascus

It happened that, eight days later, as I was on my way to Damascus, I heard a mysterious voice that whispered to me the words of Scripture (Acts IX: 7): "Arise, and enter into the city." That voice came from myself, and had two origins: mercy, which disarmed me at the girl's candour, and the terror of genuinely loving her and marrying her. A lame woman! As for this reason for my return, there is no doubt that she thought it and said it to me. It happened on the porch, on a Monday afternoon, when I announced that I would come back the next morning. "Goodbye," she sighed, simply holding out her hand; "you do well." And as I said nothing, she continued, "You do well escaping the ridicule of marrying me." I was going to tell her that it was not like that; she withdrew slowly, swallowing her tears. I reached her, few paces away, and swore to her by all the saints in heaven that I was obliged to come back, but that I liked her very much; all of this was cold hyperboles, which she listened without saying anything.

"Do you believe me?" I asked in the end.

"No, and I tell you that you do well."

I wanted to hold her on, but the look she gave me was no longer pleading, but imperative. I came back from Tijuca the next morning, a little bitter, a little satisfied. I was telling myself that

---

characters, simple structure and moralizing intent.

alma sensível, uma barafunda de coisas e pessoas, em que podias ver tudo, desde a rosa de Esmirna até a arruda do teu quintal, desde o magnífico leito de Cleópatra até o recanto da praia em que o mendigo tirita o seu sono. Cruzavam-se nele pensamentos de vária casta e feição. Não havia ali a atmosfera somente da águia e do beija-flor; havia também a da lesma e do sapo. Retira, pois, a expressão, alma sensível, castiga os nervos, limpa os óculos – que isso às vezes é dos óculos – e acabemos de uma vez com esta flor da moita.

35 O Caminho de Damasco

Ora aconteceu, que, oito dias depois, como eu estivesse no caminho de Damasco, ouvi uma voz misteriosa, que me sussurrou as palavras da Escritura (At. IX, 7): "LEVANTA-TE, E ENTRA NA CIDADE." Essa voz saía de mim mesmo, e tinha duas origens: a piedade, que me desarmava ante a candura da pequena, e o terror de vir a amar deveras, e desposá-la. Uma mulher coxa! Quanto a este motivo da minha descida, não há duvidar que ela o achou e mo disse. Foi na varanda, na tarde de uma segunda-feira, ao anunciar-lhe que na seguinte manhã viria para baixo. "Adeus", suspirou ela estendendo-me a mão com simplicidade; "faz bem". E como eu nada dissesse, continuou: "Faz bem em fugir ao ridículo de casar comigo." Ia dizer-lhe que não; ela retirou-se lentamente, engolindo as lágrimas. Alcancei-a a poucos passos, e jurei-lhe por todos os santos do Céu que eu era obrigado a descer, mas que não deixava de lhe querer e muito; tudo hipérboles frias, que ela escutou sem dizer nada.

"Acredita-me?" perguntei eu no fim.

"Não, e digo-lhe que faz bem."

Quis retê-la, mas o olhar que me lançou não foi já de súplica, senão de império. Desci da Tijuca, na manhã seguinte, um pouco amargurado, outro pouco satisfeito. Vinha dizendo a mim

---

alegóricas, estrutura simples e intenção moralizante.

it was fair to obey my father, that it was convenient to embrace the political career... that the constitution... that my fiancée... that my horse...

About Boots

My father, who was not expecting me, hugged me tenderly and gratefully. "Now is it for real?" he said. "Can I finally...?"

I left him in that reticence, and started taking off my boots, which were tight. Once relieved, I took a long breath, and I laid down stretching my body, while my feet, and I behind them, entered into relative bliss. Then I considered that the tight boots are one of the greatest joys on earth, because, by hurting the feet, they give a motive to the pleasure of taking them off. Mortify your feet, you wretched, then relieve them, and there you have the cheap happiness, according the shoemakers and Epicurus. While this idea worked on the famous trapeze, I looked at Tijuca, and watched the little cripple get lost in the horizon of the past, and I felt that my heart would soon take off its boots too. And it did, the lewd one. Four or five days later I savoured this quick, ineffable and incoercible moment of pleasure, which follows a poignant pain, a worry, a nuisance... From this I deduced that life is the most ingenious of phenomena, because it only sharpens hunger, in order to present the occasion of eating, and only invented the corns because they improve the earthly happiness. Verily I say unto you that all human wisdom is not worth a pair of short boots.

You, my Eugenia, have never taken them off; you went on the road of life, limping on your leg and love, sad as the poor burials, lonely, silent, laborious, until you came to this other shore too... What I don't know is if your existence was very necessary to the century. Who knows? Perhaps an accomplice less would make human tragedy rage.

mesmo que era justo obedecer a meu pai, que era conveniente abraçar a carreira política... que a constituição... que a minha noiva... que o meu cavalo...

36 A Propósito de Botas

Meu pai, que me não esperava, abraçou-me cheio de ternura e agradecimento. "Agora é deveras?" disse ele. "Posso enfim...?"

Deixei-o nessa reticência, e fui descalçar as botas, que estavam apertadas. Uma vez aliviado, respirei à larga, e deitei-me a fio comprido, enquanto os pés, e todo eu atrás deles, entrávamos numa relativa bem-aventurança. Então considerei que as botas apertadas são uma das maiores venturas da Terra, porque, fazendo doer os pés, dão azo ao prazer de as descalçar. Mortifica os pés, desgraçado, desmortifica-os depois, e aí tens a felicidade barata, ao sabor dos sapateiros e de Epícuro. Enquanto esta ideia me trabalhava no famoso trapézio, lançava eu os olhos para a Tijuca, e via a aleijadinha perder-se no horizonte do pretérito, e sentia que o meu coração não tardaria também a descalçar as suas botas. E descalçou- as o lascivo. Quatro ou cinco dias depois, saboreava esse rápido, inefável e incoercível momento de gozo, que sucede a uma dor pungente, a uma preocupação, a um incômodo... Daqui inferi eu que a vida é o mais engenhoso dos fenômenos, porque só aguça a fome, com o fim de deparar a ocasião de comer, e não inventou os calos, senão porque eles aperfeiçoam a felicidade terrestre. Em verdade vos digo que toda a sabedoria humana não vale um par de botas curtas.

Tu, minha Eugênia, é que não as descalçaste nunca; foste aí pela estrada da vida, manquejando da perna e do amor, triste como os enterros pobres, solitária, calada, laboriosa, até que vieste também para esta outra margem... O que eu não sei é se a tua existência era muito necessária ao século. Quem sabe? Talvez um comparsa de menos fizesse patear a tragédia humana.

Finally!

Finally! Here is Virgília. Before going to Counsellor Dutra's house, I asked my father if there was any prior marriage arrangement.

"No arrangement. Some time ago, talking to him about you, I confessed to him the wish I had to see you deputy; and I spoke in such a manner that he promised to do something, and I believe he will. As for the bride, that's the name I give to a little creature, which is a jewel, a flower, a star, a rare thing... it's his daughter; I figured if you married her, you would sooner be a deputy.

"Just this?"

"Just this."

We went from there to Dutra's house. He was an honourable, smiling, jovial, patriotic man, a little irritated by public problems, but not desperate to cure solve quickly. He thought my application was legitimate; however, it was convenient to wait a few months. And then he introduced me to his wife – an invaluable lady – and to his daughter, who did not deny my father's panegyric at all. I swear to you, she did not deny it at all. Read again chapter XXVII. I, who had ideas about the girl, stared at her in a certain way; she, who I don't know if had them, did not look at me differently; and our first look was pure and simply marital. At the end of a month we were intimate.

37 Enfim!

Enfim! eis aqui Virgília. Antes de ir à casa do Conselheiro Dutra, perguntei a meu pai se havia algum ajuste prévio de casamento.

Nenhum ajuste. Há tempos, conversando com ele a teu respeito, confessei-lhe o desejo que tinha de te ver deputado; e de tal modo falei, que ele prometeu fazer alguma coisa, e creio que o fará. Quanto à noiva, é o nome que dou a uma criaturinha, que é uma joia, uma flor, uma estrela, uma coisa rara... é a filha dele; imaginei que, se casasses com ela, mais depressa serias deputado.

"Só isto?"

"Só isto."

Fomos dali à casa do Dutra. Era uma pérola esse homem, risonho, jovial, patriota, um pouco irritado com os males públicos, mas não desesperando de os curar depressa. Achou que a minha candidatura era legítima; convinha, porém, esperar alguns meses. E logo me apresentou à mulher – uma estimável senhora – e à filha, que não desmentiu em nada o panegírico de meu pai. Juro-vos que em nada. Relede o capítulo XXVII. Eu, que levava ideias a respeito da pequena, fitei-a de certo modo; ela, que não sei se as tinha, não me fitou de modo diferente; e o nosso olhar primeiro foi pura e simplesmente conjugal. No fim de um mês estávamos íntimos.

The Fourth Edition

"Come to dinner tomorrow" Dutra told me one night.

I accepted the invitation. The next day, I ordered the carriage to wait for me at São Francisco de Paula Square, and I went for a walk. Do you still remember my theory of human editions? You should know that, at that time, I was in the fourth edition, revised and amended, but still full of carelessness and spelling errors; a flaw that, incidentally, found some compensation in the type of font, which was elegant, and in the binding, which was luxurious. Walking around, when I was coming down Ourives Street, I checked the clock and the glass dropped on the sidewalk. I entered the first store at hand; it was a cubicle – little more – dusty and dark.

In the background, behind the counter, sat a woman whose yellow face, covered by smallpox, did not stand out immediately, at first glance; but as soon as it stood out it was a curious sight. She could not have been ugly; on the contrary, it was possible to see that she was beautiful once, and very beautiful; but illness and early old age destroyed the best of her graces. The smallpox had been terrible; the signs, large and many, made protrusions and depressions, slopes and ramps, and gave a feeling of a thick sandpaper, very, very thick. The eyes were the best part of the figure, and they had a singular and repulsive expression, which changed, however, as soon as I began to speak. As for the hair, it was grey and almost as dusty as the store portals. A diamond sparkled on one of the fingers of her left hand. Will you believe it, you, in the future? This woman was Marcela.

I didn't recognize her at first; it was hard; but she recognized me, as soon as I spoke to her. Her eyes sparkled and changed from the usual expression to another, half sweet and half sad. I saw that she made a move, as if to hide or flee; it was the vanity instinct, which lasted no more than an instant. Marcela calmed down and smiled.

30 A Quarta Edição

"Venha cá jantar amanhã", disse-me o Dutra uma noite.

Aceitei o convite. No dia seguinte, mandei que a sege me esperasse no Largo de São Francisco de Paula, e fui dar várias voltas. Lembra- vos ainda a minha teoria das edições humanas? Pois sabei que, naquele tempo, estava eu na quarta edição, revista e emendada, mas ainda inçada de descuidos e barbarismos; defeito que, aliás, achava alguma compensação no tipo, que era elegante, e na encadernação, que era luxuosa. Dadas as voltas, ao passar pela Rua dos Ourives, consulto o relógio e cai-me o vidro na calçada. Entro na primeira loja que tinha à mão; era um cubículo – pouco mais – empoeirado e escuro.

Ao fundo, por trás do balcão, estava sentada uma mulher, cujo rosto amarelo e bexiguento não se destacava logo, à primeira vista; mas logo que se destacava era um espetáculo curioso. Não podia ter sido feia; ao contrário, via-se que fora bonita, e não pouco bonita; mas a doença e uma velhice precoce, destruíam--lhe a flor das graças. As bexigas tinham sido terríveis; os sinais, grandes e muitos, faziam saliências e encarnas, declives e aclives, e davam uma sensação de lixa grossa, enormemente grossa. Eram os olhos a melhor parte do vulto, e aliás tinham uma expressão singular e repugnante, que mudou, entretanto, logo que eu comecei a falar. Quanto ao cabelo, estava ruço e quase tão poento como os portais da loja. Num dos dedos da mão esquerda fulgia-lhe um diamante. Crê-lo-eis, pósteros? essa mulher era Marcela.

Não a conheci logo; era difícil; ela porém conheceu-me apenas lhe dirigi a palavra. Os olhos chisparam e trocaram a expressão usual por outra, meio doce e meio triste. Vi-lhe um movimento como para esconder-se ou fugir; era o instinto da vaidade, que não durou mais de um instante. Marcela acomodou--se e sorriu.

"Do you want to buy something?" she said, holding out her hand.

I didn't answer anything. Marcela understood the cause of my silence (it was not difficult), and only hesitated, I believe, to decide what dominated most, whether the astonishment of the present, or the memory of the past. She gave me a chair, and with the counter in between, she told me at length about herself, about the life she had led, the tears I had made her shed, the longing, the disasters, at last the smallpox that ruined her face, and the time, which helped the disease, advancing her decay. Truth is, she had a decrepit soul. She had sold everything, almost everything; a man, who had once loved her and died in her arms, had left her the goldsmith's shop, but to make the misfortune complete, the shop was now a little empty – perhaps for the singularity of being run by a woman. Then she asked me to tell her about my life. I spent little time telling her; it was neither long nor interesting.

"You got married?" said Marcela at the end of my account.

"Not yet" I said dryly.

Marcela cast her eyes to the street, with the inertia of those who reflect or remember; then I let myself go back to the past and, in the midst of memories and longing, I wondered why I had done so much nonsense. This one was certainly not that Marcela of 1822; but was the beauty of another time worth a third of my sacrifices? That's what I wanted to know, by interrogating Marcela's face. The face told me no; at the same time her eyes told me that, already in the past, as today, the flame of covetousness burned in them. It was my eyes that did not know how to see it; they were eyes of the first edition.

"But why did you come in here? Did you see me from the street?" she asked, coming out of that kind of daze.

"No, I thought I was entering a watchmaker's store; I wanted to buy a glass for this watch; I go to another place; excuse me; I'm in a hurry."

Marcela sighed sadly. The truth is I felt afflicted and annoyed at the same time, and yearned to see myself outside that house. Marcela, meanwhile, called a brat, gave him the watch, and, despite my opposition, sent him to a shop nearby to buy the glass. There was no way; I sat down again. She told me then that

"Quer comprar alguma coisa?" disse ela estendendo-me a mão.

Não respondi nada. Marcela compreendeu a causa do meu silêncio (não era difícil), e só hesitou, creio eu, em decidir o que dominava mais, se o assombro do presente, se a memória do passado. Deu-me uma cadeira, e, com o balcão permeio, falou-me longamente de si, da vida que levara, das lágrimas que eu lhe fizera verter, das saudades, dos desastres, enfim das bexigas, que lhe escalavraram o rosto, e do tempo, que ajudou a moléstia, adiantando-lhe a decadência. Verdade é que tinha a alma decrépita. Vendera tudo, quase tudo; um homem, que a amara outrora, e lhe morreu nos braços, deixara-lhe aquela loja de ourivesaria, mas, para que a desgraça fosse completa, era agora pouco buscada a loja – talvez pela singularidade de a dirigir uma mulher. Em seguida pediu-me que lhe contasse a minha vida. Gastei pouco tempo em dizer-lha; não era longa, nem interessante.

"Casou?" disse Marcela no fim de minha narração.

"Ainda não", respondi secamente.

Marcela lançou os olhos para a rua, com a atonia de quem reflete ou relembra; eu deixei-me ir então ao passado, e, no meio das recordações e saudades, perguntei a mim mesmo por que motivo fizera tanto desatino. Não era esta certamente a Marcela de 1822; mas a beleza de outro tempo valia uma terça parte dos meus sacrifícios? Era o que eu buscava saber, interrogando o rosto de Marcela. O rosto dizia-me que não; ao mesmo tempo os olhos me contavam que, já outrora, como hoje, ardia neles a flama da cobiça. Os meus é que não souberam ver-lha; eram olhos da primeira edição.

"Mas por que entrou aqui? viu-me da rua?" perguntou ela, saindo daquela espécie de torpor.

"Não, supunha entrar numa casa de relojoeiro; queria comprar um vidro para este relógio; vou a outra parte; desculpe--me; tenho pressa."

Marcela suspirou com tristeza. A verdade é que eu me sentia pungido e aborrecido, ao mesmo tempo, e ansiava por me ver fora daquela casa. Marcela, entretanto, chamou um moleque, deu-lhe o relógio, e, apesar da minha oposição, mandou-o, a uma loja na vizinhança, comprar o vidro. Não havia remédio; sentei-

she wished to have the protection of acquaintances of another time; she said that sooner or later it would be natural for me to marry, and she ensured that she would give me fine jewellery for cheap prices. She did not say cheap prices, but used a delicate and transparent metaphor. I began to suspect that she had suffered no disaster (except the disease), that she had the money well saved, and that she negotiated for the sole purpose of serving her passion for profit, which was the worm that gnawed that existence; that's what they told me later.

The Neighbour

While I was doing this reflection to myself, a short guy, without a hat, came into the store, holding a four-year-old girl by the hand.

"How are you this morning?" he said to Marcela.

"More or less. Come here, Maricota."

The guy lifted the child by the arms and passed her into the counter.

"Come on," he said; "ask Dona Marcela how she spent the night. She was looking forward to coming here, but her mother couldn't dress her... So, Maricota? Take the blessing... Be aware of the quince stick! That's it... You don't imagine how she is at home; she talks about you all the time, and here she looks like a fool. Just yesterday... Do I say, Maricota?"

"No, don't say, daddy."

"So it was something bad?" asked Marcela, tapping the girl's face.

"I tell you; the mother teaches her to pray every evening The Lord's Prayer and a Hail Mary, offered to Our Lady; but yesterday the little girl came to ask me in a very humble voice... imagine what?... she wanted to offer them to Santa Marcela."

-me outra vez. Disse ela então que desejava ter a proteção dos conhecidos de outro tempo; ponderou que mais tarde ou mais cedo era natural que me casasse, e afiançou que me daria finas joias por preços baratos. Não disse preços baratos, mas usou uma metáfora delicada e transparente. Entrei a desconfiar que não padecera nenhum desastre (salvo a moléstia), que tinha o dinheiro a bom recado, e que negociava com o único fim de acudir à paixão do lucro, que era o verme roedor daquela existência; foi isso mesmo que me disseram depois.

39 O Vizinho

Enquanto eu fazia comigo mesmo aquela reflexão, entrou na loja um sujeito baixo, sem chapéu, trazendo pela mão uma menina de quatro anos.

"Como passou de hoje de manhã?" disse ele a Marcela.

"Assim, assim. Vem cá, Maricota."

O sujeito levantou a criança pelos braços e passou-a para dentro do balcão.

"Anda", disse ele; "pergunta a D. Marcela como passou a noite. Estava ansiosa por vir cá, mas a mãe não tinha podido vesti-la... Então, Maricota? Toma a bênção... Olha a vara de marmelo! Assim... Não imagina o que ela é lá em casa; fala na senhora a todos os instantes, e aqui parece uma pamonha. Ainda ontem... Digo, Maricota?"

"Não, diga, não, papai."

"Então foi alguma coisa feia?" perguntou Marcela batendo na cara da menina.

"Eu lhe digo; a mãe ensina-lhe a rezar todas as noites um padre-nosso e uma ave-maria, oferecidos a Nossa Senhora; mas a pequena ontem veio pedir-me com voz muito humilde... imagine o quê?... que queria oferecê-los a Santa Marcela."

"Poor thing!" said Marcela kissing her.

"It's an enchantment, a passion, as you don't imagine... Her mother says it's a spell..."

The man told a few more things, all very pleasant, until he left taking the girl, not without giving me a questioning or suspicious look. I asked Marcela who he was.

"He's a watchmaker of the neighbourhood, a good man; the woman too; and the daughter is gentle, no? They seem to like me a lot... they are good people."

There was a tremor of joy in Marcela's voice, when uttering these words; and a kind of wave of bliss spread on her face...

In the Carriage 40

Then the brat came, bringing the watch with the new glass. It was time; it was already hard for me to be there; I gave the boy a silver coin; I told Marcela I'd be back another day, and I strode out. To say it all, I must confess that my heart was beating a little; but it was a kind of All Souls' Day knell. My spirit was full with opposite impressions. Notice that this day had dawned bright for me. My father, at lunch, repeated to me in advance the first speech I would have to give in the House of Representatives; we laughed a lot, and the sun too, which was bright, as in the most beautiful days in the world; just as Virgilia should laugh when I told her our lunch fantasies. And then it happens, the glass of the watch falls; I enter the first store that is at hand; and behold, the past comes to me, behold, it lacerates and kisses me; behold, it questions me, with a face cut from longing and smallpox...

I left it there; I hurried to the carriage, which awaited me at São Francisco de Paula Square, and ordered the coachman to roam by the streets. The coachman whipped the beasts, the carriage began to bump, the springs groaned, the wheels

"Coitadinha!" disse Marcela beijando-a.

"É um namoro, uma paixão, como a senhora não imagina... A mãe diz que é feitiço..."

Contou mais algumas coisas o sujeito, todas muito agradáveis, até que saiu levando a menina, não sem deitar-me um olhar interrogativo ou suspeitoso. Perguntei a Marcela quem era ele.

"É um relojoeiro da vizinhança, um bom homem; a mulher também; e a filha é galante, não? Parecem gostar muito de mim... é boa gente."

Ao proferir estas palavras havia um tremor de alegria na voz de Marcela; e no rosto como que se lhe espraiou uma onda de ventura...

40
Na Sege

Nisto entrou o moleque trazendo o relógio com o vidro novo. Era tempo; já me custava estar ali; dei uma moedinha de prata ao moleque; disse a Marcela que voltaria noutra ocasião, e saí a passo largo. Para dizer tudo, devo confessar que o coração me batia um pouco; mas era uma espécie de dobre de finados. O espírito ia travado de impressões opostas. Notem que aquele dia amanhecera alegre para mim. Meu pai, ao almoço, repetiu-me, por antecipação, o primeiro discurso que eu tinha de proferir na Câmara dos Deputados; rimo-nos muito, e o sol também, que estava brilhante, como nos mais belos dias do mundo; do mesmo modo que Virgília devia rir, quando eu lhe contasse as nossas fantasias do almoço. Vai senão quando, cai-me o vidro do relógio; entro na primeira loja que me fica à mão; e eis me surge o passado, ei-lo que me lacera e beija; ei-lo que me interroga, com um rosto cortado de saudades e bexigas...

Lá o deixei; meti-me às pressas na sege, que me esperava no Largo de São Francisco de Paula, e ordenei ao boleeiro que rodasse pelas ruas fora. O boleeiro atiçou as bestas, a sege entrou a sacolejar-me, as molas gemiam, as rodas sulcavam

quickly furrowed the mud that the recent rain had left, and all that to me seemed to be still. Sometimes there is not a certain warm wind, not strong or harsh, but muffled, that does not carry our hats from our heads, nor swirl around in women's skirts, and yet it is or seems to be worse than if it did both, because it slaughters loosens, and seems to dissolve the spirits? For I had this wind with me; and, sure that it was blowing me because I found myself in that sort of gorge between past and present, I longed to go out into the plain of the future. And worse, the carriage didn't move.

"João," I shouted to the coachman. "Will this carriage ride or not?"

"Why, Nhonhô! We are already standing at the door of Mister Counsellor."

The Hallucination

It was true. I entered in a hurry; I found Virgilia anxious, moody, showing a worried expression. The mother, who was deaf, was in the room with her. As we exchanged our greetings, the girl told me dryly:

"We expected you to come early."

I defended myself in the best way; I talked about the horse that had stopped, and a friend, who had held me. Suddenly the voice on my lips dies, I get stunned with amazement. Virgilia... would Virgilia be that girl? I stared at her, and the feeling was so painful that I stepped back and had to avert my eyes. I looked at her again. The smallpox had destroyed her face; the skin, the day before still so thin, pink and pure, now appeared to me yellow, stigmatised by the same scourge that had devastated the face of the Spaniard girl. The mischievous eyes withered; she had a sad lip and a tired attitude. I looked at her attentively; I took her hand and gently called her to me. I didn't fool me; it was the smallpox. I think I made a gesture of revulsion.

rapidamente a lama que deixara a chuva recente, e tudo isso me parecia estar parado. Não há, às vezes, um certo vento morno, não forte nem áspero, mas abafadiço, que nos não leva o chapéu da cabeça, nem rodomoinha nas saias das mulheres, e todavia é ou parece ser pior do que se fizesse uma e outra coisa, porque abate, afrouxa, e como que dissolve os espíritos? Pois eu tinha esse vento comigo; e, certo de que ele me soprava por achar-me naquela espécie de garganta entre o passado e o presente, almejava por sair à planície do futuro. O pior é que a sege não andava.

"João", bradei eu ao boleeiro. "Esta sege anda ou não anda?"

"Uê! nhonhô! Já estamos parados na porta de sinhô conselheiro."

41 A Alucinação

Era verdade. Entrei apressado; achei Virgília ansiosa, mau humor, fronte nublada. A mãe, que era surda, estava na sala com ela. No fim dos cumprimentos disse-me a moça com sequidão:

"Esperávamos que viesse mais cedo."

Defendi-me do melhor modo; falei do cavalo que empacara, e de um amigo, que me detivera. De repente morre-me a voz nos lábios, fico tolhido de assombro. Virgília... seria Virgília aquela moça? Fitei-a muito, e a sensação foi tão penosa, que recuei um passo e desviei a vista. Tornei a olhá-la. As bexigas tinham-lhe comido o rosto; a pele, ainda na véspera tão fina, rosada e pura, aparecia-me agora amarela, estigmada pelo mesmo flagelo, que devastara o rosto da espanhola. Os olhos, que eram travessos, fizeram-se murchos; tinha o lábio triste e a atitude cansada. Olhei-a bem; peguei-lhe na mão, e chamei-a brandamente a mim. Não me enganava; eram as bexigas. Creio que fiz um gesto de repulsa.

Virgilia moved away and went to sit on the couch. I spent some time looking at my own feet. Should I go out or stay? I rejected the first suggestion, which was simply absurd, and headed for Virgilia, who was sitting there quietly. Good heavens! She was the fresh, youthful, flowery Virgilia again. In vain I searched her face for a trace of the disease; there were none; it was the usual thin and white skin.

"You never saw me?" Virgilia asked, seeing that I was staring at her insistently.

"So beautifully, never."

I sat down, while Virgilia silently snapped her nails. A few seconds of pause followed. I told her about things strange to the incident; but she didn't answer, nor did she look at me. Apart from the snap, she was the statue of silence. Only once did she lay her eyes on me, but from the high, raising the left tip of her lip, contracting her eyebrows until they came together again; this whole set of things gave her face an intermediate expression, between comic and tragic.

There was some acting in that disdain; it was an imitation of the gesture. Within herself she suffered, and not alittle, either mere hurt, or just spite; and as the concealing pain hurts the most, it is very likely Virgilia suffered twice as much as she really should. I believe this is metaphysics.

Which Escaped Aristotle 42

Another thing that also seems metaphysical to me is this: we give movement to a ball, for example; this one rolls, it finds another ball, the first ball transmits it the boost, and here is the second ball rolling as the first one rolled initially. Suppose the first ball is called... Marcela – it's a mere assumption; the second ball, Bras Cubas; the third ball, Virgília. So Marcela, receiving a flick of the past rolled until to touch Bras Cubas – who, receiving the impulsive force, began to roll also until

Virgília afastou-se, e foi sentar-se no sofá. Eu fiquei algum tempo a olhar para os meus próprios pés. Devia sair ou ficar? Rejeitei o primeiro alvitre, que era simplesmente absurdo, e encaminhei-me para Virgília, que lá estava sentada e calada. Céus! Era outra vez a fresca, a juvenil, a florida Virgília. Em vão procurei no rosto dela algum vestígio da doença; nenhum havia; era a pele fina e branca do costume.

"Nunca me viu?" perguntou Virgília, vendo que a encarava com insistência.

"Tão bonita, nunca."

Sentei-me, enquanto Virgília, calada, fazia estalar as unhas. Seguiram-se alguns segundos de pausa. Falei-lhe de coisas estranhas ao incidente; ela porém não me respondia nada, nem olhava para mim. Menos o estalido, era a estátua do Silêncio. Uma só vez me deitou os olhos, mas muito de cima, soerguendo a pontinha esquerda do lábio, contraindo as sobrancelhas, ao ponto de as unir; todo esse conjunto de coisas dava-lhe ao rosto uma expressão média, entre cômica e trágica.

Havia alguma afetação naquele desdém; era um arrebique do gesto. Lá dentro, ela padecia, e não pouco, ou fosse mágoa pura, ou só despeito; e porque a dor que se dissimula dói mais, é muito provável que Virgília padecesse em dobro do que realmente devia padecer. Creio que isto é metafísica.

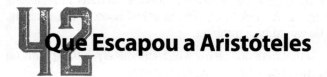

42 Que Escapou a Aristóteles

Outra coisa que também me parece metafísica é isto: Dá-se movimento a uma bola, por exemplo; rola esta, encontra outra bola, transmite-lhe o impulso, e eis a segunda boa a rolar como a primeira rolou. Suponhamos que a primeira bola se chama... Marcela – é uma simples suposição; a segunda, Brás Cubas; a terceira, Virgília. Temos que Marcela, recebendo um piparote do passado rolou até tocar em Brás Cubas – o qual, cedendo à força impulsiva, entrou a rolar também até esbarrar

bump into Virgília, who had nothing to do with the first ball; and this is how, by the mere transmission of a force, the social extremes are touched, and something is established that we may call – solidarity of the human annoyance. How did this chapter escape Aristotle?

Marchioness, because I Will Be Marquis 43

Positively, Virgilia was a little devil, an angelic devil, if you will, but she was, and then...

And then appears Lobo Neves, a man who was no slender than me, nor more elegant, nor more educated, nor more sympathetic, and yet it was him who snatched from me Virgilia and the candidacy, within a few weeks, with a truly Caesarean impetus. There was not any preceding spite; there was not the slightest family violence. Dutra came to tell me one day to expect another occasion, because Lobo Neves's candidacy was supported by great influences. I yielded; such was the beginning of my defeat. A week later, Virgília asked Lobo Neves, smiling, when he would be a minister.

"If that depends on my will, immediately; if it depends on others, in a year's time." Virgília replied:

"Would you promise that someday you'll make me a Baroness?"

"Marchioness, because I will be Marquis."

Since then I have been lost. Virgilia compared the eagle and the peacock, and chose the eagle, leaving the peacock with his astonishment, his spite, and three or four kisses she had given him. Perhaps five kisses; but even if it was ten, that didn't mean nothing at all. The man's lip is not like Attila's horse's paw, which sterilized the soil on which it tapped; it's just the opposite.

em Virgília, que não tinha nada com a primeira bola; e eis aí como, pela simples transmissão de uma força, se tocam os extremos sociais, e se estabelece uma coisa que poderemos chamar – solidariedade do aborrecimento humano. Como é que este capítulo escapou a Aristóteles?

43 Marquesa, porque Eu Serei Marquês

Positivamente, era um diabrete Virgília, um diabrete angélico, se querem, mas era-o, e então...

Então apareceu o Lobo Neves, um homem que não era mais esbelto que eu, nem mais elegante, nem mais lido, nem mais simpático, e todavia foi quem me arrebatou Virgília e a candidatura, dentro de poucas semanas, com um ímpeto verdadeiramente cesariano. Não precedeu nenhum despeito; não houve a menor violência de família. Dutra veio dizer-me, um dia, que esperasse outra aragem, porque a candidatura de Lobo Neves era apoiada por grandes influências. Cedi; tal foi o começo da minha derrota. Uma semana depois, Virgília perguntou ao Lobo Neves, a sorrir, quando seria ele ministro.

"Pela minha vontade, já; pelas dos outros, daqui a um ano." Virgília replicou:

"Promete que algum dia me fará baronesa?"

"Marquesa, porque eu serei marquês."

Desde então fiquei perdido. Virgília comparou a águia e o pavão, e elegeu a águia, deixando o pavão com o seu espanto, o seu despeito, e três ou quatro beijos que lhe dera. Talvez cinco beijos; mas dez que fossem não queria dizer coisa nenhuma. O lábio do homem não é como a pata do cavalo de Átila, que esterilizava o solo em que batia; é justamente o contrário.

44. A Cubas!

My father was astonished by the denouement, and I believe he didn't die from nothing else. There were so many castles he had engineered, so many and so many dreams, that he could not fathom them so crumbled without suffering a severe shock in his body. At first, he didn't want to believe it. A Cubas! A branch of the illustrious tree of the Cubas family! And he blared this with such conviction that I, already informed of our cooperage, forgot for a moment the fickle lady, to contemplate only that phenomenon, not infrequent, but curious: an imagination graduated in consciousness.

"A Cubas!" he'd repeat to me the following day at lunch.

It was not a joyful lunch; I was very sleepy. I had been awake part of the night. For love? It was impossible; one does not love the same woman twice, and I, who had to love that woman some time later, I was not now bound to her by any other bond but a fleeting fantasy, some obedience and a great deal of vanity. And that is enough to explain the sleeplessness; it was spite, a sharp little spite like a pin tip, which fell apart, with cigars, punches, unfinished readings, until dawn, the most peaceful dawn.

But I was young, I had the medicine inside me. My father, however, could not stand the blow easily. On second thought, it may be that he did not die precisely from the disaster; but it's certain that this disaster had complicated his last pains. He died four months later – prostrate, sad, with an intense and continuous concern, like remorse, a deadly disenchantment that replaced his rheumatism and coughs. He still had half an hour of joy; that's when one of the ministers visited him. I saw in him – I remember well – I saw in him the grateful smile from another time, and in his eyes a concentration of light, which was, as it were, the last glimmer of the dying soul. But the sadness soon returned, the sadness of dying without seeing me placed in some high position, as indeed I deserved.

Um Cubas!

Meu pai ficou atônito com o desenlace, e quer-me parecer que não morreu de outra coisa. Eram tantos os castelos que engenhara, tantos e tantíssimos os sonhos, que não podia vê-los assim esboroados, sem padecer um forte abalo no organismo. A princípio não quis crê-lo. Um Cubas! um galho da árvore ilustre dos Cubas! E dizia isto com tal convicção, que eu, já então informado da nossa tanoaria, esqueci um instante a volúvel dama, para só contemplar aquele fenômeno, não raro, mas curioso: uma imaginação graduada em consciência.

"Um Cubas!" repetia-me ele na seguinte manhã, ao almoço.

Não foi alegre o almoço; eu próprio estava a cair de sono. Tinha velado uma parte da noite. De amor? Era impossível; não se ama duas vezes a mesma mulher, e eu, que tinha de amar aquela, tempos depois, não lhe estava agora preso por nenhum outro vínculo, além de uma fantasia passageira, alguma obediência e muita fatuidade. E isto basta a explicar a vigília; era despeito, um despeitozinho agudo como ponta de alfinete, o qual se desfez, com charutos, murros, leituras truncadas, até romper a aurora, a mais tranquila das auroras.

Mas eu era moço, tinha o remédio em mim mesmo. Meu pai é que não pôde suportar facilmente a pancada. Pensando bem, pode ser que não morresse precisamente do desastre; mas que o desastre lhe complicou as últimas dores, é positivo. Morreu daí a quatro meses – acabrunhado, triste, com uma preocupação intensa e contínua, à semelhança de remorso, um desencanto mortal, que lhe substituiu os reumatismos e tosses. Teve ainda meia hora de alegria; foi quando um dos ministros o visitou. Vi-lhe – lembra-me bem – vi-lhe o grato sorriso de outro tempo, e nos olhos uma concentração de luz, que era, por assim dizer, o último lampejo da alma expirante. Mas a tristeza tornou logo, a tristeza de morrer sem me ver posto em algum lugar alto, como aliás me cabia.

"A Cubas!"

He died a few days after the minister's visit, one morning in May, between his two children, Sabina and me, plus our uncle Ildefonso and my brother-in-law. He died without being helped by the knowledge of the doctors, or our love, or the cares, which were many, or nothing else; he had to die and he died.

"A Cubas!"

Notes

Sobbing, tears, mourning house, black velvet in the doorways, a man who came to dress the corpse, another man who took the measures of the coffin, the coffin itself, catafalque, torches, invitations, guests who entered slowly, stepping in silently, and shook hands with the family, some sad, all serious and taciturn, priest and sexton, prayers, aspersions of holy water, the closing of the coffin, with nail and hammer, six people who take it from the catafalque, and raise it, and come down the stairs with difficulty, notwithstanding the shouts, sobbing, and new tears of the family, and they go to the funeral carriage, and put it on top, and pull and fasten the straps, the rolling of the carriage, the rolling of the cars, one by one... What seem like a mere inventory were notes that I had taken for a sad, vulgar chapter I don't write.

The Inheritance

Look at us now, my dear reader, eight days after my father's death – my sister sitting on a couch – just ahead, Cotrim, standing, leaning against a console, arms folded and biting his

"Um Cubas!"

Morreu alguns dias depois da visita do ministro, uma manhã de maio, entre os dois filhos, Sabina e eu, e mais o tio Ildefonso e meu cunhado. Morreu sem lhe poder valer a ciência dos médicos, nem o nosso amor, nem os cuidados, que foram muitos, nem coisa nenhuma; tinha de morrer, morreu.

"Um Cubas!"

45 Notas

Soluços, lágrimas, casa armada, veludo preto nos portais, um homem que veio vestir o cadáver, outro que tomou a medida do caixão, caixão, essa, tocheiros, convites, convidados que entravam, lentamente, a passo surdo, e apertavam a mão à família, alguns tristes, todos sérios e calados, padre e sacristão, rezas, aspersões d'água benta, o fechar do caixão, a prego e martelo, seis pessoas que o tomam da essa, e o levantam, e o descem a custo pela escada, não obstante os gritos, soluços e novas lágrimas da família, e vão até o coche fúnebre, e o colocam em cima e traspassam e apertam as correias, o rodar do coche, o rodar dos carros, um a um... Isto que parece um simples inventário, eram notas que eu havia tomado para um capítulo triste e vulgar que não escrevo.

46 A Herança

Veja-nos agora o leitor, oito dias depois da morte de meu pai – minha irmã sentada num sofá – pouco adiante, Cotrim, de pé, encostado a um consolo, com os braços cruzados e a morder

moustache – and me strolling from side to side with my eyes on the floor. Deep mourning. Deep silence.

"But after all," said Cotrim; "this house should be worth thirty contos, a little more; let's say it is worth thirty five..."

"It is worth fifty," I mused; "Sabina knows it cost fifty-eight..."

"It could cost as much as sixty," Cotrim said; "but it does not follow that it was worth then, and even less today. You know that the value of the houses here, for years, has devaluated quite considerably. Look, if this one sells for fifty contos, how much won't the one you want for yourself sell for, the Field[56]'s house?"

"Don't say that! An old house."

"Old!" exclaimed Sabina, putting her hands up.

"It seems new to you, I bet?"

"Why, brother, come on," Sabina said, rising from the couch; "we can arrange everything amicably, and with honesty. For example, Cotrim does not accept the niggers[57], he wants only daddy's coachman and Paulo..."

"Not the coachman" I said. "I keep the carriage, and I will not buy another coachman."

"Good; I keep Paulo and Prudêncio."

"Prudêncio is free."

"Free?"

"Two years ago."

"Free? How your father arranged these things here at home, unbeknownst to anyone! Just imagine! As for the silver... He didn't set the silver free, I believe?"

We had talked about the silver, the old silverware from the time of D. José I[58], the most important portion of the inheritance,

---

56   The former Acclamation Field, and current Campo de Santana, a garden located inside the Republic Square, downtown Rio de Janeiro.

57   The author refers to the black slaves owned by the master of the house. They were considered a property, because they were bought and sold. The owner could also free a slave, if he wanted to.

58   D. José I, known as "The Reformer", was King of Portugal and Algarves from 1750 until his death in 1777. He was succeeded by his daughter D.

o bigode – eu a passear de um lado para outro, com os olhos no chão. Luto pesado. Profundo silêncio.

"Mas afinal", disse Cotrim; "esta casa pouco mais pode valer de trinta contos; demos que valha trinta e cinco..."

"Vale cinquenta", ponderei; "Sabina sabe que custou cinquenta e oito..."

"Podia custar até sessenta", tornou Cotrim; "mas não se segue que os valesse, e menos ainda que os valha hoje. Você sabe que as casas, aqui há anos, baixaram muito. Olhe, se esta vale os cinquenta contos, quantos não vale a que você deseja para si, a do Campo[56]?"

"Não fale nisso! Uma casa velha."

"Velha!" exclamou Sabina, levantando as mãos ao teto.

"Parece-lhe nova, aposto?"

"Ora, mano, deixe-se dessas coisas", disse Sabina, erguendo-se do sofá; "podemos arranjar tudo em boa amizade, e com lisura. Por exemplo, Cotrim não aceita os pretos[57], quer só o boleeiro de papai e o Paulo..."

"O boleeiro não", acudi eu; "fico com a sege e não hei de ir comprar outro."

"Bem; fico com o Paulo e o Prudêncio."

"O Prudêncio está livre."

"Livre?"

"Há dois anos."

"Livre? Como seu pai arranjava estas coisas cá por casa, sem dar parte a ninguém! Está direito. Quanto à prata... creio que não libertou a prata?"

Tínhamos falado na prata, a velha prataria do tempo de D. José I[58], a porção mais grave da herança, já pelo lavor, já pela

---

56   O antigo Campo da Aclamação, e atual Campo de Santana, um jardim localizado dentro da Praça da República na região central do Rio de Janeiro.

57   O autor refere-se aos escravos negros de propriedade do dono da casa. Eles eram considerados uma propriedade, pois eram comprados e vendidos. O proprietário também poderia libertar um escravo, se ele desejasse.

58   D. José I, conhecido por "O Reformador", foi Rei de Portugal e Algarves de 1750 até a sua morte em 1777. Foi sucedido pela sua filha D. Maria

whether by its art work, or its antiquity, or its origin; my father used to say that the Count of Cunha, when viceroy of Brazil, had given it to my great-grandfather Luis Cubas.

"As for the silver," Cotrim continued, "I would not care, if it were not for your sister's desire to keep it; and I think she's right. Sabina is married, and needs a decent, presentable serving set. You are single, you do not receive people at home, you do not..."

"But I can get married."

"What for interrupted Sabina.

This question was so sublime that it made me forget my interests for a moment. I smiled; I took Sabina's hand, patted it lightly on the palm, all this with such good will that Cotrim interpreted the gesture as acquiescence, and thanked me.

"What?" I replied; "I didn't give in at all, and I won 't."

"Won't you give in?" I shook my head.

"Leave it, Cotrim," said my sister to her husband; "ask him if he wants to keep our clothes, too; that's all I need."

"That's all I need. He wants the carriage, he wants the coachman, he wants the silver, he wants everything. Look, it's far simpler to summon us before the court and prove that Sabina is not his sister that I am not his brother-in-law, and that God is not God. Do this and you lose nothing, not a spoon. Why, my friend, get another office!"

He was so angry, and so was I, that I decided to offer a means of conciliation; divide the silver. He laughed and asked me who would keep the teapot and who would keep the sugar bowl; and after this question, he stated that we would have time to settle the claim, at least in court. Meanwhile, Sabina had gone to the window, from where we have a view of the farmstead – and after a moment she returned, and proposed to give in Paulo and another black man, on the condition that she kept the silver; I was about to say that it didn't suit me, but Cotrim came forward and said the same thing.

"Never! I don't give alms!" he said.

We had a sad dinner. My canon uncle came at the moment of dessert, and still witnessed a slight altercation.

Maria I (1734/1816), known as "the Pious", in Portugal, and as "the Mad Queen", in Brazil.

vetustez, já pela origem da propriedade; dizia meu pai que o Conde da Cunha, quando vice-rei do Brasil, a dera de presente a meu bisavô Luís Cubas.

"Quanto à prata", continuou Cotrim, "eu não faria questão nenhuma, se não fosse o desejo que sua irmã tem de ficar com ela; e acho-lhe razão. Sabina é casada, e precisa de uma copa digna, apresentável. Você é solteiro, não recebe, não..."

"Mas posso casar."

"Para quê?" interrompeu Sabina.

Era tão sublime esta pergunta, que por alguns instantes me fez esquecer os interesses. Sorri; peguei na mão de Sabina, bati-lhe levemente na palma, tudo isso com tão boa sombra, que o Cotrim interpretou o gesto como de aquiescência, e agradeceu-mo.

"Que é lá?" redargui; "não cedi coisa nenhuma, nem cedo."

"Nem cede?" Abanei a cabeça.

"Deixa, Cotrim", disse minha irmã ao marido; "vê se ele quer ficar também com a nossa roupa do corpo; é só o que falta."

"Não falta mais nada. Quer a sege, quer o boleeiro, quer a prata, quer tudo. Olhe, é muito mais sumário citar-nos a juízo e provar com testemunhas que Sabina não é sua irmã, que eu não sou seu cunhado e que Deus não é Deus. Faça isto, e não perde nada, nem uma colherinha. Ora, meu amigo, outro ofício!"

Estava tão agastado, e eu não menos, que entendi oferecer um meio de conciliação; dividir a prata. Riu-se e perguntou-me a quem caberia o bule e a quem o açucareiro; e depois desta pergunta, declarou que teríamos tempo de liquidar a pretensão, quando menos em juízo. Entretanto, Sabina fora até à janela que dava para a chácara – e depois de um instante, voltou, e propôs ceder o Paulo e outro preto, com a condição de ficar com a prata; eu ia dizer que não me convinha, mas Cotrim adiantou-se e disse a mesma coisa.

"Isso nunca! não faço esmolas!" disse ele.

Jantamos tristes. Meu tio cônego apareceu à sobremesa, e ainda presenciou uma pequena altercação.

I (1734/1816), conhecida por "a Piedosa", em Portugal, e por "a Rainha Louca", no Brasil.

"My children," he said, "remember that my brother left a very large bread to be shared among all."

Cotrim chimed in:

"I believe, I believe. The question, however, is not bread, it is butter. Bread without butter I do not swallow."

The sharing was finally made, but we were apart. And I tell you that, even so, it cost me a lot to fight with Sabina. We were so close! Childish games, child rages, laughters and sadness of adulthood, we often shared this bread of joy and misery, fraternally, as good siblings that we were. But we were apart. Just like the beauty of Marcela that withered with the smallpox.

The Recluse

Marcela, Sabina, Virgília... here I am merging all the contrasts, as if these names and people were nothing more than ways of being of my inner affection. Quill of bad habits, put a tie in the style, dress it with a less sordid vest; and then, only then you come with me, come into this house, lay down in this net that rocked me for the best part of the years since my father's inventory until 1842. Come; if you smell any perfumery scent, do not suppose that I have it poured for my pleasure; it's a vestige of N. or Z. or U. for all these capital letters entertained me there in some elegant abjection. But if you want something else besides the scent, keep with yourself the wish, because I kept no pictures, no letters, no reminiscences, the very commotion faded, and only the initial letters were left to me.

I lived a little secluded, going every now and then to some ball, or theatre, or lecture, but most of the time I spent it with myself. I lived; I was carried away by the events and the days, sometimes restless, sometimes apathetic, between ambition and discouragement. I wrote politics and made literature. I sent articles and verses to the newspapers, and I even achieved a certain reputation as a polemicist and poet. When I remembered

"Meus filhos", disse ele, "lembrem-se que meu irmão deixou um pão bem grande para ser repartido por todos."

Mas Cotrim:

"Creio, creio. A questão, porém, não é de pão, é de manteiga. Pão seco é que eu não engulo."

Fizeram-se finalmente as partilhas, mas nós estávamos brigados. E digo-lhes que, ainda assim, custou-me muito a brigar com Sabina. Éramos tão amigos! Jogos pueris, fúrias de criança, risos e tristezas da idade adulta, dividimos muita vez esse pão da alegria e da miséria, irmãmente, como bons irmãos que éramos. Mas estávamos brigados. Tal qual a beleza de Marcela, que se esvaiu com as bexigas.

47 O Recluso

Marcela, Sabina, Virgília... aí estou eu a fundir todos os contrastes, como se esses nomes e pessoas não fossem mais do que modos de ser da minha afeição interior. Pena de maus costumes, ata uma gravata ao estilo, veste-lhe um colete menos sórdido; e depois sim, depois vem comigo, entra nessa casa, estira-te nessa rede que me embalou a melhor parte dos anos que decorreram desde o inventário de meu pai até 1842. Vem; se te cheirar a algum aroma de toucador, não cuides que o mandei derramar para meu regalo; é um vestígio da N. ou da Z. ou da U. que todas essas letras maiúsculas embalaram aí a sua elegante abjeção. Mas, se além do aroma, quiseres outra coisa, fica-te com o desejo, porque eu não guardei retratos, nem cartas, nem memórias, a mesma comoção esvaiu-se, e só me ficaram as letras iniciais.

Vivi meio recluso, indo de longe em longe a algum baile, ou teatro, ou palestra, mas a maior parte do tempo passei-a comigo mesmo. Vivia; deixava-me ir ao curso e recurso dos sucessos e dos dias, ora buliçoso, ora apático, entre a ambição e o desânimo. Escrevia política e fazia literatura. Mandava artigos e versos para as folhas públicas, e cheguei a alcançar certa reputação de polemista e de poeta. Quando me lembrava do Lobo Neves, que

Lobo Neves, who was already a deputy, and Virgília, future marquise, I wondered why I would not be a better deputy and better marquis than Lobo Neves – I, who was worth much, much more than him – and I used to say this looking at the tip of my nose...

A Cousin of Virgília

"Do you know who arrived yesterday from São Paulo?" Luis Dutra asked me one night.

Luis Dutra was a cousin of Virgília's, who was also intimate of the muses. His verses were very pleased and were worth more than mine; but he was a necessity of the sanction of some to confirm the applause of others. As he was shy, he did not question anyone; but he delighted in hearing a word of appreciation; thus he created new forces and set himself to work youthfully.

Poor Luis Dutra! As soon as he published something, he ran to my house, and whirled around me, watching and waiting for a judgment, a word, a gesture, which would approve his recent production, and I told him about a thousand different things – the last ball of Catete, the discussions in the Chamber, carriages and horses – about everything but his verses or prose. He would answer me at first with excitement, then weaker, then changing the conversation to his subject, opening a book, asking me if I had any new work, and I would say yes or no, but I changed the conversation to the other side, and there he would go after me, until he would stop and come out sad. My intention was to make him doubt himself, to discourage him, to eliminate him. And all this looking at the tip of my nose...

era já deputado, e de Virgília, futura marquesa, perguntava a mim mesmo por que não seria melhor deputado e melhor marquês do que o Lobo Neves – eu, que valia mais, muito mais do que ele, "e dizia isto a olhar para a ponta do nariz...

48 Um Primo de Virgília

"Sabe quem chegou ontem de São Paulo?" perguntou-me uma noite Luís Dutra.

Luís Dutra era um primo de Virgília, que também privava com as musas. Os versos dele agradavam e valiam mais do que os meus; mas ele tinha necessidade da sanção de alguns, que lhe confirmasse o aplauso dos outros. Como fosse acanhado, não interrogava a ninguém; mas deleitava-se com ouvir alguma palavra de apreço; então criava novas forças e arremetia juvenilmente ao trabalho.

Pobre Luís Dutra! Apenas publicava alguma coisa, corria à minha casa, e entrava a girar em volta de mim, à espreita de um juízo, de uma palavra, de um gesto, que lhe aprovasse a recente produção, e eu falava-lhe de mil coisas diferentes – do último baile do Catete, da discussão das câmaras, de berlindas e cavalos – de tudo, menos dos seus versos ou prosas. Ele respondia-me, a princípio com animação, depois mais frouxo, torcia a rédea da conversa para o seu assunto dele, abria um livro, perguntava-me se tinha algum trabalho novo, e eu dizia--lhe que sim ou que não, mas torcia a rédea para o outro lado, e lá ia ele atrás de mim, até que empacava de todo e saía triste. Minha intenção era fazê-lo duvidar de si mesmo, desanimá-lo, eliminá-lo. E tudo isto a olhar para a ponta do nariz...

The Tip of the Nose

Nose, conscience without remorse, you helped me a lot in life... Have you ever meditated on the fate of the nose, beloved reader? Doctor Pangloss[59'] explanation is that the nose was created for the use of glasses – and such an explanation, I confess, to some extent seemed definitive to me; but one day, when I was reflecting on this and other obscure points of philosophy, I came upon the only, true and definitive explanation.

In fact, I had only to pay attention to the habit of the fakir. The reader knows that the fakir spends long hours looking at the tip of his nose, for the sole purpose of seeing the heavenly light. When he fixes his eyes on the tip of his nose, he loses the feeling of external things, embellishes himself in the invisible, learns the impalpable, detaches himself from the earth, dissolves himself, becomes ethereal. This sublimation of human being by the tip of the nose is the most sublime phenomenon of the spirit, and the ability to obtain it does not belong only to the fakir: it is universal. Every man has the need and power to contemplate his own nose in order to see the heavenly light, and such contemplation, the effect of which is the subordination of the universe to one nose alone, constitutes the balance of societies. If the noses contemplate each other exclusively, the human race would not last for two centuries: it would be extinguished with the first tribes.

From here, I hear an objection from the reader: "How can this be so," he says, "if no one has ever seen men behold their own nose?"

Obtuse reader, this proves you never got into the brain of a hatter. A hatter passes in front of a hat shop; it is the shop of a rival that opened it two years ago; it had then two doors, today it

---

59 DR. PANGLOSS is a character in the work CANDIDE: OR, ALL FOR THE BEST (CANDIDE, OR L'OPTIMISME), by the French writer and philosopher VOLTAIRE, pseudonym of François-Marie Arouet (1694/ 1778) who portrays him as a caricature of the optimistic philosophers of German classical idealism, mainly from its biggest representatives, Kant, Fichte, Hegel and Schelling.

49 A Ponta do Nariz

Nariz, consciência sem remorsos, tu me valeste muito na vida... Já meditaste alguma vez no destino do nariz, amado leitor? A explicação do Doutor Pangloss[59] é que o nariz foi criado para uso dos óculos – e tal explicação confesso que até certo tempo me pareceu definitiva; mas veio um dia, em que, estando a ruminar esse e outros pontos obscuros de filosofia, atinei com a única, verdadeira e definitiva explicação.

Com efeito, bastou-me atentar no costume do faquir. Sabe o leitor que o faquir gasta longas horas a olhar para a ponta do nariz, com o fim único de ver a luz celeste. Quando ele finca os olhos na ponta do nariz, perde o sentimento das coisas externas, embeleza-se no invisível, aprende o impalpável, desvincula-se da terra, dissolve-se, eteriza-se. Essa sublimação do ser pela ponta do nariz é o fenômeno mais excelso do espírito, e a faculdade de a obter não pertence ao faquir somente: é universal. Cada homem tem necessidade e poder de contemplar o seu próprio nariz, para o fim de ver a luz celeste, e tal contemplação, cujo efeito é a subordinação do universo a um nariz somente, constitui o equilíbrio das sociedades. Se os narizes se contemplassem exclusivamente uns aos outros, o gênero humano não chegaria a durar dois séculos: extinguia-se com as primeiras tribos.

Ouço daqui uma objeção do leitor: "Como pode ser assim", diz ele, "se nunca jamais ninguém não viu estarem os homens a contemplar o seu próprio nariz?"

Leitor obtuso, isso prova que nunca entraste no cérebro de um chapeleiro. Um chapeleiro passa por uma loja de chapéus; é a loja de um rival, que a abriu há dois anos; tinha então duas

---

59 DR. PANGLOSS é uma personagem da obra CÂNDIDE, OU O OTIMISMO (CANDIDE, OU L'OPTIMISME), do escritor e filósofo francês VOLTAIRE, pseudônimo de François-Marie Arouet (1694/ 1778), que o retrata como uma caricatura dos filósofos otimistas do idealismo alemão clássico, principalmente dos seus maiores representantes, Kant, Fichte, Hegel e Schelling.

has four; it will have six to eight probably. On the windowpanes are the hats of the rival; through the doors enter the customers of the rival; the hatter compares that shop with his shop, which is older and has only two doors, and those hats with his hats, which are less sought, albeit equally priced. He is clearly mortified; but he walks, focused, with his eyes looking down or looking forward, wondering the causes of the other's prosperity and his own downturn, since he, a hatter, is much better hatter than the other hatter... It is at this time that his eyes stare at the tip of the nose.

The conclusion, therefore, is that there are two capital forces: love, which multiplies human species, and the nose, which subordinates it to the individual. Procreation, balance.

Married Virgilia

"Who arrived from São Paulo is my cousin Virgilia, married to Lobo Neves" Luis Dutra continued.

"Ah!"

"And only today did I learn something, you playful..."

"What is it?"

"That you wanted to marry her."

"Ideas from my father. Who told you that?"

"She did. I spoke a lot about you, and she then told me everything."

The next day, while I was at Ouvidor Street, at the door of Plancher's typography, I saw a splendid woman looming in the distance. It was her; I only recognized her a few steps away, so different she was, to what extend nature and art had given her the last refinement. We wooed each other; she went on and got into the carriage with her husband, which was waiting for them a little ahead. I was astonished.

portas, hoje tem quatro; promete ter seis a oito. Nas vidraças ostentam-se os chapéus do rival; pelas portas entram os fregueses do rival; o chapeleiro compara aquela loja com a sua, que é mais antiga e tem só duas portas, e aqueles chapéus com os seus, menos buscados, ainda que de igual preço. Mortifica-se naturalmente; mas vai andando, concentrado, com os olhos para baixo ou para a frente, a indagar as causas da prosperidade do outro e do seu próprio atraso, quando ele chapeleiro é muito melhor chapeleiro do que o outro chapeleiro... Nesse instante é que os olhos se fixam na ponta do nariz.

A conclusão, portanto, é que há duas forças capitais: o amor, que multiplica a espécie, e o nariz, que a subordina ao indivíduo. Procriação, equilíbrio.

Virgília Casada

"Quem chegou de São Paulo foi minha prima Virgília, casada com o Lobo Neves", continuou Luís Dutra.

"Ah!"

"E só hoje é que eu soube uma coisa, seu maganão..."

"Que foi?"

"Que você quis casar com ela."

Ideias de meu pai. Quem lhe disse isso?"

"Ela mesma. Falei-lhe muito em você, e ela então contou-me tudo."

No dia seguinte, estando na Rua do Ouvidor, à porta da tipografia do Plancher, vi assomar, a distância, uma mulher esplêndida. Era ela; só a reconheci a poucos passos, tão outra estava, a tal ponto a natureza e a arte lhe haviam dado o último apuro. Cortejamo-nos; ela seguiu; entrou com o marido na carruagem, que os esperava um pouco acima; fiquei atônito.

Eight days later, I met her at a ball; I believe we even exchanged a few words. But in another ball, a month later, at the house of a lady, who had adorned the halls of the first reign, and then continued to adorn those of the second, the approximation was greater and longer, for we talked and waltzed. Waltz is a delicious thing. We waltzed; I do not deny that, as I bring closer to my body that flexible and magnificent body, I had a singular sensation, a sensation of a stolen man.

"It's very hot" she said, as soon as we finished dancing. "Let's go to the terrace?"

"No; you may catch a cold. Let's go to another room."

In the other room was Lobo Neves, who made me many compliments for my political writings, adding that he would say nothing about the literary ones because he was not an expert in the field; but the political writings were excellent, well thought and well written. I answered him with equal courtesy, and we parted satisfied with one another.

About three weeks later I received an invitation from him for a private meeting. I went; Virgilia welcomed me with these graceful words: "You will waltz with me today." In fact, I was a great waltz dancer, and I was renowned for that; no wonder she preferred me. We waltzed once, and again. Francesca[60] lost her virtue due to one book; for us it was the waltz that lost us. I believe that this night I squeezed her hand very tightly, and she let it, as forgotten, and I holding her, and all eyes on us, and on the others who also hugged each other and twirled... An excitement.

---

60   The author refers to Francesca da Rimini, portrayed by Dante Alighieri, in THE DIVINE COMEDY, Inferno, canto V; according to the poet, she and Paolo Malatesta were seduced by the story of Lancelote and Guinevere and became lovers, being surprised and murdered by Giovanni Malatesta, Paolo's brother and Francesca's fiance.

Oito dias depois, encontrei-a num baile; creio que chegamos a trocar duas ou três palavras. Mas noutro baile, dado daí a um mês, em casa de uma senhora, que ornara os salões do primeiro reinado, e não desornava então os do segundo, a aproximação foi maior e mais longa, porque conversamos e valsamos. A valsa é uma deliciosa coisa. Valsamos; não nego que, ao conchegar ao meu corpo aquele corpo flexível e magnífico, tive uma singular sensação, uma sensação de homem roubado.

"Está muito calor", disse ela, logo que acabamos. "Vamos ao terraço?"

"Não; pode constipar-se. Vamos a outra sala."

Na outra sala estava Lobo Neves, que me fez muitos cumprimentos, acerca dos meus escritos políticos, acrescentando que nada dizia dos literários por não entender deles; mas os políticos eram excelentes, bem pensados e bem escritos. Respondi-lhe com iguais esmeros de cortesia, e separamo-nos contentes um do outro.

Cerca de três semanas depois recebi um convite dele para uma reunião íntima. Fui; Virgília recebeu-me com esta graciosa palavra: "O senhor hoje há de valsar comigo." Em verdade, eu tinha fama e era valsista emérito; não admira que ela me preferisse. Valsamos uma vez, e mais outra vez. Um livro perdeu Francesca[60]; cá foi a valsa que nos perdeu. Creio que essa noite apertei-lhe a mão com muita força, e ela deixou-a ficar, como esquecida, e eu a abraçá-la, e todos com os olhos em nós, e nos outros que também se abraçavam e giravam... Um delírio.

---

60   O autor refere-se à Francesca da Rimini, retratada por Dante Alighieri, no canto V do Inferno, na DIVINA COMÉDIA; segundo o poeta, ela e Paolo Malatesta foram seduzidos pela leitura da história de Lancelote e Ginevra e tornaram-se amantes, sendo surpreendidos e assassinados por Giovanni Malatesta, irmão de Paolo e noivo de Francesca.

She is Mine!

"She's mine!" I said to myself, as soon as I passed her to another gentleman; and I confess that for the rest of the night the idea ingrained deep in my mind, not by hammer, but by gimlet, which is more insinuating.

"She's mine!" I said when I got to the my frontdoor.

But then, as if fate or chance, or whatever, remembered to give some nutriment to my possessive raptures, I saw something round and yellow shone on the floor. I bent down; it was a gold coin, a half dobra.

"It's mine!" I repeated, laughing, and put it in my pocket.

That night I no longer thought about the coin; but the next day, remembering the case, I felt some repulsion from my conscience, and a voice asking me why the hell would a coin I had neither inherited nor earned, but only found on the street be mine It was evidently not mine; it was from another one, the one who had lost it, rich or poor, and perhaps he was poor, some worker who would not have means to feed his wife and children; but if he were rich, my duty would be the same. It was necessary to return the coin, and the best way, the only way, was to do so through an advertisement or the police. I sent a letter to the police chief, sending him the finding, and begging him, by the means within his power, to return it to the true owner.

I sent the letter and had a quiet lunch; I can even say that it was joyful. My conscience had waltzed so much the day before that it was suffocated, breathless; but the restitution of the half dobra was a window that opened to the other side of moral; a wave of fresh air came in, and the poor lady breathed easily. Ventilate the consciences! I tell you nothing more. However, undressed of any other circumstances, my act was beautiful, because it expressed a just scruple, a feeling of delicate soul. That was what my inner lady was telling me, in a stern and gentle way at the same time; that's what she was telling me, leaning against the sill of the open window.

LI É Minha!

"É minha!" disse eu comigo, logo que a passei a outro cavalheiro; e confesso que durante o resto da noite, foi-se-me a ideia entranhando no espírito, não à força de martelo, mas de verruma, que é mais insinuativa.

"É minha!" dizia eu ao chegar à porta de casa.

Mas aí, como se o destino ou o acaso, ou o que quer que fosse, se lembrasse de dar algum pasto aos meus arroubos possessórios, luziu-me no chão uma coisa redonda e amarela. Abaixei-me; era uma moeda de ouro, uma meia dobra.

"É minha!" repeti eu a rir-me, e meti-a no bolso.

Nessa noite não pensei mais na moeda; mas no dia seguinte, recordando o caso, senti uns repelões da consciência, e uma voz que me perguntava por que diabo seria minha uma moeda que eu não herdara nem ganhara, mas somente achara na rua. Evidentemente não era minha; era de outro, daquele que a perdera, rico ou pobre, e talvez fosse pobre, algum operário que não teria com que dar de comer à mulher e aos filhos; mas se fosse rico, o meu dever ficava o mesmo. Cumpria restituir a moeda, e o melhor meio, o único meio, era fazê-lo por intermédio de um anúncio ou da polícia. Enviei uma carta ao chefe de polícia, remetendo-lhe o achado, e rogando-lhe que, pelos meios a seu alcance, fizesse devolvê-lo às mãos do verdadeiro dono.

Mandei a carta e almocei tranquilo, posso até dizer que jubiloso. Minha consciência valsara tanto na véspera, que chegou a ficar sufocada, sem respiração; mas a restituição da meia dobra foi uma janela que se abriu para o outro lado da moral; entrou uma onda de ar puro, e a pobre dama respirou à larga. Ventilai as consciências! não vos digo mais nada. Todavia, despido de quaisquer outras circunstâncias, o meu ato era bonito, porque exprimia um justo escrúpulo, um sentimento de alma delicada. Era o que me dizia a minha dama interior, com um modo austero e meigo a um tempo; é o que ela me dizia, reclinada ao peitoril da janela aberta.

"You did well, Cubas; you behaved perfectly. This air is not only pure, it is balsamic; it is a transpiration of the eternal gardens. Do you want to see what you did, Cubas?"

And the good lady took a mirror and opened it before my eyes. I saw, clearly seen, the half dobra from the previous day, round, brilliant, multiplying on its own – becoming ten – then thirty – then five hundred – thus expressing the benefit that the mere act of the restitution would give me in life and in death. And I spread my whole being in contemplation of that act, I reviewed me in it, I felt I was good, perhaps great. A mere coin, huh? Look what it is to have waltzed a little more.

And so, I, Bras Cubas, discovered a sublime law, the law of the equivalence of the windows, and I established that the way to compensate for a closed window is to open another, so that moral can continually air consciousness. Perhaps you don't understand what lies here; perhaps you want something more concrete, a package, for example, a mysterious package. Well then, take the mysterious package.

The Mysterious Package 52

It happened that a few days later, when I went to Botafogo[61], I stumbled upon a package that was on the beach. I am not being precise; there was less stumbling than kicking. When I saw a package, a big one, but clean and properly made, tied with a tight string, something that looked like something, I had the idea of tapping on it with my foot, like an experience, and I tapped, and the wrap resisted. I glanced around; the beach was deserted; in the distance some boys played – a fisherman dried the nets far away – no one who could see my action; I leaned over, picked up the package, and went on.

I went on, but not without fear. It could some prank. I had the idea of returning it to the beach, but I palpated it and

---

61   BOTAFOGO is the name of a beach and a neighbourhood of Rio de Janeiro.

"Fizeste bem, Cubas; andaste perfeitamente. Este ar não é só puro, é balsâmico, é uma transpiração dos eternos jardins. Queres ver o que fizeste, Cubas?"

E a boa dama sacou um espelho e abriu-mo diante dos olhos. Vi, claramente vista, a meia dobra da véspera, redonda, brilhante, multiplicando-se por si mesma – ser dez – depois trinta – depois quinhentas – exprimindo assim o benefício que me daria na vida e na morte o simples ato da restituição. E eu espraiava todo o meu ser na contemplação daquele ato, revia-me nele, achava-me bom, talvez grande. Uma simples moeda, hem? Vejam o que é ter valsado um poucochinho mais.

Assim eu, Brás Cubas, descobri uma lei sublime, a lei da equivalência das janelas, e estabeleci que o modo de compensar uma janela fechada é abrir outra, a fim de que a moral possa arejar continuamente a consciência. Talvez não entendas o que aí fica; talvez queiras uma coisa mais concreta, um embrulho, por exemplo, um embrulho misterioso. Pois toma lá o embrulho misterioso.

 O Embrulho Misterioso

Foi o caso que, alguns dias depois, indo eu a Botafogo[61], tropecei num embrulho, que estava na praia. Não digo bem; houve menos tropeção que pontapé. Vendo um embrulho, pão grande, mas limpo e corretamente feito, atado com um barbante rijo, uma coisa que parecia alguma coisa, lembrou-me bater-lhe com o pé, assim por experiência, e bati, e o embrulho resistiu. Relanceei os olhos em volta de mim; a praia estava deserta; ao longe uns meninos brincavam, "um pescador curava as redes ainda mais longe, "ninguém que pudesse ver a minha ação; inclinei-me, apanhei o embrulho e segui.

Segui, mas não sem receio. Podia ser uma pulha de rapazes. Tive ideia de devolver o achado à praia, mas apalpei-o e

---

61   BOTAFOGO é o nome de uma praia e de um bairro do Rio de Janeiro.

rejected the idea. A little farther along, I changed my way and drove home.

"Let's see" I said, as I entered the office.

And I hesitated a moment, I think it was for shame; the fear of the fun assailed me again. Certainly there was no external witness there; but I had inside myself a boy, who would whistle, squeal, grunt, stomp, boo, cluck, make an all-out effort, if he saw me open the package and find a dozen old handkerchiefs or two dozen rotten guavas. It was late; my curiosity was piqued, as the reader's must be; I undid the package, and I saw... I found... I counted... I counted again no less than five contos. Nothing less. Perhaps ten thousand reis more. Five contos in good banknotes and coins, all neat and tidy, a rare find. I wrapped them up again. At dinner it seemed to me that one of the brats had made a sign to another with his eyes. Would they have watched me? I questioned them discreetly, and concluded they have not. After dinner I went back to the office, examined the money, and laughed at my motherly care concerning five contos – I, who was wealthy.

In order not to think about it anymore, I went to Lobo Neves's house at night; he had urged me not to miss his wife's receptions. There I met the police chief; I was introduced to him; he soon remembered the letter and the half dobra I had sent him a few days earlier. He referred to the case; Virgilia seemed to like my behaviour, and everyone present decided to tell a similar anecdote, which I listened with the impatience of a hysterical woman.

At night, the next day, all week I thought as little as I could of the five contos, and I even confess that I left them very quiet in the desk drawer. I liked to talk about everything except money, and especially money found; but it was not a crime to find money, it was a joy, a good chance, it was perhaps a gift of Providence. It could not be anything else. Nobody loses five contos, as one loses a tobacco handkerchief. We take care of five contos with thirty thousand senses, we palpate them often, we don't take our eyes off them, nor our hands, nor our thoughts, and in order to lose them foolishly like that, on a beach, it is necessary that... The finding could not be a crime; neither crime nor dishonour, nor anything that defiled the character of a man. It was a finding, a happy chance, like hitting the jackpot, like horse betting, like the winnings of a fair play, and I will even say that my happiness

rejeitei a ideia. Um pouco adiante, desandei o caminho e guiei para casa.

Vejamos, disse eu ao entrar no gabinete.

E hesitei um instante, creio que por vergonha; assaltou-me outra vez o receio da pulha. É certo que não havia ali nenhuma testemunha externa; mas eu tinha dentro de mim mesmo um garoto, que havia de assobiar, guinchar, grunhir, patear, apupar, cacarejar, fazer o diabo, se me visse abrir o embrulho e achar dentro uma dúzia de lenços velhos ou duas dúzias de goiabas podres. Era tarde; a curiosidade estava aguçada, como deve estar a do leitor; desfiz o embrulho, e vi... achei... contei... recontei nada menos de cinco contos de réis. Nada menos. Talvez uns dez mil-réis mais. Cinco contos em boas notas e moedas, tudo asseadinho e arranjadinho, um achado raro. Embrulhei-as de novo. Ao jantar pareceu-me que um dos moleques falara a outro com os olhos. Ter-me-iam espreitado? Interroguei-os discretamente, e concluí que não. Sobre o jantar fui outra vez ao gabinete, examinei o dinheiro, e ri-me dos meus cuidados maternais a respeito de cinco contos – eu, que era abastado.

Para não pensar mais naquilo fui de noite à casa do Lobo Neves, que instara muito comigo não deixasse de frequentar as recepções da mulher. Lá encontrei o chefe de polícia; fui-lhe apresentado; ele lembrou-se logo da carta e da meia dobra que eu lhe remetera alguns dias antes. Aventou o caso; Virgília pareceu saborear o meu procedimento, e cada um dos presentes acertou de contar uma anedota análoga, que eu ouvi com impaciência de mulher histérica.

De noite, no dia seguinte, em toda aquela semana pensei o menos que pude nos cinco contos, e até confesso que os deixei muito quietinhos na gaveta da secretária. Gostava de falar de todas as coisas, menos de dinheiro, e principalmente de dinheiro achado; todavia não era crime achar dinheiro, era uma felicidade, um bom acaso, era talvez um lance da Providência. Não podia ser outra coisa. Não se perdem cinco contos, como se perde um lenço de tabaco. Cinco contos levam-se com trinta mil sentidos, apalpam-se a miúdo, não se lhes tiram os olhos de cima, nem as mãos, nem o pensamento, e para se perderem assim tolamente, numa praia, é necessário que... Crime é que não podia ser o achado; nem crime, nem desonra, nem nada que embaciasse o caráter de um homem. Era um achado, um acerto feliz, como a sorte grande, como as apostas de cavalo, como os ganhos de um jogo

was deserved, because I did not feel bad or unworthy of the benefits of Providence.

"These five contos," I would say to myself, three weeks later, "I'll employ them in some good deed, perhaps a dowry for some needy girl, or something like that... I'll see..."

That same day I took those to Banco do Brasil[62]. There they received me with many delicate allusions to the case of the half dobra, the news of which was already spread among people of my acquaintance; I replied annoyed that it was not worth such a fuss; then they praised me for my modesty, and because I became angry, they replied that it was simply great.

53

Virgília could no longer remember the half dobra; she was entirely concentrated on me, my eyes, my life, my thought – that was what she said, and it was true.

There are some plants that sprout and grow fast; others are late and bad. Our love was like the first ones; it sprouted with such momentum and so much sap that it was soon the largest, leafy and lush creature in the woods. I will not be able to tell you for certain the days that this growth lasted. I remember for sure that, one night, the flower was buttoned, or the kiss, if you want to call it that, a kiss she gave me, trembling – poor thing – trembling with fear, because it was at the gate of the farmstead. This single kiss united us – a kiss as brief as the occasion, ardent as love, prologue to a life of delights, terrors, remorse, pleasures that ended in pain, afflictions that bloomed in joy – a patient and systematic hypocrisy, the only brake on a passion without brake – a life of restlessness, anger, despair and jealousy, which one hour paid plentifully, more than enough; but another hour would come and swallow it, like everything else, to bring out

---

62 BANCO DO BRASIL (Bank of Brazil) is a state-owned bank where people used to put their money; it is one of the largest banks in Brazil, and it still exists today.

honesto e até direi que a minha felicidade era merecida, porque eu não me sentia mau, nem indigno dos benefícios da Providência.

"Estes cinco contos", dizia eu comigo, três semanas depois, "hei de empregá-los em alguma ação boa, talvez um dote a alguma menina pobre, ou outra coisa assim... hei de ver..."

Nesse mesmo dia levei-os ao Banco do Brasil[62]. Lá me receberam com muitas e delicadas alusões ao caso da meia dobra, cuja notícia andava já espalhada entre as pessoas do meu conhecimento; respondi enfadado que a coisa não valia a pena de tamanho estrondo; louvaram-me então a modéstia, "e porque eu me encolerizasse, replicaram-me que era simplesmente grande.

Virgília é que já se não lembrava da meia dobra; toda ela estava concentrada em mim, nos meus olhos, na minha vida, no meu pensamento – era o que dizia, e era verdade.

Há umas plantas que nascem e crescem depressa; outras são tardias e pecas. O nosso amor era daquelas; brotou com tal ímpeto e tanta seiva, que, dentro em pouco, era a mais vasta, folhuda e exuberante criatura dos bosques. Não lhes poderei dizer, ao certo, os dias que durou esse crescimento. Lembra-me, sim, que, em certa noite, abotoou-se a flor, ou o beijo, se assim lhe quiserem chamar, um beijo que ela me deu, trêmula – coitadinha – trêmula de medo, porque era ao portão da chácara. Uniu-nos esse beijo único – breve como a ocasião, ardente como o amor, prólogo de uma vida de delícias, de terrores, de remorsos, de prazeres que rematavam em dor, de aflições que desabrochavam em alegria – uma hipocrisia paciente e sistemática, único freio de uma paixão sem freio – vida de agitações, de cóleras, de desesperos e de ciúmes, que uma hora pagava à farta e de sobra; mas outra hora vinha e engolia aquela, como tudo mais,

---

62   O BANCO DO BRASIL é um banco estatal onde as pessoas costumavam colocar o seu dinheiro; é um dos maiores bancos do Brasil e ainda existe nos dias de hoje.

the restlessness and the rest, and the rest of the rest, which is boredom and satiety: such was the book of that prologue.

The Pendulum

I left still enjoying the kiss. I could not sleep; I laid in bed, sure, but it was the same as nothing. I heard all the hours of the night. Usually, when I lose sleep, the ticking of the pendulum makes me feel pretty awful; this slow, gloomy ticking, without resonance, seemed to tell me, at each strike, that I was going to have an instant less of life. I imagined then an old devil, sitting between two sacks, the one of life and the one of death, taking the coins of life to give them to the death, and counting them like this:

"Another one less..."

"Another one less..."

"Another one less..."

"Another one less..."

The most peculiar thing is that, if the clock stopped, I would wind it up, so it would never stop beating, and I could count all my misplaced moments. There are inventions that change or end; the very institutions die; the clock is definitive and perpetual. The ultimate man, in saying goodbye to the worn and cold sun, must have a watch in his pocket to know the exact time of his death.

That night I did not suffer this sad feeling of boredom, but another, and delightful. The fantasies stirred inside me, they came one after the other, like devout who bump into each other to see the angel-singer of the processions. I did not hear the lost moments, but the minutes gained. After a while, I heard nothing at all, because my thought, cunning and cheeky, leapt out the window and flapped its wings toward Virgilia's house. Then it found Virgilia's thought on a windowsill, they greeted each other and talked. We were rolling in bed, perhaps feeling

para deixar à tona as agitações e o resto, e o resto do resto, que é o fastio e a saciedade: tal foi o livro daquele prólogo.

54 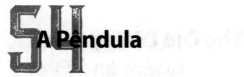 A Pêndula

Saí dali a saborear o beijo. Não pude dormir; estirei-me na cama, é certo, mas foi o mesmo que nada. Ouvi as horas todas da noite. Usualmente, quando eu perdia o sono, o bater da pêndula fazia-me muito mal; esse tique-taque soturno, vagaroso e seco parecia dizer a cada golpe que eu ia ter um instante menos de vida. Imaginava então um velho diabo, sentado entre dois sacos, o da vida e o da morte, a tirar as moedas da vida para dá-las à morte, e a contá-las assim:

"Outra de menos..."

"Outra de menos..."

"Outra de menos..."

"Outra de menos..."

O mais singular é que, se o relógio parava, eu dava-lhe corda, para que ele não deixasse de bater nunca, e eu pudesse contar todos os meus instantes perdidos. Invenções há, que se transformam ou acabam; as mesmas instituições morrem; o relógio é definitivo e perpétuo. O derradeiro homem, ao despedir-se do sol frio e gasto, há de ter um relógio na algibeira, para saber a hora exata em que morre.

Naquela noite não padeci essa triste sensação de enfado, mas outra, e deleitosa. As fantasias tumultuavam-me cá dentro, vinham umas sobre outras, à semelhança de devotas que se abalroam para ver o anjo-cantor das procissões. Não ouvia os instantes perdidos, mas os minutos ganhados. De certo tempo em diante não ouvi coisa nenhuma, porque o meu pensamento, ardiloso e traquinas, saltou pela janela fora e bateu as asas na direção da casa de Virgília. Aí achou no peitoril de uma janela o pensamento de Virgília, saudaram- se e ficaram de palestra. Nós a

cold, in need of rest, and the two loafers laying there, repeating the old dialogue of Adam and Eve.

The Old Dialogue of Adam and Eve

Brás Cubas
...................?

Virgília
....

Brás Cubas
....
....

Virgília
................................!

Brás Cubas
....

Virgília
....
...............................?..
....

Brás Cubas
....

Virgília
....

Brás Cubas
....
....!
................!...
....
................!

rolarmos na cama, talvez com frio, necessitados de repouso, e os dois vadios ali postos, a repetirem o velho diálogo de Adão e Eva.

 O Velho Diálogo de Adão e Eva

Brás Cubas
................?

Virgília
....

Brás Cubas
....
....

Virgília
..........................!

Brás Cubas
....

Virgília
....
................?..
....

Brás Cubas
....

Virgília
....

Brás Cubas
....
....
....!
............!
....
................!

Virgília
....?
Brás Cubas
.....................!..
Virgília
.....................!..

The Opportune Moment

But what a hell! Who will explain to me the reason for this difference? One day we saw each other, we arranged the marriage, we dissolve it and we parted, in a cold way, without pain, because there had been no passion; I felt only some spite and nothing more. The years go by, I see her again, and after three or four waltz spins, we are here, loving each other with passion. Virgilia's beauty, of course, had reached a high degree of refinement, but we were substantially the same persons, and I, for my part, had not become more handsome or more elegant. Who will explain to me the reason for this difference?

The reason could be no other but the opportune moment. The first moment was not opportune, because if neither of us was immature to love, we were both immature for our love: fundamental distinction. There is no possible love without the opportunity of the subjects. This explanation I found it myself, two years after the kiss, the day when Virgilia complained to me of a young dandy that used to frequent her house and tenaciously courted her.

"How inopportune is he!" she said, with a grimace of anger.

I shuddered, stared at her, I saw that her indignation was sincere; then it occurred to me that perhaps I had caused that same grimace, and I understood at once the greatness of my evolution. It had gone from inopportune to opportune.

VIRGÍLIA
....?
BRÁS CUBAS
................................!...
VIRGÍLIA
................................!...

56 O Momento Oportuno

Mas, com a breca! quem me explicará a razão desta diferença? Um dia vimo-nos, tratamos o casamento, desfizemo-lo e separamo-nos, a frio, sem dor, porque não houvera paixão nenhuma; mordeu-me apenas algum despeito e nada mais. Correm anos, torno a vê-la, damos três ou quatro giros de valsa, e eis-nos a amar um ao outro com delírio. A beleza de Virgília chegara, é certo, a um alto grau de apuro, mas nós éramos substancialmente os mesmos, e eu, à minha parte, não me tornara mais bonito nem mais elegante. Quem me explicará a razão dessa diferença?

A razão não podia ser outra senão o momento oportuno. Não era oportuno o primeiro momento, porque, se nenhum de nós estava verde para o amor, ambos o estávamos para o nosso amor: distinção fundamental. Não há amor possível sem a oportunidade dos sujeitos. Esta explicação achei-a eu mesmo, dois anos depois do beijo, um dia em que Virgília se me queixava de um pintalegrete que lá ia e tenazmente a galanteava.

"Que importuno!" dizia ela fazendo uma careta de raiva.

Estremeci, fitei-a, vi que a indignação era sincera; então ocorreu-me que talvez eu tivesse provocado alguma vez aquela mesma careta, e compreendi logo toda a grandeza da minha evolução. Tinha vindo de importuno a oportuno.

Destiny

Yes, my dear Sir, we loved each other. Now, that all social laws prevented us, now is that we truly loved each other. We were subjugating to each other, like the two souls the poet met in Purgatory:

DI PARI, COME BUOI, CHE VANNO A GIOGO[63];

And I'm saying it wrong, comparing ourselves to oxen, because we were another kind of animal, less slow, more tricky and lewd. Here are we walking without knowing how far, or by which illicit roads we follow; a problem that scared me for a few weeks, but whose solution I delivered to destiny. Poor Destiny! Where are you now, you, the great intermediary of human affairs? Perhaps you're creating a new skin, another face, other manners, another name, and it's not impossible that... I don't remember anymore where I was... Ah! On the illicit roads. I said to myself that now it would be the will of God. It was our luck to love each other; if not, how would we explain the waltz and the rest? Virgilia thought the same thing. One day, after confessing that she had moments of remorse, as I told her that if she had remorse it was because she had no love for me, Virgilia girded me with her magnificent arms, murmuring:

"I love you; it is the will of Heaven."

And these words were not aimless; Virgilia was a little religious. She did not attend mass on Sundays, it is true, and I even believe that she only went to the churches on feast days, and when there was a vacant seat in a gallery. But she prayed every night with devotion, or, at least, sleepy. She was afraid of thunderstorms; on these occasions she covered her ears and muttered all the prayers of the catechism. In her alcove there was a small jacaranda oratory, a carved work, about thirty inches

---

63   "IN PAIRS, LIKE OXEN, BOUND TOGETHER BY YOKE": In Italian, originally, quoted from Dante Alighieri, in "THE DIVINE COMEDY", Purgatory, canto XII.

# Destino

Sim, senhor, amávamos. Agora, que todas as leis sociais no-lo impediam, agora é que nos amávamos deveras. Achávamo-nos jungidos um ao outro, como as duas almas que o poeta encontrou no Purgatório:

DI PARI, COME BUOI, CHE VANNO A GIOGO[63];

e digo mal, comparando-nos a bois, porque nós éramos outra espécie de animal menos tardo, mais velhaco e lascivo. Eis-nos a caminhar sem saber até onde, nem por que estradas escusas; problema que me assustou, durante algumas semanas, mas cuja solução entreguei ao destino. Pobre Destino! Onde andarás agora, grande procurador dos negócios humanos? Talvez estejas a criar pele nova, outra cara, outras maneiras, outro nome, e não é impossível que... Já me não lembra onde estava... Ah! nas estradas escusas. Disse eu comigo que já agora seria o que Deus quisesse. Era a nossa sorte amar-nos; se assim não fora, como explicaríamos a valsa e o resto? Virgília pensava a mesma coisa. Um dia, depois de me confessar que tinha momentos de remorsos, como eu lhe dissesse que, se tinha remorsos, é porque me não tinha amor, Virgília cingiu-me com os seus magníficos braços, murmurando:

"Amo-te, é a vontade do Céu."

E esta palavra não vinha à toa; Virgília era um pouco religiosa. Não ouvia missa aos domingos, é verdade, e creio até que só ia às igrejas em dia de festa, e quando havia lugar vago em alguma tribuna. Mas rezava todas as noites, com fervor, ou, pelo menos, com sono. Tinha medo às trovoadas; nessas ocasiões, tapava os ouvidos, e resmoneava todas as orações do catecismo. Na alcova dela havia um oratoriozinho de jacarandá, obra de talha, de três palmos de altura, com três imagens

---

63 "A PAR, COMO BOIS QUE VÃO À CANGA": em italiano, originalmente citado por Dante Alighieri, em "A DIVINA COMÉDIA", Purgatório, canto XII..

high, with three images inside; but she didn't talk about it to her friends; on the contrary, she called godly those friends who were only religious. For a time I suspected that she was a little ashamed of her belief in God and that her religion was a kind of flannel shirt, protective and clandestine; but I was mistaken evidently.

Confidence

Lobo Neves, at first, scared me a lot. Mere illusion! As he adored his wife, he didn't bother to say it to me over and over again; he thought Virgilia the very perfection, a set of solid, fine qualities, lovely, elegant, austere, a true example of a woman. And his trust didn't stop there. From the crack it was, it became a door wide opened. One day he confessed to me that there was a sad thing corroding his existence; he lacked the public glory. I cheered him up; I told him a lot of nice things, which he heard with that religious anointing of a desire that does not want to die; then I realized that his ambition was tired of flapping, unable to flight openly. A few days later he told me about all his boredom and dismay, the bitterness swallowed the rage asleep; he told me that political life was a weave of envy, spite, intrigue, treachery, interest, vanity. Evidently there was a melancholy crisis here; I tried to fight it.

"I know what I'm saying" he replied sadly. "You cannot imagine what I have been through. I got into politics for pleasure, for family, for ambition, and a little for vanity. You see that I have gathered in me all the reasons that lead man to public life; I only lacked the interest of another nature. I saw the theatre from the audience point of view; and, I swear, it was beautiful! Superb scenery, life, movement and grace in the staging. I applied for; they gave me a role that... But why am I bothering you with this? Let me keep my annoyances. I believe I have spent hours and days... There is no constancy of feelings, no gratitude; there is nothing... nothing... nothing..."

He fell silent, deeply dejected, his eyes in the air, seem-

dentro; mas não falava dele às amigas; ao contrário, tachava de beatas as que eram só religiosas. Algum tempo desconfiei que havia nela certo vexame de crer, e que a sua religião era uma espécie de camisa de flanela, preservativa e clandestina; mas evidentemente era engano meu.

58 Confidência

Lobo Neves, a princípio, metia-me grandes sustos. Pura ilusão! Como adorasse a mulher, não se vexava de mo dizer muitas vezes; achava que Virgília era a perfeição mesma, um conjunto de qualidades sólidas e finas, amorável, elegante, austera, um modelo. E a confiança não parava aí. De fresta que era, chegou a porta escancarada. Um dia confessou-me que trazia uma triste carcoma na existência; faltava-lhe a glória pública. Animei-o; disse-lhe muitas coisas bonitas, que ele ouviu com aquela unção religiosa de um desejo que não quer acabar de morrer; então compreendi que a ambição dele andava cansada de bater as asas, sem poder abrir o voo. Dias depois disse-me todos os seus tédios e desfalecimentos, as amarguras engolidas, as raivas sopitadas; contou-me que a vida política era um tecido de invejas, despeitos, intrigas, perfídias, interesses, vaidades. Evidentemente havia aí uma crise de melancolia; tratei de combatê-la.

"Sei o que lhe digo", replicou-me com tristeza. "Não pode imaginar o que tenho passado. Entrei na política por gosto, por família, por ambição, e um pouco por vaidade. Já vê que reuni em mim só todos os motivos que levam o homem à vida pública; faltou-me só o interesse de outra natureza. Vira o teatro pelo lado da plateia; e, palavra, que era bonito! Soberbo cenário, vida, movimento e graça na representação. Escriturei-me; deram-me um papel que... Mas para que o estou a fatigar com isto? Deixe-me ficar com as minhas amofinações. Creia que tenho passado horas e dias... Não há constância de sentimentos, não há gratidão, não há nada... nada... nada..."

Calou-se, profundamente abatido, com os olhos no ar,

ing to hear nothing but the echo of his own thoughts. After a few moments he rose and held out his hand. "You will laugh at me," he said; "but I apologise for that outburst; there was something disturbing my mind." And he laughed, in a dark and sad way; then he asked me not to tell anyone what had happened between us; I told him that nothing had really happened. Two deputies and a political chief from the parish entered. Lobo Neves welcomed them with joy, which was at first a little false, but soon afterwards it was natural. At the end of half an hour no one would say that he was not the luckiest of men; he talked, he jested, and he laughed, and everyone laughed.

A Meeting 69

Politics must be an energetic wine, I said to myself, as I left Lobo Neves's house; and I walked, I walked, until I saw a carriage at Barbonos Street[64], and inside it one of the ministers, my former schoolmate. We greeted each other warmly; the carriage followed, and I kept walking... walking... walking...

"Why couldn't I be a minister?"

This idea, bright and big – somewhat bizarre, as Father Bernardes would say – this idea started a whirlwind of jumps and I let my eyes on it, thinking it funny. I no longer thought about the sadness of Lobo Neves; I felt the pull of the abyss. I remembered that schoolmate, the running on the hills, the joys and mischiefs, and compared the boy to the man, and I wondered why I would not be like him. Then I entered the Promenade[65], and everything seemed to me to say the same thing. "Why are you not a minister, Cubas?", "Cubas, why will you not be minister of State?" Hearing

---

64 Current Evaristo da Veiga Street, in Rio de Janeiro.

65 The PASSEIO PÚBLICO or the Rio de Janeiro Promenade is a public park located in the Lapa neighbourhood, opened in 1786 by Viceroy Luis de Vasconcelos e Sousa. Inspired by the gardens of the Versailles Palace, the Lisbon Public Promenade and the gardens of the Queluz Palace in Lisbon, it was the first public park open in the Americas.

parecendo não ouvir coisa nenhuma, a não ser o eco de seus próprios pensamentos. Após alguns instantes, ergueu-se e estendeu-me a mão: "O senhor há de rir-se de mim, disse ele; mas desculpe aquele desabafo; tinha um negócio, que me mordia o espírito. E ria, de um jeito sombrio e triste; depois pediu-me que não referisse a ninguém o que se passara entre nós; ponderei-lhe que a rigor não se passara nada. Entraram dois deputados e um chefe político da paróquia. Lobo Neves recebeu- os com alegria, a princípio um tanto postiça, mas logo depois natural. No fim de meia hora, ninguém diria que ele não era o mais afortunado dos homens; conversava, chasqueava, e ria, e riam todos.

50 Um Encontro

Deve ser um vinho enérgico a política, dizia eu comigo, ao sair da casa de Lobo Neves; e fui andando, fui andando, até que na Rua dos Barbonos[64] vi uma sege, e dentro um dos ministros, meu antigo companheiro de colégio. Cortejamo-nos afetuosamente, a sege seguiu, e eu fui andando... andando... andando...

"Por que não serei eu ministro?"

Esta ideia, rútila e grande – trajada ao bizarro, como diria o Padre Bernardes – esta ideia começou uma vertigem de cabriolas e eu deixei-me estar com os olhos nela, a achar-lhe graça. Não pensei mais na tristeza de Lobo Neves; sentia a atração do abismo. Recordei aquele companheiro de colégio, as correrias nos morros, as alegrias e travessuras, e comparei o menino com o homem, e perguntei a mim mesmo por que não seria eu como ele. Entrava então no Passeio Público[65], e tudo me parecia dizer a mesma coisa. "Por que não serás ministro, Cubas?", "Cubas,

---

64 A atual Rua Evaristo da Veiga, no Rio de Janeiro.

65 O PASSEIO PÚBLICO ou o Passeio do Rio de Janeiro é um parque público localizado no bairro da Lapa, inaugurado em 1786 pelo vice-rei Luis de Vasconcelos e Sousa. Inspirado nos jardins do Palácio de Versalhes, no Passeio Público de Lisboa e nos jardins do Palácio Queluz, em Lisboa, foi o primeiro parque público aberto nas Américas.

it, a delicious sensation refreshed my whole body. I got in and sat down on a bench, mulling over that idea. And Virgilia would like it! A few minutes later I see a face coming towards me, a face that did not seem completely unknown to me. I knew that face from somewhere.

Imagine a man of thirty-eight to forty years old, tall, thin and pale. The clothes, apart from the style, seemed to have escaped the captivity of Babylon; the hat was contemporary to Gessler's[66]. Imagine now a frock coat, much oversized than the body requested – or, literally, the bones of the individual; the black colour gave way to a dull yellow; the fleece gradually disappeared; of the eight initial buttons remained only three. The brown denim trousers had two strong knee pads, while the hems were gnawed by the heel of a boot without mercy or grease. Around the neck floated the tips of a two-colour tie, both faded, tightening an eight-day collar. I believe he also wore a waistcoat, a dark silk waistcoat, torn here and there, and unbuttoned.

"I bet you don't know me, Mr. Dr. Cubas?" he said.

"I don't remember..."

"I am Borba, Quincas Borba."

I recoiled, astonished... I wish that I had the solemn word of Bossuet or Vieira, to tell such desolation! He was Quincas Borba, the gracious boy of another time, my schoolmate, so smart and so wealthy. Quincas Borba! No; it was impossible; it could not be. I could not believe that this squalid figure, this greying beard, this seedy, aged man, that this entire ruin was Quincas Borba. But he was. His eyes had a remnant of his expression from another time, and the smile had not lost a certain mocking expression, which was peculiar to him. Nevertheless, he endured my astonishment firmly. After a while I turned my eyes away; if the figure repelled, the comparison saddened.

---

66   Albrecht Gessler was a legendary figure from the fourteenth century, the Austrian governor of Altdorf, whose authoritarian rule triggered William Tell's revolt and, thereby, the independence of Switzerland. According to the CHRONICON HELVETICUM (one of the oldest accounts in the history of Switzerland), in 1307, Gessler put his hat on top of a pillar in the central square of the city, forcing everyone to bow before it. When Will Tell refused to do so, it was given the option of being executed or shooting an arrow at an apple in the head of his son in a single attempt.

por que não serás ministro de Estado?" Ao ouvi-lo, uma deliciosa sensação me refrescava todo o organismo. Entrei, fui sentar-me num banco, a remoer aquela ideia. E Virgília que havia de gostar! Alguns minutos depois vejo encaminhar-se para mim uma cara, que não me pareceu desconhecida. Conhecia-a, fosse donde fosse.

Imaginem um homem de trinta e oito a quarenta anos, alto, magro e pálido. As roupas, salvo o feitio, pareciam ter escapado ao cativeiro de Babilônia; o chapéu era contemporâneo do de Gessler[66]. Imaginem agora uma sobrecasaca, mais larga do que pediam as carnes – ou, literalmente, os ossos da pessoa; a cor preta ia cedendo o passo a um amarelo sem brilho; o pelo desaparecia aos poucos; dos oito primitivos botões restavam três. As calças, de brim pardo, tinham duas fortes joelheiras, enquanto as bainhas eram roídas pelo tacão de um botim sem misericórdia nem graxa. Ao pescoço flutuavam as pontas de uma gravata de duas cores, ambas desmaiadas, apertando um colarinho de oito dias. Creio que trazia também colete, um colete de seda escura, roto a espaços, e desabotoado.

"Aposto que me não conhece, Sr. Dr. Cubas?" disse ele.

"Não me lembra..."

"Sou o Borba, o Quincas Borba."

Recuei espantado... Quem me dera agora o verbo solene de um Bossuet ou de Vieira, para contar tamanha desolação! Era o Quincas Borba, o gracioso menino de outro tempo, o meu companheiro de colégio, tão inteligente e abastado. Quincas Borba! Não; impossível; não pode ser. Não podia acabar de crer que essa figura esquálida, essa barba pintada de branco, esse maltrapilho avelhentado, que toda essa ruína fosse o Quincas Borba. Mas era. Os olhos tinham um resto da expressão de outro tempo, e o sorriso não perdera certo ar escarninho, que lhe era peculiar. Entretanto, ele suportava com firmeza o meu espanto. No fim de algum tempo arredei os olhos; se a figura repelia, a comparação acabrunhava.

---

66 Albrecht Gessler, figura lendária do século XIV, era o governador austríaco de Altdorf, cujo autoritarismo desencadeou a revolta de Guilherme Tell e, com isso, a independência da Suíça. De acordo com as CRÔNICAS HELVÉTICAS (um dos relatos mais antigos da história da Suíça), em 1307, pôs o seu chapéu no alto de um pilar na praça central da cidade, obrigando todos a prestarem reverência diante dele. Quando Guilherme Tell se recusou a fazê-lo, foi-lhe dada a opção de ser executado ou de disparar uma flecha contra uma maçã na cabeça do seu filho em uma única tentativa.

"There's no need to tell you anything," he said at last; "you can guess everything. A life of miseries, tribulations and struggles. Do you remember our parties, when I performed as a king? What a decline! I ended up as a beggar..."

And raising his right hand and his shoulders with an indifferent air, he seemed resigned to the blows of fortune, and I don't even know if he was content. Perhaps happy. Impassive, for sure. There was neither Christian resignation nor philosophical conformity in him. It seemed that misery had hardened its soul to the point of removing from him the sensation of mud. He dragged the rags, as he dragged once the purple vestment: with a certain lazy grace.

"Come see me," I said "I can get you something."

A magnificent smile came to his lips. "You are not the first to promise me something," he replied, "and I don't know if you will be the last to do nothing. And what for? I ask nothing but money; money, yes, because it is necessary to eat, and restaurants don't sell on credit. Or the grocers. Not even a tiny little thing, some pennies of angu[67], these damned grocers sell on credit... It's hell, my... I was going to say MY FRIEND... It's hell! The devil! All the devils! Look, I haven't had lunch yet."

"You haven't?"

"No. I left home very early. Do you know where I live? On the third step of the stairs of São Francisco Church, to the left if you are going up; you don't need to knock on the door. It's a fresh house, extremely fresh. For I left early and I haven't eaten yet..."

I took out my wallet, I chose a banknote of five thousand reis, the least clean, and gave it to him. He received it with sparkling eyes of greed, raised the note in the air and shook it enthusiastically.

"IN HOC SIGNO VINCES![68]" he shouted.

And then he kissed it, with a lot of affection gestures, and so noisy outburst that provoked me a mixed feeling of disgust and pity. He, who was shrewd, understood me; he became serious, grotesquely serious, and apologized to me for the joy, saying that it was the joy of a needy man who had not seen a banknote of five thousand reis for many years.

---

67 ANGU is a kind of purée made with cornmeal, water and salt. It is a traditional dish in Brazil.

68 "IN THIS SIGN YOU WILL CONQUER!": in Latin, originally.

"Não é preciso contar-lhe nada", disse ele enfim; "o senhor adivinha tudo. Uma vida de misérias, de atribulações e de lutas. Lembra-se das nossas festas, em que eu figurava de rei? Que trambolhão! Acabo mendigo..."

E alçando a mão direita e os ombros, com um ar de indiferença, parecia resignado aos golpes da fortuna, e não sei até se contente. Talvez contente. Com certeza, impassível. Não havia nele a resignação cristã, nem a conformidade filosófica. Parece que a miséria lhe calejara a alma, a ponto de lhe tirar a sensação de lama. Arrastava os andrajos, como outrora a púrpura: com certa graça indolente.

"Procure-me", disse eu, "poderei arranjar-lhe alguma coisa."

Um sorriso magnífico lhe abriu os lábios. "Não é o primeiro que me promete alguma coisa, replicou, e não sei se será o último que não me fará nada. E para quê? Eu nada peço, a não ser dinheiro; dinheiro sim, porque é necessário comer, e as casas de pasto não fiam. Nem as quitandeiras. Uma coisa de nada, uns dois vinténs de angu[67], nem isso fiam as malditas quitandeiras... Um inferno, meu... ia dizer MEU AMIGO... Um inferno! o diabo! todos os diabos! Olhe, ainda hoje não almocei."

"Não?"

"Não; saí muito cedo de casa. Sabe onde moro? No terceiro degrau das escadas de São Francisco, à esquerda de quem sobe; não precisa bater na porta. Casa fresca, extremamente fresca. Pois saí cedo, e ainda não comi..."

Tirei a carteira, escolhi uma nota de cinco mil-réis, a menos limpa, e dei-lha. Ele recebeu-ma com os olhos cintilantes de cobiça. Levantou a nota ao ar, e agitou-a entusiasmado.

"In hoc signo vinces![68]" bradou.

E depois beijou-a, com muitos ademanes de ternura, e tão ruidosa expansão, que me produziu um sentimento misto de nojo e lástima. Ele, que era arguto, entendeu-me; ficou sério, grotescamente sério, e pediu-me desculpa da alegria, dizendo que era alegria de pobre que não via, desde muitos anos, uma nota de cinco mil-réis.

---

[67] ANGU é um tipo de purê feito com farinha de milho, água e sal. É um prato tradicional no Brasil.

[68] "COM ESTE SINAL CONQUISTAS!": Em latim, originalmente.

"It's in your hands to see many more" I said.

"Yes?" he said, jumping to me.

"Working" I concluded.

He made a disdainful gesture; he kept silent for a moment; he then positively told me that he did not want to work. I was ill of such a comical and sad abjection, and prepared to leave.

"Don't go without me teaching you my philosophy of misery" he said, straddling before me.

The Hug

I thought the poor devil was crazy, and I was going to walk away, when he took my wrist and looked at the diamond on my finger for a moment. I felt a shiver of greed in his hand, a strong desire of possession.

"Magnificent!" he said.

Then he began to walk around me and to examine me a lot.

"I see you indulge yourself" he said. "Jewellery, fine, elegant clothes, and... Compare these shoes to mine; what a difference! Not surprisingly! I tell you, you indulge yourself. And what about the girls? How are you doing? Are you married?"

"No..."

"Me neither."

"I live on the street..."

"I don't care where you live" interrupted Quincas Borba. "If we ever see each other, give me another banknote of five thousand reis; but allow me not to pick it up at your home. It's a kind of pride... Now, goodbye; I see you are impatient.

"Goodbye!"

"And thank you. Allow me to thank you more closely?"

"Pois está em suas mãos ver outras muitas", disse eu.

"Sim?" acudiu ele, dando um bote para mim.

"Trabalhando", concluí eu.

Fez um gesto de desdém; calou-se alguns instantes; depois disse-me positivamente que não queria trabalhar. Eu estava enjoado dessa abjeção tão cômica e tão triste, e preparei-me para sair.

"Não vá sem eu lhe ensinar a minha filosofia da miséria", disse ele, escarranchando-se diante de mim.

# O Abraço

Cuidei que o pobre diabo estivesse doido, e ia afastar-me, quando ele me pegou no pulso, e olhou alguns instantes para o brilhante que eu trazia no dedo. Senti-lhe na mão uns estremeções de cobiça, uns pruridos de posse.

"Magnífico!" disse ele.

Depois começou a andar à roda de mim e a examinar-me muito.

"O senhor trata-se", disse ele. "Joias, roupa fina, elegante e... Compare esses sapatos aos meus; que diferença! Pudera não! Digo- lhe que se trata. E moças? Como vão elas? Está casado?"

"Não..."

"Nem eu."

"Moro na rua..."

"Não quero saber onde mora", atalhou Quincas Borba. "Se alguma vez nos virmos, dê-me outra nota de cinco mil-réis; mas permita-me que não a vá buscar à sua casa. É uma espécie de orgulho... Agora, adeus; vejo que está impaciente."

"Adeus!"

"E obrigado. Deixa-me agradecer-lhe de mais perto?"

And saying this he embraced me with such impetus that I could not help it. We finally parted; I walked away in a hurry, with my shirt rumpled from the hug; I was annoyed and sad. The nice part of the feeling no longer dominated me, but the other one. I would like to see that his misery was dignified. However, I could not help comparing the man of today with the one of olden times, I could not help becoming sad and facing the abyss that separates the hopes of one time from the reality of another time.

"Never mind! Let's have dinner" I said to myself.

I reach into my waistcoat and I don't find the watch. Last disappointment! Borba had stolen it from me when he hugged me.

A Project 61

I was sad at dinner. It was not the lack of the watch that stung me, it was the image of the author of the theft, and the childish reminiscences, and again the comparison, and the conclusion... I started with soup, and since then the yellow morbid flower of chapter XXV began to open inside me, and then I dined quickly to run to Virgilia's house. She was the present; I wanted to take refuge in it, to escape the oppression of the past, because the meeting with Quincas Borba had brought the past back to my eyes, not as it really was, but a torn, abject, beggar and burglar past.

I left home, but it was early; I would find them at the table. I thought again of Quincas Borba, and then I had a desire to go back to the Promenade, to see if I found him; the idea of regenerating him came to me as a strong necessity. I went; but I didn't find him anymore. I asked the guard; he told me that "this guy" actually used to be there sometimes.

"At what time?"

"There is no right time."

It was not impossible to find him on another occasion; I promised myself to go back there. The need to regenerate him,

E dizendo isto abraçou-me com tal ímpeto, que não pude evitá-lo. Separamo-nos finalmente, eu a passo largo, com a camisa amarrotada do abraço, enfadado e triste. Já não dominava em mim a parte simpática da sensação, mas a outra. Quisera ver-lhe a miséria digna. Contudo, não pude deixar de comparar outra vez o homem de agora com o de outrora, entristecer-me e encarar o abismo que separa as esperanças de um tempo da realidade de outro tempo...

"Ora adeus! Vamos jantar", disse comigo.

Meto a mão no colete e não acho o relógio. Última desilusão! O Borba furtara-mo no abraço.

61 Um Projeto

Jantei triste. Não era a falta do relógio que me pungia, era a imagem do autor do furto, e as reminiscências de criança, e outra vez a comparação, e a conclusão... Desde a sopa, começou a abrir em mim a flor amarela e mórbida do capítulo XXV, e então jantei depressa, para correr à casa de Virgília. Virgília era o presente; eu queria refugiar-me nele, para escapar às opressões do passado, porque o encontro do Quincas Borba, tornara-me aos olhos o passado, não qual fora deveras, mas um passado roto, abjeto, mendigo e gatuno.

Saí de casa, mas era cedo; iria achá-los à mesa. Outra vez pensei no Quincas Borba, e tive então um desejo de tornar ao Passeio Público, a ver se o achava; a ideia de o regenerar surgiu-me como uma forte necessidade. Fui; mas já não o achei. Indaguei do guarda; disse-me que efetivamente "esse sujeito" ia por ali às vezes.

"A que horas?"

"Não tem hora certa."

Não era impossível encontrá-lo noutra ocasião; prometi a mim mesmo lá voltar. A necessidade de o regenerar, de o trazer

to bring him to work and to self-respect filled my heart; I was beginning to feel a well-being, magnanimity, an admiration of myself... I went to Virgilia's.

The Pillow

I went to Virgilia's; I soon forgot about Quincas Borba. Virgilia was the pillow of my spirit, a soft, warm, aromatic pillow, inside a pillowcase of cambric and Brussels's lace[69]. It was there my spirit used to rest from all bad, simply boring, or even painful sensations. And, all considered there was no other reason for Virgilia's existence; it could not be. Five minutes was enough to forget Quincas Borba entirely; five minutes of mutual contemplation, hand in hands; five minutes and a kiss. And there gone the memory of Quincas Borba... Scrofula of life, remnant from the past, what matters to me if you exist, if you molest the eyes of others, while I have two palms of a divine pillow, to close my eyes and sleep?

Let's Flee!

Alas! Not always sleeping. Three weeks later, going to Virgilia's house – it was four o'clock in the afternoon – I found her sad and downcast. She did not want to tell me what it was; but, as I urged vehemently:

---

69   A type of fine and delicate lace, handmade from flax fibers, produced from the fifteenth century in the city of Brussels and its surroundings.

ao trabalho e ao respeito de sua pessoa enchia-me o coração; eu começava a sentir um bem-estar, uma elevação, uma admiração de mim próprio... Nisto caía a noite; fui ter com Virgília.

62 O Travesseiro

Fui ter com Virgília; depressa esqueci o Quincas Borba. Virgília era o travesseiro do meu espírito, um travesseiro mole, tépido, aromático, enfronhado em cambraia e bruxelas[69]. Era ali que ele costumava repousar de todas as sensações más, simplesmente enfadonhas, ou até dolorosas. E, bem pesadas as coisas, não era outra a razão da existência de Virgília; não podia ser. Cinco minutos bastaram para olvidar inteiramente o Quincas Borba; cinco minutos de uma contemplação mútua, com as mãos presas umas nas outras; cinco minutos e um beijo. E lá se foi a lembrança do Quincas Borba... Escrófula da vida, andrajo do passado, que me importa que existas, que molestes os olhos dos outros, se eu tenho dois palmos de um travesseiro divino, para fechar os olhos e dormir?

63 Fujamos!

Ai! Nem sempre dormir. Três semanas depois, indo à casa de Virgília, eram quatro horas da tarde – achei-a triste e abatida. Não me quis dizer o que era; mas, como eu instasse muito:

---

69   Um tipo de renda fina e delicada, feita à mão a partir de fibras de linho, produzida a partir do século XV na cidade de Bruxelas e arredores.

"I think Damião suspects something. Now I notice some weirdness in him... I don't know. He treats me well, there's no doubt; but his look is not the same. I sleep badly; last night I woke up, terrified; I was dreaming that he was going to kill me. Perhaps it's an illusion, but I think he suspects..."

I reassured her as I could; I said it could be political issues. Virgilia agreed it could be, but she was still very agitated and nervous. We were in the drawing room, from where we have a view of the farmstead, which was the spot of our first kiss. An open window let the wind in, which shook the curtains lightly, and I stared at the curtains without seeing them. I had held the binoculars of the imagination; in the distance, I could see a house of ours, a life of ours, a world of ours, in which there was no Lobo Neves, nor marriage, nor moral, no other link to prevent us from expanding our will. This idea intoxicated me; thus eliminating the world, the moral, and the husband, it was enough to enter that dwelling of angels.

"Virgilia" I said, "I propose something to you."

"What is it?"

"Do you love me?"

"Oh!" she sighed, putting her arms around my neck.

Virgilia loved me with passion; that answer was the plain truth. With her arms around my neck, silent, breathing heavily, she stared at me with her large, beautiful eyes, which gave a unique sensation of damp light; I remained watching them, desiring her mouth, as fresh as dawn, and as insatiable as death. Virgilia's beauty had now a majestic touch, which she had not before she married. It was one of those figures carved in Pentelic marble, a noble, liberal, pure work of art, quietly beautiful, like the statues, but not apathetic or cold. On the contrary, she had the aspect of warm natures, and it could be said that she actually summed up all love. She summed it up above all at that occasion, when she mutely expressed all that human pupil could say. But time was running out; I released her hands, took her wrists, and, staring at her, I asked if she had the courage.

"To do what?"

"To flee. We will go wherever we are most comfortable, a big or a small house, as you choose, in the country or in the city,

"Creio que o Damião desconfia alguma coisa. Noto agora umas esquisitices nele... Não sei. Trata-me bem, não há dúvida; mas o olhar parece que não é o mesmo. Durmo mal; ainda esta noite acordei, aterrada; estava sonhando que ele me ia matar. Talvez seja ilusão, mas eu penso que ele desconfia..."

Tranquilizei-a como pude; disse que podiam ser cuidados políticos. Virgília concordou que seriam, mas ficou ainda muito excitada e nervosa. Estávamos na sala de visitas, que dava justamente para a chácara, onde trocáramos o beijo inicial. Uma janela aberta deixava entrar o vento, que sacudia frouxamente as cortinas, e eu fiquei a olhar para as cortinas, sem as ver. Empunhara o binóculo da imaginação; lobrigava, ao longe, uma casa nossa, uma vida nossa, um mundo nosso, em que não havia Lobo Neves, nem casamento, nem moral, nem nenhum outro liame, que nos tolhesse a expansão da vontade. Esta ideia embriagou-me; eliminados assim o mundo, a moral e o marido, bastava penetrar naquela habitação dos anjos.

"Virgília", disse eu, "proponho-te uma coisa."

"Que é?"

"Amas-me?"

"Oh!" suspirou ela, cingindo-me os braços ao pescoço.

Virgília amava-me com fúria; aquela resposta era a verdade patente. Com os braços ao meu pescoço, calada, respirando muito, deixou-se ficar a olhar para mim, com os seus grandes e belos olhos, que davam uma sensação singular de luz úmida; eu deixei-me estar a vê-los, a namorar-lhe a boca, fresca como a madrugada, e insaciável como a morte. A beleza de Virgília tinha agora um tom grandioso, que não possuíra antes de casar. Era dessas figuras talhadas em pentélico, de um lavor nobre, rasgado e puro, tranquilamente bela, como as estátuas, mas não apática nem fria. Ao contrário, tinha o aspecto das naturezas cálidas, e podia-se dizer que, na realidade, resumia todo o amor. Resumia-o sobretudo naquela ocasião, em que exprimia mudamente tudo quanto pode dizer a pupila humana. Mas o tempo urgia; deslacei-lhe as mãos, peguei-lhe nos pulsos, e, fito nela, perguntei se tinha coragem.

"De quê?"

"De fugir. Iremos para onde nos for mais cômodo, uma casa grande ou pequena, à tua vontade, na roça ou na cidade,

or in Europe, wherever you think it best, where no one bothers us, and there are no dangers to you, where we live for each other... Yes? Let's flee. Sooner or later, he can find something out, and you will be lost... do you hear? Lost... dead... and so will him, because I will kill him, I swear to you."

I paused; Virgilia had become very pale, dropped her arms and sat on the couch. She remained like this for a few moments, saying no word, I don't know if she was hesitating in her choice, or if she was terrified with the idea of the discovery and the death. I went to her, I insisted on the proposal, I told her all the advantages of a life for us alone, without jealousies, or terrors or distress. Virgilia listened to me silently; then she said:

"Perhaps we would not escape; he would come to me and would kill me just the same."

I showed her that it was not so. The world was quite vast, and I had the means to live wherever there was fresh air and lots of sunshine; he would not get there; only great passions are capable of great deeds, and he did not love her so much that he could fetch her, if she was far away. Virgilia made a gesture of astonishment and almost indignation; murmured that her husband was very fond of her.

"It may be," I said; "it may be so..."

I went to the window and began to tap my fingers on the sill. Virgilia called me; I stayed there, mulling over my jealousy, wanting to strangle her husband, if I had him at hand... At this very moment, Lobo Neves appeared in the farmstead. Don't shiver like that, pale reader; rest, I will not initiate this page with a drop of blood. As soon as he appeared in the farmstead, I made him a friendly gesture, accompanied by a gentle word; Virgilia hurried out of the room, where he entered three minutes later.

"Have you been here for a long time?" he said.

"No."

He had come with an earnest, heavy expression, looking around in a distracted manner, his own custom, which he soon changed to a veritable expansion of joviality when he saw his son, Nhonhô, the future Law graduate of chapter VI; he took him in his arms, lifted him into the air, kissed him many times. I, who hated the boy, turned away from both. Virgilia returned to the room.

ou na Europa, onde te parecer, onde ninguém nos aborreça, e não haja perigos para ti, onde vivamos um para o outro... Sim? fujamos. Tarde ou cedo, ele pode descobrir alguma coisa, e estarás perdida...ouves? perdida... morta... e ele também, porque eu o matarei, juro-te."

Interrompi-me; Virgília empalidecera muito, deixou cair os braços e sentou-se no canapé. Esteve assim alguns instantes, sem me dizer palavra, não sei se vacilante na escolha, se aterrada com a ideia da descoberta e da morte. Fui-me a ela, insisti na proposta, disse-lhe todas as vantagens de uma vida a sós, sem zelos, nem terrores, nem aflições. Virgília ouvia-me calada; depois disse:

"Não escaparíamos talvez; ele iria ter comigo e matava-me do mesmo modo."

Mostrei-lhe que não. O mundo era assaz vasto, e eu tinha os meios de viver onde quer que houvesse ar puro e muito sol; ele não chegaria até lá; só as grandes paixões são capazes de grandes ações, e ele não a amava tanto que pudesse ir buscá-la, se ela estivesse longe. Virgília fez um gesto de espanto e quase indignação; murmurou que o marido gostava muito dela.

"Pode ser", respondi eu; "pode ser que sim..."

Fui até a janela, e comecei a rufar com os dedos no peitoril. Virgília chamou-me; deixei-me estar, a remoer os meus zelos, a desejar estrangular o marido, se o tivesse ali à mão... Justamente, nesse instante, apareceu na chácara o Lobo Neves. Não tremas assim, leitora pálida; descansa, que não hei de rubricar esta lauda com um pingo de sangue. Logo que apareceu na chácara, fiz-lhe um gesto amigo, acompanhado de uma palavra graciosa; Virgília retirou-se apressadamente da sala, onde ele entrou daí a três minutos.

"Está cá há muito tempo?" disse-me ele.

"Não."

Entrara sério, pesado, derramando os olhos de um modo distraído, costume seu, que trocou logo por uma verdadeira expansão de jovialidade, quando viu chegar o filho, o Nhonhô, o futuro bacharel do capítulo VI; tomou-o nos braços, levantou-o ao ar, beijou-o muitas vezes. Eu, que tinha ódio ao menino, afastei-me de ambos. Virgília tornou à sala.

"Ah!", Lobo Neves took a breath, sitting lazily on the couch.

"Tired?" I asked.

"Very much; I endured two first-order annoyances, one in the Chamber and another one in the street. And we still have a third" he added, looking at his wife.

"What it is?" asked Virgilia.

"A... guess what!"

Virgilia had sat beside him, took one of his hands, arranged his tie, and asked again what it was.

"Nothing less than a theatre box."

"For Candiani[70]?"

"For Candiani."

Virgília clapped her hands, got up and kissed her son, with an expression of childish joy that differed a lot from her figure; then she asked if the box was a stage or a central box, consulted her husband, in a low voice, about the hairdo she would do, about the opera that would be performed, and I don't know what else.

"You have dinner with us, Sir" Lobo Neves told me.

"He came for that" his wife confirmed; "he says you own the best wine in Rio de Janeiro."

"And even so you don't drink a lot."

At dinner, I denied it; I drank more than I used to; even so, less than it took to lose reason. I was already excited, I got a little more. It was the first great anger I felt against Virgilia. Not once did I look at her during dinner; I talked about politics, the press, the ministry, I think I would talk about Theology, if I knew it, or if I remembered it. Lobo Neves accompanied me with much placidity and dignity, and even with some superior benevolence; and all that irritated me, too, and made the dinner more bitter and longer to me. I said goodbye as soon as we got up from the table.

---

70   CARLOTTA AUGUSTA ANGEOLINA CANDIANI (1820/1890) was a famous Italian lyric singer who immigrated to Brazil in the 1840s and lived there; despite being one of the most important singers of Brazilian theatre in the nineteenth century, she died poor and forgotten in the suburbs of Rio de Janeiro.

"Ah!" respirou Lobo Neves, sentando-se preguiçosamente no sofá.

"Cansado?" perguntei eu.

"Muito; aturei duas maçadas de primeira ordem, uma na câmara e outra na rua. E ainda temos terceira", acrescentou, olhando para a mulher.

"Que é?" perguntou Virgília.

"Um... Adivinha!"

Virgília sentara-se ao lado dele, pegou-lhe numa das mãos, compôs- lhe a gravata, e tornou a perguntar o que era.

"Nada menos que um camarote."

"Para a Candiani[70]?"

"Para a Candiani."

Virgília bateu palmas, levantou-se, deu um beijo no filho, com um ar de alegria pueril, que destoava muito da figura; depois perguntou se o camarote era de boca ou do centro, consultou o marido, em voz baixa, acerca da toilette que faria, da ópera que se cantava, e de não sei que outras coisas.

"Você janta conosco, doutor", disse-me Lobo Neves.

"Veio para isso mesmo", confirmou a mulher; "diz que você possui o melhor vinho do Rio de Janeiro."

"Nem por isso bebe muito."

Ao jantar, desmenti-o; bebi mais do que costumava; ainda assim, menos do que era preciso para perder a razão. Já estava excitado, fiquei um pouco mais. Era a primeira grande cólera que eu sentia contra Virgília. Não olhei uma só vez para ela durante o jantar; falei de política, da imprensa, do ministério, creio que falaria de teologia, se a soubesse, ou se me lembrasse. Lobo Neves acompanhava-me com muita placidez e dignidade, e até com certa benevolência superior; e tudo aquilo me irritava também, e me tornava mais amargo e longo o jantar. Despedi-me apenas nos levantamos da mesa.

[70] CARLOTTA AUGUSTA ANGEOLINA CANDIANI (1820/1890) era uma famosa cantora lírica italiana que emigrou para o Brasil na década de 1840 e morou lá; apesar de ser uma das cantoras mais importantes do teatro brasileiro no século XIX, morreu pobre e esquecida nos subúrbios do Rio de Janeiro.

"See you later, no?" asked Lobo Neves.

"It can be."

And I left.

The Transaction 64

I wandered the streets and went to bed at nine o'clock. Not being able to sleep, I started reading and writing. At eleven o'clock I regretted not going to the theatre, I checked the clock, wanted to get dressed and leave. But I thought it would be late; moreover, it was a proof of weakness. Evidently, Virgilia was getting weary of me, I thought. And this idea made me successively desperate and cold, willing to forget her and to kill her. I could see her, reclining in the theatre box, with her magnificent naked arms – the arms that were mine, only mine – fascinating everyone's eyes, with the superb dress she would wear, the white lap, her hair tied back, as it was used at the time, and the diamonds, less gleaming than her eyes... I saw her like this, and it hurt me that the others saw her. Then I began to undress her, to set aside the jewels and silks, to dishevel her with my long, lascivious hands, to make her – I don't know if more beautiful, if more natural – to make her mine, only mine, mine alone.

The next day, I could not restrain myself; I went to Virgilia's house early; I found her with red eyes of crying.

"What happened?" I asked.

"You do not love me" was your answer; "you never had the slightest love for me. You treated me yesterday as if you hated me. If only I knew what I did! But I don't know. Won't you tell me what it was?"

"What? I believe it was nothing at all."

"Nothing? You treated me in a way we don't treat a dog..."

At these words I took her hands, I kissed them, and two tears burst from her eyes.

"Até logo, não?" perguntou Lobo Neves.

"Pode ser."

E saí.

64 A Transação

Vaguei pelas ruas e recolhi-me às nove horas. Não podendo dormir, atirei-me a ler e escrever. Às onze horas estava arrependido de não ter ido ao teatro, consultei o relógio, quis vestir-me, e sair. Julguei, porém, que chegaria tarde; demais, era dar prova de fraqueza. Evidentemente, Virgília começava a aborrecer-se de mim, pensava eu. E esta ideia fez-me sucessivamente desesperado e frio, disposto a esquecê-la e a matá-la. Via-a dali mesmo, reclinada no camarote, com os seus magníficos braços nus – os braços que eram meus, só meus – fascinando os olhos de todos, com o vestido soberbo que havia de ter, o colo de leite, os cabelos postos em bandos, à maneira do tempo, e os brilhantes, menos luzidios que os olhos dela... Via-a assim, e doía-me que a vissem outros. Depois, começava a despi-la, a pôr de lado as joias e sedas, a despenteá-la com as minhas mãos sôfregas e lascivas, a torná-la – não sei se mais bela, se mais natural – a torná-la minha, somente minha, unicamente minha.

No dia seguinte, não me pude ter; fui cedo à casa de Virgília; achei-a com os olhos vermelhos de chorar.

"Que houve?" perguntei.

"Você não me ama", foi a sua resposta; "nunca me teve a menor soma de amor. Tratou-me ontem como se me tivesse ódio. Se eu ao menos soubesse o que é que fiz! Mas não sei. Não me dirá o que foi?"

"Que foi o quê? Creio que não houve nada."

"Nada? Tratou-me como não se trata um cachorro..."

A esta palavra, peguei-lhe nas mãos, beijei-as, e duas lágrimas rebentaram-lhe dos olhos.

"It's over, it's over" I said.

I was not in the mood to argue, and, indeed, argue with her about what? It wasn't her fault if her husband loved her. I told her that she had done nothing to me, that I was necessarily jealous of the other, that I could not always bear him cheerfully; I added that perhaps there was a great deal of dissimulation in him, and that the best way to close the door to scares and dissensions was to accept the idea I expressed the day before.

"I thought a lot about that," said Virgilia; "a little house of our own, solitary, in a garden, in some hidden street, isn't it? I think the idea is good; but why do we need to flee?"

She said this with the naive, lazy tone of someone that has no malicious intent, and the smile that curved the corners of her mouth carried the same expression of candour. Then, turning away, I answered:

"You are the one who never loved me."

"Me?"

"Yes, you are the selfish one! You would rather see me suffer every day... You are most selfish!"

Virgília started to cry, and not to attract people's attention, she would put her handkerchief in her mouth, suppressing her sobbing; an outburst that baffled me. If anyone listened to her, everything was lost. I leaned towards her, I took her wrists, I whispered the sweetest names of our intimacy; I showed her the danger; the terror appeased her.

"I can't," she said a moment later; "I won't leave my son; if I take him, I am sure he will seek me at the end of the world. I can't; you kill me, if you want, or let me die... Ah! My God! My God!"

"Calm down; someone can hear you."

"They can listen! I don't care."

She was still frantic; I asked her to forget everything, to forgive me, that I was crazy, but that my insanity came from her and it would end with her. Virgilia wiped her eyes and reached out her hand. We both smiled; some minutes later, we went back to the subject of the solitary little house, on some hidden street...

"Acabou, acabou", disse eu.

Não tive ânimo de arguir, e, aliás, argui-la de quê? Não era culpa dela se o marido a amava. Disse-lhe que não me fizera coisa nenhuma, que eu tinha necessariamente ciúmes do outro, que nem sempre o podia suportar de cara alegre; acrescentei que talvez houvesse nele muita dissimulação, e que o melhor meio de fechar a porta aos sustos e às dissensões era aceitar a minha ideia da véspera.

"Pensei nisso", acudiu Virgília; "uma casinha só nossa, solitária, metida num jardim, em alguma rua escondida, não é? Acho a ideia boa; mas para que fugir?"

Disse isto com o tom ingênuo e preguiçoso de quem não cuida em mal, e o sorriso que lhe derreava os cantos da boca trazia a mesma expressão de candidez. Então, afastando-me, respondi:

"Você é que nunca me teve amor."

"Eu?"

"Sim, é uma egoísta! prefere ver-me padecer todos os dias... é uma egoísta sem nome!"

Virgília desatou a chorar, e para não atrair gente, metia o lenço na boca, recalcava os soluços; explosão que me desconcertou. Se alguém a ouvisse, perdia-se tudo. Inclinei-me para ela, travei-lhe dos pulsos, sussurrei-lhe os nomes mais doces da nossa intimidade; mostrei-lhe o perigo; o terror apaziguou-a.

"Não posso", disse ela daí a alguns instantes; "não deixo meu filho; se o levar, estou certa de que ele me irá buscar ao fim do mundo. Não posso; mate-me você, se o quiser, ou deixe-me morrer... Ah! meu Deus! meu Deus!"

"Sossegue; olhe que podem ouvi-la."

"Que ouçam! Não me importa."

Estava ainda excitada; pedi-lhe que esquecesse tudo, que me perdoasse, que eu era um doido, mas que a minha insânia provinha dela e com ela acabaria. Virgília enxugou os olhos e estendeu-me a mão. Sorrimos ambos; minutos depois, tornávamos ao assunto da casinha solitária, em alguma rua escusa...

Scouts and Eavesdroppers 65

The noise of a car in the farmstead interrupted us. A slave came to say it was Baroness X. Virgilia consulted me with her eyes.

"If you have such a headache," I said, "it seems best not to receive."

"Did she already come down?" Virgilia asked the slave.

"Yes ma'am; she says she really needs to talk to ma'am!"

"So let her come in!"

The baroness soon entered. I don't know if she expected to see me in the room; but it was impossible to show more bustle.

"Good to see you!" she exclaimed. "Where have you been you won't show up anywhere? Well, yesterday I was amazed not to see you in the theatre. Candiani was delightful. What a woman! Do you like Candiani? It's natural. You, gentlemen, you are all the same. The baron said yesterday, in his cabin, that one Italian woman is worth five Brazilian. What an outrage! And the outrage of an old man, which is worse. But why didn't you go to the theatre yesterday?"

"A migraine."

"Impossible! It was a date; don't you think, Virgilia? Well, my friend, hurry up, because you must be forty... or close... Aren't you forty?"

"I can't tell you for sure," I said; "but, if you'll excuse me, I will consult the baptism certificate."

"Go, go..." And reaching out to me: "How long? Saturday we stay at home; the baron misses you..."

Arriving on the street, I regretted leaving. The baroness was one of the people who most mistrusted us. Fifty-five years old that felt like forty, soft, laughing, traces of beauty, elegant

65 Olheiros e Escutas

Interrompeu-nos o rumor de um carro na chácara. Veio um escravo dizer que era a baronesa X. Virgília consultou-me com os olhos.

"Se a senhora está assim com dor de cabeça", disse eu, "parece que o melhor é não receber."

"Já se apeou?" perguntou Virgília ao escravo.

"Já se apeou; diz que precisa muito de falar com sinhá!"

"Que entre!"

A baronesa entrou daí a pouco. Não sei se contava comigo na sala; mas era impossível mostrar maior alvoroço.

"Bons olhos o vejam!" exclamou. "Onde se mete o senhor que não aparece em parte nenhuma? Pois olhe, ontem admirou-me não o ver no teatro. A Candiani esteve deliciosa. Que mulher! Gosta da Candiani? É natural. Os senhores são todos os mesmos. O barão dizia ontem, no camarote, que uma só italiana vale por cinco brasileiras. Que desaforo! e desaforo de velho, que é pior. Mas por que é que o senhor não foi ontem ao teatro?"

"Uma enxaqueca."

"Qual! Algum namoro; não acha, Virgília? Pois, meu amigo, apresse-se, porque o senhor deve estar com quarenta anos... ou perto disso. .. Não tem quarenta anos?"

"Não lhe posso dizer com certeza", respondi eu; "mas se me dá licença, vou consultar a certidão de batismo."

"Vá, vá..." E estendendo-me a mão: "Até quando? Sábado ficamos em casa; o barão está com umas saudades suas..."

Chegando à rua, arrependi-me de ter saído. A baronesa era uma das pessoas que mais desconfiavam de nós. Cinquenta e cinco anos, que pareciam quarenta, macia, risonha, vestígios

posture and fine manners. She didn't talk much, and not always; she had the great art of listening to the others, spying on them; she then reclined in the chair, cast a sharp, long look, and stayed there. The others, not knowing what it was, spoke, looked, gestured, while she only looked, now fixed, now mobile, bringing the cunning to the point of sometimes look inside herself, because she lowered her eyelids; but, as the eyelashes were shutters, the look continued its work, stirring the soul and live of the others.

The second person was a relative of Virgilia, Viegas, a useless old man of seventy years old, extremely thin and yellowish, who suffered from persistent rheumatism, no less persistent asthma, and a heart injury: he was a concentrated hospital. The eyes, however, shone with a lot of life and health. Virgilia, in the first weeks, was not afraid of him; she used to say that Viegas, when he seemed to be peeking, staring, he was simply counting money. Indeed, he was a big miser.

There was also Virgilia's cousin, Luis Dutra, whom I now disarmed by talking to him about verses and prose, and introducing him to acquaintances. When these acquaintances, by linking the name to the person, were pleased with the introduction, there is no doubt that Luis Dutra rejoiced in happiness; but I cured me from the happiness with the hope that he would never denounce us. Finally, there were two or three ladies, several dandies, and the servants, who naturally thus took revenge on their servile condition, and all this constituted a veritable forest of scouts and eavesdroppers, among whom we had to slip with the tactic and softness of the snakes.

The Legs 66

Why, while I was thinking about these people, my legs were leading me down the street, so that I unconsciously found myself at the door of the Pharoux Hotel[71]. I usually had dinner

---

71   The PHAROUX HOTEL AND RESTAURANT, located in Terreiro do Paço,

de beleza, porte elegante e maneiras finas. Não falava muito nem sempre; possuía a grande arte de escutar os outros, espiando-os; reclinava-se então na cadeira, desembainhava um olhar afiado e comprido, e deixava-se estar. Os outros, não sabendo o que era, falavam, olhavam, gesticulavam, ao tempo que ela olhava só, ora fixa, ora móbil, levando a astúcia ao ponto de olhar às vezes para dentro de si, porque deixava cair as pálpebras; mas, como as pestanas eram rótulas, o olhar continuava o seu ofício, remexendo a alma e a vida dos outros.

A segunda pessoa era um parente de Virgília, o Viegas, um cangalho de setenta invernos, chupado e amarelado, que padecia de um reumatismo teimoso, de uma asma não menos teimosa e de uma lesão de coração: era um hospital concentrado. Os olhos, porém luziam de muita vida e saúde. Virgília, nas primeiras semanas, lhe tinha medo nenhum; dizia-me que, quando o Viegas parecia espreitar, com o olhar fixo, estava simplesmente contando dinheiro. Com efeito, era um grande avaro.

Havia ainda o primo de Virgília, o Luís Dutra, que eu agora desarmava à força de lhe falar nos versos e prosas, e de o apresentar aos conhecidos. Quando estes, ligando o nome à pessoa, se mostravam contentes da apresentação, não há dúvida que Luís Dutra exultava de felicidade; mas eu curava-me da felicidade com a esperança de que ele nos não denunciasse nunca. Havia, enfim, umas duas ou três senhoras, vários gamenhos, e os fâmulos, que naturalmente se desforravam assim da condição servil, e tudo isso constituía uma verdadeira floresta de olheiros e escutas, por entre os quais tínhamos de resvalar com a tática e maciez das cobras.

As Pernas

Ora, enquanto eu pensava naquela gente, iam-me pernas levando, ruas abaixo, de modo que insensivelmente me achei à porta do Hotel Pharoux[71]. De costume jantava aí; mas, não

---

71   O HOTEL E RESTAURANTE PHAROUX, localizado no Terreiro do Paço,

there; but having not walked deliberately, it's not for me the merit of the action, but for the legs, which have done it. Blessed legs! And there are those who treat you with contempt or indifference. Even me, so far, considered you badly, I was angry when you were weary, when you could not go beyond a certain point, and you left me with the desire fluttering, like the chicken bound by the feet.

That case, however, was a ray of light. Yes, friendly legs, you left my mind thinking about Virgilia, and you said to each other: "He needs to eat, it's dinner time, let's take him to Pharoux; let us share his conscience, let one part stay with the lady, let us take the other, so that he goes straight, does not bump into the people and wagons, take off his hat to acquaintances, and finally arrive safe and sound at the hotel." And you have strictly fulfilled your purpose, kind legs, which compel me to immortalize you on this page.

The Little House 67

I had dinner and went home. There I found a box of cigars, sent to me by Lobo Neves, wrapped in silky paper and decorated with pink ribbons. I understood, I opened it, and took out this note:

"My B...

They mistrust us; everything is lost; forget me forever. We won't see each other anymore. Goodbye; forget this unfortunate

V...a"

This letter was a blow; however, as soon as night fell, I ran to Virgilia's house. It was the right time; she was sorry. Near the

---

the current Praça XV (15th November Square), belonged to the French military Louis Adolphe Pharoux (? / 1868), who arrived in Brazil in 1816, coming from Marseille. Currently, the annex of the Tiradentes Palace (the seat of the Legislative Assembly of the State of Rio de Janeiro) was built in the place where the Hotel Pharoux was once located.

tendo deliberadamente andado, nenhum merecimento da ação me cabe, e sim às pernas, que a fizeram. Abençoadas pernas! E há quem vos trate com desdém ou indiferença. Eu mesmo, até então, tinha-vos em má conta, zangava-me quando vos fatigáveis, quando não podíeis ir além de certo ponto, e me deixáveis com o desejo a avoaçar, à semelhança de galinha atada pelos pés.

Aquele caso, porém, foi um raio de luz. Sim, pernas amigas, vós deixastes à minha cabeça o trabalho de pensar em Virgília, e dissestes uma à outra: "Ele precisa comer, são horas de jantar, vamos levá-lo ao Pharoux; dividamos a consciência dele, uma parte fique lá com a dama, tomemos nós a outra, para que ele vá direito, não abalroe as gentes e as carroças, tire o chapéu aos conhecidos, e finalmente chegue são e salvo ao hotel". E cumpristes à risca o vosso propósito, amáveis pernas, o que me obriga a imortalizar-vos nesta página.

67 A Casinha

Jantei e fui a casa. Lá achei uma caixa de charutos, que me mandara o Lobo Neves, embrulhada em papel de seda, e ornada de fitinhas cor-de-rosa. Entendi, abri-a, e tirei este bilhete:

"Meu B...

Desconfiam de nós; tudo está perdido; esqueça-me para sempre. Não nos veremos mais. Adeus; esqueça- se da infeliz

V...a".

Foi um golpe esta carta; não obstante, apenas fechou a noite, corri à casa de Virgília. Era tempo; estava arrependida. Ao

---

atual Praça XV (Praça XV de Novembro), pertencia ao militar francês Louis Adolphe Pharoux (? / 1868), que chegou ao Brasil em 1816, vindo de Marselha. Atualmente, o anexo do Palácio Tiradentes (a sede da Assembleia Legislativa do Estado do Rio de Janeiro) foi construído no local onde se localizava o Hotel Pharoux.

window, she told me what had happened with the baroness. The baroness told her frankly that they spoke a lot, at the theatre, the night before, about my absence from the Lobo Neves cabin; they had commented on my relations in the house; in short, we were the subject of public suspicion. She concluded by saying that she did not know what to do.

"We better flee" I implied.

"Never" she said, shaking her head.

I saw that it was impossible to separate two things which in her mind were entirely connected: our love and public respect. Virgilia was capable of equal and great sacrifices to preserve both advantages, and the escape only left her one. Perhaps I felt something similar to spite; but there were many commotions in those two days, and the spite died quickly. Right; let's provide the little house.

Indeed, I found it, some days later, expressly made, in a corner of Gamboa[72]. A jewel! New, whitewashed, with four windows on the front and two on each side – all of them with brick-coloured shutters – climbing plants in the corners, garden at the front of the house; mystery and solitude. A jewel!

We agreed a woman should live there, a woman who was an acquaintance of Virgilia, in whose house she had been a seamstress and household. Virgilia exerted a real fascination over her. We wouldn't tell her everything; she would easily accept the rest.

To me it was a new situation of our love, an appearance of exclusive possession, of absolute mastery, something that would make my conscience numb and would guard decorum. I was tired of the other's curtains, of the chairs, the carpet, the couch, of all these things, which constantly brought to my eyes our duplicity. Now I could avoid the frequent dinners, the tea at every night, and finally the presence of their son, my accomplice and my enemy. The house freed me from everything; the vulgar world would end at the door; inside it was the infinity, an eternal, superior, exceptional world, our world, only ours, without laws, without institutions, without baroness, without scouts, without eavesdroppers – one world, one couple, one life, one will, one affection – the moral unity of all things by the exclusion of those things contrary to me.

---

72 GAMBOA is a neighbourhood downtown Rio de Janeiro.

vão de uma janela, contou-me o que se passara com a baronesa. A baronesa disse-lhe francamente que se falara muito, no teatro, na noite anterior, a propósito da minha ausência do camarote do Lobo Neves; tinham comentado as minhas relações na casa; em suma, éramos objeto da suspeita pública. Concluiu dizendo que não sabia que fazer.

"O melhor é fugirmos", insinuei.

"Nunca", respondeu ela abanando a cabeça.

Vi que era impossível separar duas coisas que no espírito dela estavam inteiramente ligadas: o nosso amor e a consideração pública. Virgília era capaz de iguais e grandes sacrifícios para conservar ambas as vantagens, e a fuga só lhe deixava uma. Talvez senti alguma coisa semelhante a despeito; mas as comoções daqueles dois dias eram já muitas, e o despeito morreu depressa. Vá lá; arranjemos a casinha.

Com efeito, achei-a, dias depois, expressamente feita, em um recanto da Gamboa[72]. Um brinco! Nova, caiada de fresco, com quatro janelas na frente e duas de cada lado – todas com venezianas cor de tijolo – trepadeira nos cantos, jardim na frente; mistério e solidão. Um brinco!

Convencionamos que iria morar ali uma mulher, conhecida de Virgília, em cuja casa fora costureira e agregada. Virgília exercia sobre ela verdadeira fascinação. Não se lhe diria tudo; ela aceitaria facilmente o resto.

Para mim era aquilo uma situação nova do nosso amor, uma aparência de posse exclusiva, de domínio absoluto, alguma coisa que me faria adormecer a consciência e resguardar o decoro. Já estava cansado das cortinas do outro, das cadeiras, do tapete, do canapé, de todas essas coisas, que me traziam aos olhos constantemente a nossa duplicidade. Agora podia evitar os jantares frequentes, o chá de todas as noites, enfim a presença do filho deles, meu cúmplice e meu inimigo. A casa resgatava-me tudo; o mundo vulgar terminaria à porta; "dali para dentro era o infinito, um mundo eterno, superior, excepcional, nosso, somente nosso, sem leis, sem instituições, sem baronesas, sem olheiros, sem escutas, "um só mundo, um só casal, uma só vida, uma só vontade, uma só afeição – a unidade moral de todas as coisas pela exclusão das que me eram contrárias.

---

72   GAMBOA é um bairro da região central do Rio de Janeiro.

The Whip

Such were the reflexions I had been making, while crossing the Valongo neighbourhood, right after seeing and negotiating the house. I was interrupted by a gathering; it was a black man that flogged another one in the square. The other dared not flee; he only moaned these words: "No, sorry, my lord; my lord, pardon!" But the first one ignored it, and with each plea he answered with a new whiplash.

"Here, devil!" he said; "take more forgiveness, drunk!"

"My lord!" the other one moaned.

"Shut up, beast!" replied the man of the whip.

I stopped, I looked... Good heavens! Who was the man of the whip? No one but my brat Prudêncio, who my father had freed a few years earlier. I came closer; he stopped immediately and asked for my blessing; I asked him if that black man was his slave.

"Yes, master."

"Did he do anything to you?"

"He's a loafer and a very big drunk. Even today I left him in the grocery store, while I went to downtown, and he left the grocery store and went to the bar to drink."

"Fine, forgive him" I said.

"Of course, master. If my master orders, it's done. Come home, you drunk!"

I left the group, which stared at me in amazement and whispered its conjectures. I followed my path, making a myriad of reflexions, which I regret having entirely missed; in fact, it would be a subject for a good chapter, and perhaps a joyful one. I like joyful chapters; it's my weakness. Externally, the Valongo episode was bleak; but only externally. As soon as I thrust the reasoning knife inward, I found a funny core, fine and deep. It was

60 O Vergalho

Tais eram as reflexões que eu vinha fazendo, por aquele Valongo fora, logo depois de ver e ajustar a casa. Interrompeu-mas um ajuntamento; era um preto que vergalhava outro na praça. O outro não se atrevia a fugir; gemia somente estas únicas palavras: ""Não, perdão, meu senhor; meu senhor, perdão!" Mas o primeiro não fazia caso, e, a cada súplica, respondia com uma vergalhada nova.

"Toma, diabo!" dizia ele; "toma mais perdão, bêbado!"

"Meu senhor!" gemia o outro.

"Cala a boca, besta!" replicava o vergalho.

Parei, olhei... Justos céus! Quem havia de ser o do vergalho? Nada menos que o meu moleque Prudêncio, "o que meu pai libertara alguns anos antes. Cheguei-me; ele deteve-se logo e pediu-me a bênção; perguntei-lhe se aquele preto era escravo dele.

"É, sim, Nhonhô."

"Fez-te alguma coisa?"

"É um vadio e um bêbado muito grande. Ainda hoje deixei ele na quitanda, enquanto eu ia lá embaixo na cidade, e ele deixou a quitanda para ir na venda beber."

"Está bom, perdoa-lhe", disse eu.

"Pois não, nhonhô. Nhonhô manda, não pede. Entra para casa, bêbado!"

Saí do grupo, que me olhava espantado e cochichava as suas conjeturas. Segui caminho, a desfiar uma infinidade de reflexões, que sinto haver inteiramente perdido; aliás, seria matéria para um bom capítulo, e talvez alegre. Eu gosto dos capítulos alegres; é o meu fraco. Exteriormente, era torvo o episódio do Valongo; mas só exteriormente. Logo que meti mais dentro a faca do raciocínio achei-lhe um miolo gaiato, fino, e até profundo. Era

the way that Prudêncio had to get rid of the blows he had received, passing them on to another one. I, as a child, I rode him, put a brake on his mouth, and mistreated him without compassion; he moaned and suffered. But now that he was free, that he owned himself, his arms, his legs, that he could work, play, sleep, that he was released from his old condition, now he took advantage: he bought a slave, and paid him, with high interests, the amounts he had received from me. Look the subtleties of the rascal!

A Bit of Nonsense

This case reminds me of a crazy man I met. His name was Romualdo and he used to say he was Tamerlane[73]. It was his one and big craze, and he had a curious way of explaining it.

"I am the illustrious Tamerlane" he said. "I used to be Romualdo, but I got ill, and I took so much cream of tartar[74], so much cream of tartar, so much cream of tartar, that I became Tartar, and even King of Tartars. The cream of tartar has the virtue of making Tartars."

Poor Romualdo! We used to laugh at the answer, but the reader will probably not laugh, quite rightly; I don't think it's funny at all. If you listened to it, it was a little bit funny; but described like that, on paper, and with regard to a whiplash received and transferred, I must confess that it's much better to return to Gamboa's little house; let's leave the Romualdos and Prudêncios.

---

73 The author here makes an wordplay: TAMERLANE (1336/1405) was a Turkish-Mongolian conqueror, who is regarded as one of history's greatest military leaders; at that time, people born in that region were called Tartars.

74 A crystalline colourless salt, a byproduct of whine making, formely used as a purgative, later known to cause hyperkalemia, excess of potassium.

um modo que o Prudêncio tinha de se desfazer das pancadas recebidas, transmitindo-as a outro. Eu, em criança, montava-o, punha-lhe um freio na boca, e desancava-o sem compaixão; ele gemia e sofria. Agora, porém, que era livre, dispunha de si mesmo, dos braços, das pernas, podia trabalhar, folgar, dormir, desagrilhoado da antiga condição, agora é que ele se desbancava: comprou um escravo, e ia-lhe pagando, com alto juro, as quantias que de mim recebera. Vejam as sutilezas do maroto!

69 Um Grão de Sandice

Este caso faz-me lembrar um doido que conheci. Chamava-se Romualdo e dizia ser Tamerlão[73]. Era a sua grande e única mania, e tinha uma curiosa maneira de a explicar.

"Eu sou o ilustre Tamerlão", dizia ele. "Outrora fui Romualdo, mas adoeci, e tomei tanto tártaro[74], tanto tártaro, tanto tártaro, que fiquei Tártaro, e até rei dos Tártaros. O tártaro tem a virtude de fazer Tártaros."

Pobre Romualdo! A gente ria da resposta, mas é provável que o leitor não se ria, e com razão; eu não lhe acho graça nenhuma. Ouvida, tinha algum chiste; mas assim contada, no papel, e a propósito de um vergalho recebido e transferido, força é confessar que é muito melhor voltar à casinha da Gamboa; deixemos os Romualdos e Prudêncios.

---

73 O autor aqui faz um jogo de palavras: TAMERLÃO (1336/1405) foi um conquistador turco-mongol, considerado um dos maiores líderes militares da história; naquela época, as pessoas nascidas naquela região eram chamadas de tártaros.

74 Sal incolor cristalino, um subproduto da produção do vinho, usado como purgativo, mais tarde conhecido por causar hipercalemia, ou excesso de potássio no sangue.

Dona Placida

Let's go back to the little house. You would not be able to enter it today, curious reader; it grew old, blackened, rotten, and the owner knocked it down to replace it with another three times as big, but I swear it is much smaller than the first. The world was small for Alexander; a roof gap is the infinity for the swallows.

Now you see the neutrality of this globe, which takes us through space, like a castaway boat sailing towards the shore: today a couple of virtues sleep on the same floor, on the same space, that suffered a couple of sins. Tomorrow an ecclesiastical might sleep there, then a murderer, a blacksmith, a poet, and everyone will bless this corner of Earth, which has given them some illusions.

Virgilia made it a jewel; she chose the most suitable appliances, and arranged them with the aesthetic intuition of the elegant woman; I took a few books there, and everything was under the care of Dona Placida, supposedly, and, in some respects, the true owner of the house.

It cost her dearly to accept the house; she had suspected the intention, and the occupation hurt her; but she finally gave in. At first I think she cried: she was disgusted with herself. At least, it is certain that she did not look at me for the first two months; she used to speak to me with lowered eyes, very serious, grumpy, and sometimes sad. I wanted to attract her, and I didn't take offense, I treated her with kindness and respect; I struggled to get her benevolence, then her trust. When I got her trust, I created a pathetic story of my love affair with Virgilia, an affair prior to her marriage, the resistance of the father, the hardness of the husband, and I don't know what other features of novels. Dona Placida did not reject a single page of it; she accepted them all. It was a necessity of conscience. After six months, anyone who saw the three of us all together would say that Dona Placida was my mother-in-law.

70 D. Plácida

Voltemos à casinha. Não serias capaz de lá entrar hoje, curioso leitor; envelheceu, enegreceu, apodreceu, e o proprietário deitou-a abaixo para substituí-la por outra, três vezes maior, mas juro-te que muito menor que a primeira. O mundo era estreito para Alexandre; um desvão de telhado é o infinito para as andorinhas.

Vê agora a neutralidade deste globo, que nos leva, através dos espaços, como uma lancha de náufragos, que vai dar à costa: dorme hoje um casal de virtudes no mesmo espaço de chão que sofreu um casal de pecados. Amanhã pode lá dormir um eclesiástico, depois um assassino, depois um ferreiro, depois um poeta, e todos abençoarão esse canto de Terra, que lhes deu algumas ilusões.

Virgília fez daquilo um brinco; designou as alfaias mais idôneas, e dispô-las com a intuição estética da mulher elegante; eu levei para lá alguns livros, e tudo ficou sob a guarda de D. Plácida, suposta, e, a certos respeitos, verdadeira dona da casa.

Custou-lhe muito a aceitar a casa; farejara a intenção e doía-lhe o ofício; mas afinal cedeu. Creio que chorava, a princípio: tinha nojo de si mesma. Ao menos, é certo que não levantou os olhos para mim durante os primeiros dois meses; falava-me com eles baixos, séria, carrancuda, às vezes triste. Eu queria angariá-la, e não me dava por ofendido, tratava-a com carinho e respeito; forcejava por obter-lhe a benevolência, depois a confiança. Quando obtive a confiança, imaginei uma história patética dos meus amores com Virgília, um caso anterior ao casamento, a resistência do pai, a dureza do marido, e não sei que outros toques de novela. D. Plácida não rejeitou uma só página da novela; aceitou-as todas. Era uma necessidade da consciência. Ao cabo de seis meses, quem nos visse a todos três juntos diria que D. Plácida era minha sogra.

I was not ungrateful; I made her a savings plan of five contos – the five contos I found in Botafogo – like a loaf of bread for her old age. Dona Placida thanked me with tears in her eyes, and never stopped praying for me, every night, before an image of the Virgin she had in her room. That was how her disgust ended.

The Drawback of the Book 71

I begin to regret having started this book. It's not that it tires me; I have nothing to do; and, really, sending some thin chapters into this world is always a distracting task from eternity. But the book is boring, it looks like a sepulchre, it brings a certain cadaverous contraction; a serious vice, and a very small one, for the greatest defect of this book is you, reader. You are in a hurry to grow old, and the book goes slow; you love the direct, robust narration, the regular, flowing style, and this book and my style are like the drunken, they turn right and left, walk and stop, grumble, howl, laugh, threaten the sky, slip and fall...

And fall! Wretched leaves of my cypress, you shall fall down, like any other beautiful and showy; and, if I had eyes, I would give you a tear of longing. This is the great advantage of death, which, if it leaves no mouth to laugh, also leaves no eyes to cry... You shall fall down.

The Book Collector 72

Perhaps I will suppress the previous chapter; among other reasons, there is, in the last lines, a phrase very similar to nonsense, and I don't want to give cause for the critique of the future.

Não fui ingrato; fiz-lhe um pecúlio de cinco contos – os cinco contos achados em Botafogo – como um pão para a velhice. D. Plácida agradeceu-me com lágrimas nos olhos, e nunca mais deixou de rezar por mim, todas as noites, diante de uma imagem da Virgem, que tinha no quarto. Foi assim que lhe acabou o nojo.

71 O Senão do Livro

Começo a arrepender-me deste livro. Não que ele me canse; eu não tenho que fazer; e, realmente, expedir alguns magros capítulos para esse mundo sempre é tarefa que distrai um pouco da eternidade. Mas o livro é enfadonho, cheira a sepulcro, traz certa contração cadavérica; vício grave e, aliás, ínfimo, porque o maior defeito deste livro és tu, leitor. Tu tens pressa de envelhecer, e o livro anda devagar; tu amas a narração direta e nutrida, o estilo regular e fluente, e este livro e o meu estilo são como os ébrios, guinam à direita e à esquerda, andam e param, resmungam, urram, gargalham, ameaçam o céu, escorregam e caem...

E caem! Folhas misérrimas do meu cipreste, heis de cair, como quaisquer outras belas e vistosas; e, se eu tivesse olhos, dar-vos-ia uma lágrima de saudade. Esta é a grande vantagem da morte, que, se não deixa boca para rir, também não deixa olhos para chorar... Heis de cair.

72 O Bibliômano

Talvez suprima o capítulo anterior; entre outros motivos, há aí, nas últimas linhas, uma frase muito parecida com despropósito, e eu não quero dar pasto à crítica do futuro.

Behold: seventy years from now, a thin, yellow, grey-haired lad, who loves nothing but books, leans over the previous page to see if he finds out its nonsense; he reads, rereads, over and over again, he disjoints the words, removes one syllable, then another, one more and the rest, he examines them inside out, on all sides, against the light, he dusts them, he rubs them on the knee, he washes them, and nothing; he doesn't find the nonsense.

He is a book collector. He does not know the author; the name of Bras Cubas is not in his biographical dictionaries. He happened to find the volume, by chance, in the old bookstore of second-hand books. He bought it for two hundred reis. He inquired, researched, picked, and discovered that it was a unique copy... Unique! You, who not only love books, but suffer their craze, you know very well the value of this word, and you can therefore guess the delights of my book collector. He would reject the crown of the Indies, the papacy, all the museums of Italy and the Netherlands, if he had to exchange them for this unique copy; and not because it is from my Memoirs; he would do the same thing with LAEMMERT's ALMANAC[75], if it was unique.

The worst thing is the nonsense. There continues the man leaning over the page, with one lens in his right eye, focused on the noble and harsh function of deciphering the nonsense. He has already promised himself to write a brief memoir, in which he relates the book's finding and the discovery of sublimity, if there is any beneath that obscure phrase. After all, he discovers nothing and he is content with possession. He closes the book, looks at it, re-looks at it, comes to the window and shows it to the sun. A unique copy! At that moment a Caesar or a Cromwell passes under the window, on his way to power. He shrugs, closes the window, stretches out in his hammock, and goes through the book slowly, lovingly, little by little... A unique copy!

---

75 LAEMMERT'S ALMANAC, or correctly called "Administrative, commercial, and industrial Almanak of Rio de Janeiro", is considered the first almanac in Brazil; it was published in Rio de Janeiro between 1844 and 1889, and contained texts on the Brazilian court, ministries and imperial legislation, in addition to census data and even advertisements. Laemmert's Almanac has become one of the fundamental sources for understanding the Brazilian daily life of the nineteenth century..

Olhai: daqui a setenta anos, um sujeito magro, amarelo, grisalho, que não ama nenhuma outra coisa além dos livros, inclina-se sobre a página anterior, a ver se lhe descobre o despropósito; lê, relê, treslê, desengonça as palavras, saca uma sílaba, depois outra, mais outra e as restantes, examina-as por dentro e por fora, por todos os lados, contra a luz, espaneja-as, esfrega-as no joelho, lava-as, e nada; não acha o despropósito.

É um bibliômano. Não conhece o autor; este nome de Brás Cubas não vem nos seus dicionários biográficos. Achou o volume, por acaso, no pardieiro de um alfarrabista. Comprou-o por duzentos réis. Indagou, pesquisou, esgaravatou, e veio a descobrir que era um exemplar único... Único! Vós, que não só amais os livros, senão que padeceis a mania deles, vós sabeis muito bem o valor desta palavra, e adivinhais, portanto, as delícias de meu bibliômano. Ele rejeitaria a coroa das Índias, o papado, todos os museus da Itália e da Holanda, se os houvesse de trocar por esse único exemplar; e não porque seja o das minhas Memórias; faria a mesma coisa com o ALMANAQUE DE LAEMMERT[75], uma vez que fosse único.

O pior é o despropósito. Lá continua o homem inclinado sobre a página, com uma lente no olho direito, todo entregue à nobre e áspera função de decifrar o despropósito. Já prometeu a si mesmo escrever uma breve memória, na qual relate o achado do livro e a descoberta da sublimidade, se a houver por baixo daquela frase obscura. Ao cabo, não descobre nada e contenta-se com a posse. Fecha o livro, mira-o, remira-o, chega-se à janela e mostra-o ao sol. Um exemplar único! Nesse momento passa-lhe por baixo da janela um César ou um Cromwell, a caminho do poder. Ele dá de ombros, fecha a janela, estira-se na rede e folheia o livro devagar, com amor, aos goles... Um exemplar único!

---

75   O ALMANAQUE LAEMMERT, ou corretamente denominado "Almanak administrativo, mercantil, e industrial do Rio de Janeiro", é considerado o primeiro almanaque do Brasil; foi publicado no Rio de Janeiro entre 1844 e 1889, e continha textos sobre a corte brasileira, os ministérios e a legislação imperial, para além de dados censitários e até propagandas. O Almanaque Laemmert tornou-se uma das fontes fundamentais para a compreensão do cotidiano brasileiro do século XIX.

The Luncheon

The nonsense made me miss out on another chapter. It is better to say things simply, without all these bumps! I have already compared my style to the stagger of the drunks. If the idea strikes you as unseemly, I will say that my meals with Virgília were like this, at Gamboa's little house, where we sometimes had our little party, our luncheon. Wine, fruit, jam. We ate, it is true, but it was a meal alternated with sweet little words, tender looks, childishness, a multitude of these loving moments, indeed the true, uninterrupted discourse of love. Sometimes the tiff came to temper the excessive sweetness of the situation. She would leave me, take refuge in a corner of the couch, or go inside to hear Dona Placida's silliness. Five or ten minutes later we would resume the talk, just as I resume the narration, to untie it again. It should be noted that, far from having horror of the prudence, it was our custom to invite it, in the person of Dona Placida, to sit with us at the table; but Dona Placida never accepted.

"Looks like you don't like me anymore" Virgília told her one day.

"Blessed Virgin Mary!" exclaimed the good lady, raising her hands to the ceiling. "I don't like Iaiá![76] But then who would I like in this world?"

And taking her hands, she stared at Virgilia, she stared, stared, until her eyes were wet, so intense was her gaze. Virgilia caressed her a lot; I left her a silver coin in the pocket of the dress.

---

76   IAIÁ was a personal title given to girls and young ladies, widely used at the time of slavery.

O "Luncheon"

O despropósito fez-me perder outro capítulo. Que melhor não era dizer as coisas lisamente, sem todos estes solavancos! Já comparei o meu estilo ao andar dos ébrios. Se a ideia vos parece indecorosa, direi que ele é o que eram as minhas refeições com Virgília, na casinha da Gamboa, onde às vezes fazíamos a nossa patuscada, o nosso luncheon. Vinho, fruta, compotas. Comíamos, é verdade, mas era um comer virgulado de palavrinhas doces, de olhares ternos, de criancices, uma infinidade desses apartes do coração, aliás o verdadeiro, o ininterrupto discurso do amor. Às vezes vinha o arrufo temperar o nímio adocicado da situação. Ela deixava-me, refugiava- se num canto do canapé, ou ia para o interior ouvir as denguices de Dona Plácida. Cinco ou dez minutos depois, reatávamos a palestra, como eu reato a narração, para desatá-la outra vez. Note-se que, longe de termos horror ao método, era nosso costume convidá-lo, na pessoa de D. Plácida, a sentar-se conosco à mesa; mas D. Plácida não aceitava nunca.

"Você parece que não gosta mais de mim", disse-lhe um dia Virgília.

"Virgem Nossa Senhora!" exclamou a boa dama alçando as mãos para o teto. "Não gosto de Iaiá[76]! Mas então de quem é que eu gostaria neste mundo?"

E, pegando-lhe nas mãos, olhou-a fixamente, fixamente, fixamente, até molharem-se-lhe os olhos, de tão fixo que era. Virgília acariciou-a muito; eu deixei-lhe uma pratinha na algibeira do vestido.

---

[76] IAIÁ era um título pessoal dado às meninas e às jovens, amplamente utilizado na época da escravidão.

Dona Plácida's Story

Do not regret being generous; the little silver coin provided me a secret of Dona Placida, and consequently allowed for this chapter. A few days later, as I found her alone at home, we started talking, and she told me her story in brief words. She was the natural daughter of a sacristan of the Cathedral and of a woman who made candies to sell. She lost her father at ten. She already grated coconut and did many others confectionery tasks, compatible with her age. At fifteen or sixteen she married a tailor, who died of tuberculosis some time later, leaving her a single mom. Widow and young, she was in charge of a two-year-old daughter and a mother tired of working. She had to support three people. She made candies, which was her job, but she also sewed, day and night, working hard, for three or four stores, and taught some children in the neighbourhood, receiving ten pennies a month. And so the years passed, not the beauty, because she never had it. Some dates, proposals, seductions appeared to her, which she resisted.

"If I could find another husband," she told me, "believe me, I would have married; but nobody wanted to marry me."

One of the suitors managed to make himself accepted; however, as he was no more delicate than the others, Dona Placida dismissed him in the same way, and, after dismissing him, she wept a lot. She continued to sew and to skim pots. The mother was grumpy because of her temper, because of the years and the need; she mortified her daughter to take one husband, borrowed or on occasion, who asked her. And she shouted:

"Do you want to be better than me? I don't know where these finesses come from. My dear, life is not out of thin air; we don't live on fresh air. Imagine! Young sters as good as Policarpo of the store, poor thing... You expect some nobleman, don't you?"

Dona Placida swore to me that she expected no gentleman. It was her temper. She wanted to be married. She knew very well that her mother had not been, and she knew some women who

74 História de D. Plácida

Não te arrependas de ser generoso; a pratinha rendeu-me uma confidência de D. Plácida, e conseguintemente este capítulo. Dias depois, como eu a achasse só em casa, travamos palestra, e ela contou-me em breves termos a sua história. Era filha natural de um sacristão da Sé e de uma mulher que fazia doces para fora. Perdeu o pai aos dez anos. Já então ralava coco e fazia não sei que outros trabalhos de doceira, compatíveis com a idade. Aos quinze ou dezesseis casou com um alfaiate, que morreu tísico algum tempo depois, deixando-lhe uma filha. Viúva e moça, ficaram a seu cargo a filha, com dois anos, e a mãe, cansada de trabalhar. Tinha de sustentar a três pessoas. Fazia doces, que era o seu ofício, mas cosia também, de dia e de noite, com afinco, para três ou quatro lojas, e ensinava algumas crianças do bairro, a dez tostões por mês. Com isto iam-se passando os anos, não a beleza, porque não a tivera nunca. Apareceram-lhe alguns namoros, propostas, seduções, a que resistia.

"Se eu pudesse encontrar outro marido", disse-me ela, "creia que me teria casado; mas ninguém queria casar comigo."

Um dos pretendentes conseguiu fazer-se aceito; não sendo, porém, mais delicado que os outros, D. Plácida despediu-o do mesmo modo, e, depois de o despedir, chorou muito. Continuou a coser para fora e a escumar os tachos. A mãe tinha a rabugem do temperamento, dos anos e da necessidade; mortificava a filha para que tomasse um dos maridos de empréstimo e de ocasião que lha pediam. E bradava:

"Queres ser melhor do que eu? Não sei donde te vêm essas fidúcias de pessoa rica. Minha camarada, a vida não se arranja à toa; não se come vento. Ora esta! Moços tão bons como o Policarpo da venda, coitado... Esperas algum fidalgo, não é?"

D. Plácida jurou-me que não esperava fidalgo nenhum. Era gênio. Queria ser casada. Sabia muito bem que a mãe o não fora, e conhecia algumas que tinham só o seu moço delas; mas era

had only their own man; but it was her temper and she wanted to be married. She also didn't want her daughter to be anything else. She worked hard, burning her fingers on the stove, and her eyes on the lamp, to eat and not fall. She lost weight, got ill, lost her mother, collected money to bury her, and continued to work. The daughter was fourteen; but she was very weak, and did nothing but date the scoundrels who prowled around her window. Dona Placida took great care of her daughter, taking the girl with her, when she had to deliver the clothes. People in the stores would open their eyes wide and blink, convinced that she was taking her to pick up a husband or something. Some made jokes, paid compliments; the mother even received money proposals...

She paused for a moment, and continued immediately:

"My daughter ran away from me; she went with a guy, I don't even want to know... She left me alone, but so sad, so sad, that I thought I would die. I had no one else in the world, and I was almost old and ill. It was around this time that I met the family of Iaiá; good people, who gave me an occupation, and even gave me shelter. I stayed there many months, a year, more than a year, living with them, sewing. I left when Iaiá got married. Then I lived according to God's will. Look at my fingers, look at these hands..." And she showed me his thick, cracked hands, the fingertips pricked by the needle. "This is not created for nothing, my lord; God knows how this is created... Fortunately, Iaiá protected me, and you also, doctor... I was afraid of ending up on the street, begging..."

When she said the last sentence, Dona Placida shivered. Then, as if she was coming around, she seemed to realize the inconvenience of that confession to the lover of a married woman, and she began to laugh, to go back on her words, to call herself a fool, "full of finesses", as her mother used to say; finally, tired of my silence, she left the room. I stared at the tip of the boot.

To Myself 75

It may happen that one of my readers skipped the previous chapter, so I remark that it's necessary to read it to understand

gênio e queria ser casada. Não queria também que a filha fosse outra coisa. Trabalhava muito, queimando os dedos ao fogão, e os olhos ao candeeiro, para comer e não cair. Emagreceu, adoeceu, perdeu a mãe, enterrou-a por subscrição, e continuou a trabalhar. A filha estava com quatorze anos; mas era muito fraquinha, e não fazia nada, a não ser namorar os capadócios que lhe rondavam a rótula. D. Plácida vivia com imensos cuidados, levando-a consigo, quando tinha de ir entregar costuras. A gente das lojas arregalava e piscava os olhos, convencida de que ela a levava para colher marido ou outra coisa. Alguns diziam graçolas, faziam cumprimentos; a mãe chegou a receber propostas de dinheiro...

Interrompeu-se um instante, e continuou logo:

"Minha filha fugiu-me; foi com um sujeito, nem quero saber... Deixou-me só, mas tão triste, tão triste, que pensei morrer. Não tinha ninguém mais no mundo e estava quase velha e doente. Foi por esse tempo que conheci a família de Iaiá; boa gente, que me deu que fazer, e até chegou a me dar casa. Estive lá muitos meses, um ano, mais de um ano, agregada, costurando. Saí quando Iaiá casou. Depois vivi como Deus foi servido. Olhe os meus dedos, olhe estas mãos..." E mostrou-me as mãos grossas e gretadas, as pontas dos dedos picadas da agulha. "Não se cria isto à toa, meu senhor; Deus sabe como é que isto se cria... Felizmente, Iaiá me protegeu, e o senhor doutor também... Eu tinha um medo de acabar na rua, pedindo esmola..."

Ao soltar a última frase, D. Plácida teve um calafrio. Depois, como se tornasse a si, pareceu atentar na inconveniência daquela confissão ao amante de uma mulher casada, e começou a rir, a desdizer-se, a chamar-se tola, "cheia de fidúcias", como lhe dizia a mãe; enfim, cansada do meu silêncio, retirou-se da sala. Eu fiquei a olhar para a ponta do botim.

75 Comigo

Podendo acontecer que algum dos meus leitores tenha pulado o capítulo anterior, observo que é preciso lê-lo para en-

what I said to myself, right after Dona Placida left the room. What I said was this:

"Well, then, the sacristan of the Cathedral, one day, assisting the mass, saw the lady come in, who would be his collaborator in the life of Dona Placida. He saw her on other days, for whole weeks, he liked her, courted her, stepped on her foot, when lighting the altars, on feast days. She liked him, they approached, and they loved each other. Dona Placida sprouted from this conjunction of stray lusts. It is to be believed that Dona Placida did not speak when she was born, but if she did she could say to the authors of her life: 'Here I am. What did you call me for?' And the sacristan and the lady would naturally answer her. 'We called you to burn your fingers on the pots, your eyes on the seam, to eat badly, or not to eat, to walk from side to side, at work, getting ill and getting better, in order to make you ill and get better again, now sad, then desperate, tomorrow resigned, but always with her hands on the pot and her eyes on the seam, until one day you end up in the mud or in a hospital; that's the reason we called you, in a moment of sympathy.'"

The Manure 76

Suddenly my conscience tugged me, accused me of having capitulated the probity of Dona Placida, forcing her to play a clumsy role, after a long life of work and deprivations. Mediator was no better than concubine, and I had lowered her to that office, at the expenses of gifts and money. That's what my conscience told me; I did not know for ten minutes what I would reply. It added that I had taken advantage of the fascination that Virgilia exerted over the former seamstress, of her gratitude, and finally of her need. It noticed the resistance of Dona Placida, the tears of the first days, the ugly faces, the silences, the lowered eyes, and my art in enduring all this, until I conquered her. And it tugged me again in an irritated and nervous way.

I agreed that it was so, but I claimed that Dona Placida's

tender o que eu disse comigo, logo depois que D. Plácida saiu da sala. O que eu disse foi isto:

"Assim, pois, o sacristão da Sé, um dia, ajudando à missa, viu entrar a dama, que devia ser sua colaboradora na vida de D. Plácida. Viu-a outros dias, durante semanas inteiras, gostou, disse-lhe alguma graça, pisou-lhe o pé, ao acender os altares, nos dias de festa. Ela gostou dele, acercaram-se, amaram-se. Dessa conjunção de luxúrias vadias brotou D. Plácida. É de crer que D. Plácida não falasse ainda quando nasceu, mas se falasse podia dizer aos autores de seus dias: 'Aqui estou. Para que me chamastes?' E o sacristão e a sacristã naturalmente lhe responderiam. 'Chamamos-te para queimar os dedos nos tachos, os olhos na costura, comer mal, ou não comer, andar de um lado para outro, na faina, adoecendo e sarando, com o fim de tornar a adoecer e sarar outra vez, triste agora, logo desesperada, amanhã resignada, mas sempre com as mãos no tacho e os olhos na costura, até acabar um dia na lama ou no hospital; foi para isso que te chamamos, num momento de simpatia.'"

76 O Estrume

Súbito deu-me a consciência um repelão, acusou-me de ter feito capitular a probidade de D. Plácida, obrigando-a a um papel torpe, depois de uma longa vida de trabalho e privações. Medianeira não era melhor que concubina, e eu tinha-a baixado a esse ofício, à custa de obséquios e dinheiros. Foi o que me disse a consciência; fiquei uns dez minutos sem saber que lhe replicasse. Ela acrescentou que eu me aproveitara da fascinação exercida por Virgília sobre a ex-costureira, da gratidão desta, enfim da necessidade. Notou a resistência de D. Plácida, as lágrimas dos primeiros dias, as caras feias, os silêncios, os olhos baixos, e a minha arte em suportar tudo isso, até vencê-la. E repuxou-me outra vez de um modo irritado e nervoso.

Concordei que assim era, mas aleguei que a velhice de

old age was now sheltered from begging: it was a kind of compensation. If it weren't for my loves, Dona Placida would probably end up like so many other human creatures; from that it could be deduced that vice is often the manure of virtue. This does not prevent virtue from being a fragrant and healthy flower. The conscience agreed, and I went to open the door to Virgilia.

The Rendezvous

Virgilia came in smiling and calm. The time had taken fright and shame away. How sweet was it to see her arrive, in the first days, ashamed and trembling! She used to take a coach, her face veiled, wrapped in a kind of cloak, which disguised the contours of the silhouette. The first time, she dropped on the couch, panting, red-faced, with her eyes on the floor; and, I swear! On no other occasion have I found her so beautiful, perhaps because I have never been more flattered.

But nevertheless, as I said, the fright and shame were over; our rendezvous entered the chronometric period. The intensity of love was the same; the difference is that the flame had lost the madness of the first days to form a mere beam of rays, calm and constant, as in weddings.

"I am very angry with you" she said, sitting down.

"Why?"

"Because you didn't show yesterday, as you told me. Damião asked me many times if you would not, at least, have tea. Why did you not go?"

Indeed, I had broken the word I had given, and it was all Virgilia's fault. A matter of jealousy. This splendid woman knew she was splendid, and she liked to hear someone say that, whether it was in loud voice or low. Two days before, at the baroness' house, she had waltzed twice with the same dandy, after listening to his courtesies, in the corner of a window. She was so happy! So expansive! So full of her own importance! When she

D. Plácida estava agora ao abrigo da mendicidade: era uma compensação. Se não fossem os meus amores, provavelmente D. Plácida acabaria como tantas outras criaturas humanas; donde se poderia deduzir que o vício é muitas vezes o estrume da virtude. O que não impede que a virtude seja uma flor cheirosa e sã. A consciência concordou, e eu fui abrir a porta a Virgília.

77 Entrevista

Virgília entrou risonha e sossegada. Os tempos tinham levado os sustos e vexames. Que doce que era vê-la chegar, nos primeiros dias, envergonhada e trêmula! Ia de sege, velado o rosto, envolvida numa espécie de mantéu, que lhe disfarçava as ondulações do talhe. Da primeira vez deixou-se cair no canapé, ofegante, escarlate, com os olhos no chão; e, palavra! em nenhuma outra ocasião a achei tão bela, talvez porque nunca me senti mais lisonjeado.

Agora, porém, como eu dizia, tinham acabado os sustos e vexames; as entrevistas entravam no período cronométrico. A intensidade do amor era a mesma; a diferença é que a chama perdera o tresloucado dos primeiros dias para constituir-se um simples feixe de raios, tranquilo e constante, como nos casamentos.

"Estou muito zangada com você", disse ela sentando-se.

"Por quê?"

"Por que não foi lá ontem, como me tinha dito. O Damião perguntou muitas vezes se você não iria, ao menos, tomar chá. Por que é que não foi?"

Com efeito, eu havia faltado à palavra que dera, e a culpa era toda de Virgília. Questão de ciúmes. Essa mulher esplêndida sabia que o era, e gostava de o ouvir dizer, fosse em voz alta ou baixa. Na ante-véspera, em casa da baronesa, valsara duas vezes com o mesmo peralta, depois de lhe escutar as cortesanices, ao canto de uma janela. Estava tão alegre! tão derramada! tão cheia de si! Quando descobriu, entre as minhas sobrancelhas, a

discovered the questioning and threatening crease between my eyebrows, she had no start, nor was she suddenly serious; but she threw the dandy and the courtesies off. She then came to me, took my arm, and took me to another, less populated room, where she complained of tiredness, and said many other things, with the puerile expression she used to have, on certain occasions, and I heard almost without answering anything.

Even now, it was hard for me to answer anything, but I finally told her the reason for my absence... No, eternal stars, I have never seen more amazed eyes. The half-open mouth, the raised eyebrows, a visible, tangible amazement, which could not be denied, such was Virgilia's first reply; she shook her head with a smile of pity and tenderness, which entirely confused me.

"Oh, you...!"

And she went to take off her hat, lively, jovial, as a girl that returns from school; then she came to me, who was sitting, she patted my forehead with one finger, repeating: "This, this"; and I had no choice but to laugh too, and it all ended in fun. It was clear that I was wrong.

The Presidency 78

One day, months later, Lobo Neves came into the house, saying that perhaps he would occupy a provincial presidency. I looked at Virgília, who paled; he, who saw her turn pale, asked her:

"So you didn't like it, Virgilia?"

Virgilia shook her head.

"I don't like it very much" was her answer.

Nothing more was said; but at night Lobo Neves insisted on the project, a little more resolutely than in the afternoon; two days later he declared to his wife that the presidency was something definitive. Virgilia could not hide the disgust

ruga interrogativa e ameaçadora, não teve nenhum sobressalto, nem ficou subitamente séria; mas deitou ao mar o peralta e as cortesanices. Veio depois a mim, tomou-me o braço, e levou-me a outra sala, menos povoada, onde se me queixou de cansaço, e disse muitas outras coisas, com o ar pueril que costumava ter, em certas ocasiões, e eu ouvi-a quase sem responder nada.

Agora mesmo, custava-me responder alguma coisa, mas enfim contei-lhe o motivo da minha ausência... Não, eternas estrelas, nunca vi olhos mais pasmados. A boca semiaberta, as sobrancelhas arqueadas, uma estupefação visível, tangível, que se não podia negar, tal foi a primeira réplica de Virgília; abanou a cabeça com um sorriso de piedade e ternura, que inteiramente me confundiu.

"Ora, você!"

E foi tirar o chapéu, lépida, jovial como a menina que torna do colégio; depois veio a mim, que estava sentado, deu-me pancadinha na testa, com um só dedo, a repetir: "Isto, isto"; e eu não tive remédio senão rir também, e tudo acabou em galhofa. Era claro que me enganara.

78
A Presidência

Certo dia, meses depois, entrou Lobo Neves em casa, dizendo que iria talvez ocupar uma presidência de província. Olhei para Virgília, que empalideceu; ele, que a viu empalidecer, perguntou-lhe:

"A modo que não gostaste, Virgília?"

Virgília abanou a cabeça.

"Não me agrada muito", foi a sua resposta.

Não se disse mais nada; mas de noite Lobo Neves insistiu no projeto um pouco mais resolutamente do que de tarde; dois dias depois declarou à mulher que a presidência era coisa definitiva. Virgília não pôde dissimular a repugnância que isto

it caused her. The husband responded to everything alleging political needs.

"I cannot refuse what they ask me; it's even of our convenience, of our future, of your coat of arms, my love, because I promised you would be a marquise, and you are not even a baroness. Will you say that I am ambitious? I really am, but you must not put a weight on the wings of my ambition."

Virgilia was disoriented. The next day I found her sad, at Gamboa's house, waiting for me; she had told everything to Dona Placida, who sought to comfort her as she could. I was no less dejected.

"You will go with us" Virgilia told me.

"Are you crazy? It would be foolish."

"But so...?"

"So, it's necessary to undo the project."

"It's impossible."

"Has he accepted?"

"It seems so."

I got up, threw my hat on a chair, and started pacing from side to side, not knowing what to do. I considered for a long time, and found nothing. Finally, I came to Virgilia, who was sitting, and I caught her hand; Dona Placida went to the window.

"My whole existence is in this tiny hand," I said; "you are responsible for it; do what you must."

Virgilia made a distressing gesture; I went to lean against the console ahead. There were a few moments of silence; we only heard the barking of a dog, and I don't know if the sound of the water coming to the beach. Seeing that she was not speaking, I looked at her. Virgilia had her eyes on the floor, still eyes, without light, her hands over her knees, her fingers crossed, in the attitude of supreme hopelessness. On another occasion, for a different reason, it is certain that I would throw myself at her feet, and I would support her with my reason and my tenderness; now, however, it was necessary to compel her to the effort, to the sacrifice, to the responsibility of our common life, and, as a consequence, to forsake her, to leave her, and leave; that's what I did.

lhe causava. O marido respondia a tudo com as necessidades políticas.

"Não posso recusar o que me pedem; é até conveniência nossa, do nosso futuro, dos teus brasões, meu amor, porque eu prometi que serias marquesa, e nem baronesa estás. Dirás que sou ambicioso? Sou-o deveras, mas é preciso que me não ponhas um peso nas asas da ambição."

Virgília ficou desorientada. No dia seguinte achei-a triste, na casa da Gamboa, à minha espera; tinha dito tudo a D. Plácida, que buscava consolá-la como podia. Não fiquei menos abatido.

"Você há de ir conosco", disse-me Virgília.

"Está doida? Seria uma insensatez."

"Mas então...?"

"Então, é preciso desfazer o projeto."

"É impossível."

"Já aceitou?"

"Parece que sim."

Levantei-me, atirei o chapéu a uma cadeira, e entrei a passear de um lado para outro, sem saber o que faria. Cogitei largamente, e não achei nada. Enfim, cheguei-me a Virgília, que estava sentada, e travei-lhe da mão; D. Plácida foi à janela.

"Nesta pequenina mão está toda a minha existência", disse eu; "você é responsável por ela; faça o que lhe parecer."

Virgília teve um gesto aflitivo; eu fui encostar-me ao consolo fronteiro. Decorreram alguns instantes de silêncio; ouvíamos somente o latir de um cão, e não sei se o rumor da água, que morria na praia. Vendo que não falava, olhei para ela. Virgília tinha os olhos no chão, parados, sem luz, as mãos deixadas sobre os joelhos, com os dedos cruzados, na atitude da suprema desesperança. Noutra ocasião, por diferente motivo, é certo que eu me lançaria aos pés dela, e a ampararia com a minha razão e a minha ternura; agora, porém, era preciso compeli-la ao esforço de si mesma, ao sacrifício, à responsabilidade da nossa vida comum, e conseguintemente desampará-la, deixá-la, e sair; foi o que fiz.

"I repeat: my happiness is in your hands" I said.

Virgilia wanted to hold me, but I was already outside the door. I even heard a burst of tears, and I tell you that I was about to return, to wipe them away with a kiss; but I controlled myself and I left.

Compromise

It wouldn't finish if I had to tell in detail what I suffered in the first hours. I wavered between wanting and not wanting, between the pity that pushed me to Virgilia's house and another feeling – selfishness, I suppose – that said to me: "Stay; leave her alone with the problem, leave her that she will solve it in the direction of love." I believe that these two forces had equal intensity, advanced and resisted at the same time, with ardour, with tenacity, and neither gave in definitively. Sometimes I felt a pinch of remorse; it seemed to me that I abused the weakness of a guilty and loving woman, without sacrificing anything or risking myself; and, when I was about to capitulate, the love came again and repeated to me the selfish advice, and I was hesitant and restless, eager to see her, and afraid that the sight would lead me to share the responsibility for the solution.

At last, a compromise between selfishness and pity intervened; I would see her at home, and only at home, in the presence of her husband, to say nothing to her, on the eve of the effect of my intimation. I could thus conciliate the two forces. Now that I am writing this, it seems to me that the commitment was a scam, that this pity was still a form of selfishness, and that the decision to go and console Virgilia was nothing more than a suggestion of my own suffering.

"Repito, a minha felicidade está nas tuas mãos", disse eu.

Virgília quis agarrar-me, mas eu já estava fora da porta. Cheguei a ouvir um prorromper de lágrimas, e digo-lhes que estive a ponto de voltar, para as enxugar com um beijo; mas subjuguei-me e saí.

79 Compromisso

Não acabaria se houvesse de contar pelo miúdo o que padeci nas primeiras horas. Vacilava entre um querer e um não querer, entre a piedade que me empuxava à casa de Virgília e outro sentimento – egoísmo, supunhamos – que me dizia: "Fica; deixa-a a sós com o problema, deixa-a que ela o resolverá no sentido do amor." Creio que essas duas forças tinham igual intensidade, investiam e resistiam ao mesmo tempo, com ardor, com tenacidade, e nenhuma cedia definitivamente. Às vezes sentia um dentezinho de remorso; parecia-me que abusava da fraqueza de uma mulher amante e culpada, sem nada sacrificar nem arriscar de mim próprio; e, quando ia a capitular, vinha outra vez o amor, e me repetia o conselho egoísta, e eu ficava irresoluto e inquieto, desejoso de a ver, e receoso de que a vista me levasse a compartir a responsabilidade da solução.

Por fim interveio um compromisso entre o egoísmo e a piedade; eu iria vê-la em casa, e só em casa, em presença do marido, para lhe não dizer nada, à véspera do efeito da minha intimação. Deste modo poderia conciliar as duas forças. Agora, que isto escrevo, quer-me parecer que o compromisso era uma burla, que essa piedade era ainda uma forma de egoísmo, e que a resolução de ir consolar Virgília não passava de uma sugestão de meu próprio padecimento.

As Secretary

The following night I went to Lobo Neves' house; they were both there, Virgilia was devastaded, he was very cheerful. I swear she felt some relief, when our eyes met, full of curiosity and tenderness. Lobo Neves told me about his plans for the presidency, the local difficulties, the hopes, the resolutions; he was so happy! So hopeful! Virgilia, at the table, pretended to read a book, but over the book she looked at me from time to time, questioning and anxious.

"The worst thing," Lobo Neves said to me suddenly, "is that I still haven't found a secretary."

"No?"

"No, and I have an idea."

"Ah!"

"An idea... How would you to take a walk to the North?"

I don't know what I said to him.

"You are rich," he continued, "you don't need a low wage; but if you wanted to indulge me, you would go with me as secretary."

My spirit jumped back, as if finding a snake in front of it. I stared at Lobo Neves, fixedly, imperiously, to see if I caught any hidden thought... Not even a sign of that; his look was straight and frank, the placidity of the face was natural, not violent, a placidity spattered with joy. I took a breath, and had no courage to look at Virgilia; I felt her look above the book, which also asked me for the same thing, and I said yes, I would go. In fact, a president man, a president woman, a secretary, it was an administrative way to settle things.

80 De Secretário

Na noite seguinte fui efetivamente à casa do Lobo Neves; estavam ambos, Virgília muito triste, ele muito jovial. Juro que ela sentiu certo alívio, quando os nossos olhos se encontraram, cheios de curiosidade e ternura. Lobo Neves contou-me os planos que levava para a presidência, as dificuldades locais, as esperanças, as resoluções; estava tão contente! tão esperançado! Virgília, ao pé da mesa, fingia ler um livro, mas por cima da página olhava-me de quando em quando, interrogativa e ansiosa.

"O pior", disse-me de repente o Lobo Neves, "é que ainda não achei secretário."

"Não?"

"Não, e tenho uma ideia."

"Ah!"

"Uma ideia... Quer você dar um passeio ao Norte? Não sei o que lhe disse."

"Você é rico", continuou ele, "não precisa de um magro ordenado; mas se quisesse obsequiar-me, ia de secretário comigo."

Meu espírito deu um salto para trás, como se descobrisse uma serpente diante de si. Encarei o Lobo Neves, fixamente, imperiosamente a ver se lhe apanhava algum pensamento oculto... Nem sombra disso; o olhar vinha direito e franco, a placidez do rosto era natural, não violenta, uma placidez salpicada de alegria. Respirei, e não tive ânimo de olhar para Virgília; senti por cima da página o olhar dela, que me pedia também a mesma coisa, e disse que sim, que iria. Na verdade, um presidente, uma presidenta, um secretário, era resolver as coisas de um modo administrativo.

The Reconciliation

But, when I left, I had some doubts; I considered whether I was not going to expose insanely Virgilia's reputation, whether there was not another reasonable way of combining the State and Gamboa. I didn't find anything. The next day, when I got out of bed, my spirit was done and resolute to accept the appointment. At noon, the servant came to tell me that there was a lady in the living room, covered with a veil. I run; it was my sister Sabina.

"This can't go on," she said; "we must, once and for all, make up. Our family is ending; we will not be two enemies."

"But I don't ask you for anything else, sister!" I shouted, extending my arms.

I sat her down next to me, I told her about her husband, her daughter, business, everything. Everything was very well; the daughter was beautiful as a flower. Her husband would come to show me the girl, if I consented.

"Come on! I will see her myself."

"Will you?"

"You have my word."

"That's even better!" breathed Sabina. "It's time we put this to rest."

I thought she was fatter, and perhaps younger. She looked to be twenty years old, and she was over thirty. Graceful, affable, no shyness, no resentment. We looked at each other, hand in hand, talking about everything and nothing, like two sweethearts. It was my childhood that resurged, fresh, wild and blond; the years were falling like the rows of the bent playing cards, with which I played as a kid, and they let me see our house, our family, our parties. I endured the recall with some effort; but a

81 A Reconciliação

Contudo, ao sair de lá, tive umas sombras de dúvida; cogitei se não ia expor insanamente a reputação de Virgília, se não haveria outro meio razoável de combinar o Estado e a Gamboa. Não achei nada. No dia seguinte, ao levantar-me da cama, trazia o espírito feito e resoluto a aceitar a nomeação. Ao meio-dia, veio o criado dizer-me que estava na sala uma senhora, coberta com um véu. Corro; era minha irmã Sabina.

"Isto não pode continuar assim", disse ela; "é preciso que, de uma vez por todas, façamos as pazes. Nossa família está acabando; não havemos de ficar como dois inimigos."

"Mas se eu não te peço outra coisa, mana!" bradei estendendo-lhe os braços.

Sentei-a ao pé de mim, falei-lhe do marido, da filha, dos negócios, de tudo. Tudo ia bem; a filha estava linda como os amores. O marido viria mostrar-ma, se eu consentisse.

"Ora essa! irei eu mesmo vê-la."

"Sim?"

"Palavra."

"Tanto melhor!" respirou Sabina. "É tempo de acabar com isto."

Achei-a mais gorda, e talvez mais moça. Parecia ter vinte anos, e contava mais de trinta. Graciosa, afável, nenhum acanhamento, nenhum ressentimento. Olhávamos um para o outro, com as mãos seguras, falando de tudo e de nada, como dois namorados. Era minha infância que ressurgia, fresca, travessa e loura; os anos iam caindo como as fileiras de cartas de jogar encurvadas, com que eu brincava em pequeno, e deixavam-me ver a nossa casa, a nossa família, as nossas festas. Suportei a

barber from the neighbourhood remembered to play the classic rebec[77], and that voice – for until then the memory was silent – that voice from the past, nasalized and nostalgic, touched me to the point that...

Her eyes were dry. Sabina had not inherited the yellow, morbid flower. What does it matter? She was my sister, my blood, a piece of my mother, and I told it to her tenderly, sincerely... Suddenly, I hear a knock on the living room door; I will open; it was a five-year-old little angel.

"Come in, Sara" said Sabina.

It was my niece. I lifted her up and kissed her many times; the little girl, astonished, was pushing my shoulder away with her little hand, twisting the body to go down... At this moment, a hat appears to me at the door, and then a man, Cotrim, no one but than Cotrim. I was so moved that I left the daughter and threw myself into her father's arms. Perhaps this outpouring of emotion baffled him a little; it is certain that he seemed bashful. A mere prologue. In a little while we talked like good old friends. No reference to the past, many plans for the future, promises that we would have dinner at each other's house. I did not fail to say that this exchange of invitations could have a short interruption, because I had ideas for a trip to the North. Sabina looked at Cotrim, Cotrim looked at Sabina; they both agreed that these ideas had no common sense. What the hell could I find in the North? For it was not at the court, in the middle of the court, that I should continue to shine, to put the boys of the time in the shade? That, in fact, there was none to compare with me; he, Cotrim, accompanied me from afar, and, despite a ridiculous fight, he always had interest, pride, vanity in my triumphs. He used to listen what was said about me, in the streets and in the rooms; it was a concert of praise and admiration. And I would leave this to spend a few months in the province, unecessarily, without serious reason? Unless it was politics...

"Precisely politics" I said.

"Not even so" he replied a moment later. And after another silence: "Anyway, come and have dinner with us today."

---

[77] REBEC is a medieval instrument precursor to the violin, with three or four strings, used in several folkloric manifestations especially in Northeastern Brazil.

recordação com algum esforço; mas um barbeiro da vizinhança lembrou-se de zangarrear na clássica rabeca[77], e essa voz – porque até então a recordação era muda – essa voz do passado, fanhosa e saudosa, a tal ponto me comoveu, que...

Os olhos dela estavam secos. Sabina não herdara a flor amarela e mórbida. Que importa? Era minha irmã, meu sangue, um pedaço de minha mãe, e eu disse-lho com ternura, com sinceridade... Súbito, ouço bater à porta da sala; vou abrir; era um anjinho de cinco anos.

"Entra, Sara", disse Sabina.

Era minha sobrinha. Apanhei-a do chão, beijei-a muitas vezes; a pequena, espantada, empurrava-me o ombro com a mãozinha, quebrando o corpo para descer... Nisto, aparece-me à porta um chapéu, e logo um homem, o Cotrim, nada menos que o Cotrim. Eu estava tão comovido, que deixei a filha e lancei-me aos braços do pai. Talvez essa efusão o desconcertou um pouco; é certo que me pareceu acanhado. Simples prólogo. Daí a pouco falávamos como bons amigos velhos. Nenhuma alusão ao passado, muitos planos de futuro, promessa de jantarmos em casa um do outro. Não deixei de dizer que essa troca de jantares podia ser que tivesse uma curta interrupção, porque eu andava com ideias de uma viagem ao Norte. Sabina olhou para o Cotrim, o Cotrim para Sabina; ambos concordaram que essas ideias não tinham senso comum. Que diacho podia eu achar no Norte? Pois não era na corte, em plena corte, que devia continuar a luzir, a meter num chinelo os rapazes do tempo? Que, na verdade, nenhum havia que se me comparasse; ele, Cotrim, acompanhava-me de longe, e, não obstante uma briga ridícula, teve sempre interesse, orgulho, vaidade nos meus triunfos. Ouvia o que se dizia a meu respeito, nas ruas e nas salas; era um concerto de louvores e admirações. E deixa-se isso para ir passar alguns meses na província, sem necessidade, sem motivo sério? A menos que não fosse política...

"Justamente política", disse eu.

"Nem assim", replicou ele daí a um instante. E depois de outro silêncio: "Seja como for, venha jantar hoje conosco."

---

[77] RABECA é instrumento medieval precursor do violino, de três ou quatro cordas, utilizado em diversas manifestações folclóricas especialmente no nordeste do Brasil.

"I certainly will; but, tomorrow or the day after, you will come to dinner with me."

"I don't know, I don't know," objected Sabina; "a single man's house... You need to get married, brother. I want a niece too, do you hear me?"

Cotrim repressed her with a gesture, which I didn't quite understand. It does not matter; the reconciliation of a family is well worth an enigmatic gesture.

Botanical Issue

Hypochondriacs can say whatever they want: life is a sweet thing. That's what I thought, when I saw Sabina, her husband and her daughter running down the stairs, saying many affectionate words upwards, where I stayed – on the landing – saying so many other words downwards. I continued to think that I was actually happy. A woman loved me, I had the trust of her husband, I was going to be their secretary, and I reconciled myself to my family. What more could I wish, in twenty-four hours?

That same day, trying to prepare the spirits, I began to spread the word that I might go to the North as provincial secretary, in order to carry out some political plans, which were personal. I said it on Ouvidor Street; I repeated it the next day, at Pharoux and at the theatre. Some people, linking my appointment to that of Lobo Neves, of which there were already rumours, smiled maliciously, others tapped me on the shoulder. In the theatre a lady told me that I was taking the love of sculpture very far. She was referring to Virgilia's beautiful forms.

But the most obvious allusion they made to me was at Sabina's house, three days later. It was a certain Garcez who made it; he was an old surgeon, small, trivial and chatty, who could reach seventy, eighty, ninety years, without ever acquiring that austere composure, which is the kindness of the elderly. Ridiculous old age is perhaps the saddest and ultimate surprise of human nature.

"Certamente que vou; mas, amanhã ou depois, hão de vir jantar comigo."

"Não sei, não sei", objetou Sabina; casa de homem solteiro... "Você precisa casar, mano. Também eu quero uma sobrinha, ouviu?"

Cotrim reprimiu-a com um gesto, que não entendi bem. Não importa; a reconciliação de uma família vale bem um gesto enigmático.

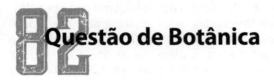
Questão de Botânica

Digam o que quiserem dizer os hipocondríacos: a vida é uma coisa doce. Foi o que eu pensei comigo, ao ver Sabina, o marido e a filha descerem de tropel as escadas, dizendo muitas palavras afetuosas para cima, onde eu ficava – no patamar – a dizer-lhes outras tantas para baixo. Continuei a pensar que, na verdade, era feliz. Amava-me uma mulher, tinha a confiança do marido, ia por secretário de ambos, reconciliava-me com os meus. Que podia desejar mais, em vinte e quatro horas?

Nesse mesmo dia, tratando de aparelhar os ânimos, comecei a espalhar que talvez fosse para o Norte como secretário de província, a fim de realizar certos desígnios políticos, que me eram pessoais. Disse-o na Rua do Ouvidor, repeti-o no dia seguinte, no Pharoux e no teatro. Alguns, ligando a minha nomeação à do Lobo Neves, que já andava em boatos, sorriam maliciosamente, outros batiam-me no ombro. No teatro disse-me uma senhora que era levar muito longe o amor da escultura. Referia-se às belas formas de Virgília.

Mas a alusão mais rasgada que me fizeram foi em casa de Sabina, três dias depois. Fê-la um certo Garcez, velho cirurgião, pequenino, trivial e grulha, que podia chegar aos setenta, aos oitenta, aos noventa anos, sem adquirir jamais aquela compostura austera, que é a gentileza do ancião. A velhice ridícula é, porventura, a mais triste e derradeira surpresa da natureza humana.

"I know, this time you are going to read Cicero" he said to me, when he heard about the trip.

"Cicero!" exclaimed Sabina.

"You did not know? Your brother is a great Latinist. He translates Virgil at a glance. Look, it is Virgil, not Virgilia... don't confuse..."

And he laughed, with a coarse, vulgar and frivolous laugh. Sabina looked at me, afraid of a reply; but she smiled, when she saw me smile, and turned her face to hide it. Other people looked at me with an expression of curiosity, indulgence and sympathy; it was evident that they hadn't heard anything new. The case of my loves was more public than I could have supposed. In the meantime, I smiled, a short, fugitive and greedy smile – chatty like the shysters of Sintra. Virgilia was a beautiful mistake and it's so easy to confess a beautiful mistake! I used to be frowning, at first, when I heard some allusion to our loves; but, I swear on my word of honour! I felted a smooth and flattering impression inside me. Once, however, I happened to smile, and I continued to do it at the other times. I don't know if there is anyone there to explain the phenomenon. I explain it this way: at first, the contentment, being internal, it was, so to speak, the same smile, but still in the bud; over time, it bloomed, and appeared to the eyes of the fellow man. A mere botanical issue.

Cotrim took me out of that joy, walking me to the window. "Can you want me to tell you something?" he asked; "do not make this trip; it is foolish, it is dangerous."

"Why?"

"You know why," he said; "it is, above all, dangerous, very dangerous. Here at court, such a case is lost in the crowd of people and interests; but in the province is different; and in the case of political characters, it is really foolishness. The

"Já sei, desta vez vai ler Cícero", disse-me ele, ao saber da viagem.

"Cícero!" exclamou Sabina.

"Pois então? Seu mano é um grande latinista. Traduz Virgílio de relance. Olhe que é Virgílio, e não Virgília... não confunda..."

E ria, de um riso grosso, rasteiro e frívolo. Sabina olhou para mim, receosa de alguma réplica; mas sorriu, quando me viu sorrir, e voltou o rosto para disfarçá-lo. As outras pessoas olhavam-me com um ar de curiosidade, indulgência e simpatia; era transparente que não acabavam de ouvir nenhuma novidade. O caso dos meus amores andava mais público do que eu podia supor. Entretanto sorri, um sorriso curto, fugitivo e guloso – palreiro como as pegas de Sintra. Virgília era um belo erro, e é tão fácil confessar um belo erro! Costumava ficar carrancudo, a princípio, quando ouvia alguma alusão aos nossos amores; mas, palavra de honra! sentia cá dentro uma impressão suave e lisonjeira. Uma vez, porém, aconteceu-me sorrir, e continuei a fazê-lo das outras vezes. Não sei se há aí alguém que explique o fenômeno. Eu explico-o assim: a princípio, o contentamento, sendo interior, era por assim dizer o mesmo sorriso, mas abotoado; andando o tempo, desabotoou-se em flor, e apareceu aos olhos do próximo. Simples questão de botânica.

Cotrim tirou-me daquele gozo, levando-me à janela. "Você quer que lhe diga uma coisa?" perguntou ele; "não faça essa viagem; é insensata, é perigosa."

"Por quê?"

"Você bem sabe por que", tornou ele: "é, sobretudo, perigosa, muito perigosa. Aqui na corte, um caso desses perde-se na multidão da gente e dos interesses; mas na província muda de figura; e tratando- se de personagens políticos, é realmente

opposition gazettes, as soon as they suspected the case, they began to print it with all words, and then there will be the mockery, the insinuations, the nicknames..."

"But I don't understand..."

"You understand, you do. In fact, you would not be a great friend of ours if you denied me what everyone knows. I have known this for many months. I repeat, do not make such a trip; bear the absence, it is better, and avoid some major scandal and greater heartbreak..."

He said this, and went inside. I stayed there with my eyes in the oil lamp at the corner – an old olive oil lamp – sad, dark and curved, like a question mark. What did I have to do? It was the case of Hamlet: either to bow to my fortune, or to fight it and subdue it. In other words: to embark or not to embark. That was the question. The oil lamp said nothing to me. Cotrim's words sounded in my memory's ears, in a very different way from Garcez's words. Perhaps Cotrim was right; but could I part with Virgília?

Sabina came to me and asked me what I was thinking about. I replied that I was thinking about nothing, that I was sleepy and was going home. Sabina was silent for a moment. "I know what you need; it's a fiancée. It's all right, I will get you a fiancée." I left, feeling oppressed, disoriented. Everything was ready to embark – spirit and heart – and then this doorman of conveniences emerge, who asks me for my ticket. I gave the devil the conveniences, and with them the constitution, the legislative body, the cabinet council, everything.

The next day, I opened a political journal and read the news that, by decrees of 13th, Lobo Neves and I had been appointed as president and secretary of the province of ***. I immediately wrote to Virgilia, and went to Gamboa two hours later. Poor Dona Placida! She was more and more distressed; she asked me if we would forget the old woman, if the absence was long, and if the province was very far away. I comforted her; but I myself needed consolations; Cotrim's objection distressed me. Virgilia arrived shortly, agile like a swallow; but, seeing me sad, she became very serious.

"What happened?"

"I hesitate, I said; I don't know if I should accept..."

insensatez. As gazetas de oposição, logo que farejarem o negócio, passam a imprimi-lo com todas as letras, e aí virão as chufas, os remoques, as alcunhas..."

"Mas não entendo..."

"Entende, entende. Em verdade, seria bem pouco amigo nosso, se me negasse o que toda a gente sabe. Eu sei disso há longos meses. Repito, não faça semelhante viagem; suporte a ausência, que é melhor, e evite algum grande escândalo e maior desgosto..."

Disse isto, e foi para dentro. Eu deixei-me estar com os olhos no lampião da esquina – um antigo lampião de azeite – triste, obscuro e recurvado, como um ponto de interrogação. Que me cumpria fazer? Era o caso de Hamlet: ou dobrar-me à fortuna, ou lutar com ela e subjugá-la. Por outros termos: embarcar ou não embarcar. Esta era a questão. O lampião não me dizia nada. As palavras do Cotrim ressoavam-me aos ouvidos da memória, de um modo muito diverso do das palavras do Garcez. Talvez Cotrim tivesse razão; mas podia eu separar-me de Virgília?

Sabina veio ter comigo, e perguntou-me em que estava pensando. Respondi que em coisa nenhuma, que tinha sono e ia para casa. Sabina esteve um instante calada. "O que você precisa, sei eu; é uma noiva. Deixe, que eu ainda arranjo uma noiva para você". Saí de lá opresso, desorientado. Tudo pronto para embarcar – espírito e coração – e eis aí me surge esse porteiro das conveniências, que me pede o cartão de ingresso. Dei ao diabo as conveniências, e com elas a constituição, o corpo legislativo, o ministério, tudo.

No dia seguinte, abro uma folha política e leio a notícia de que, por decretos de 13, tínhamos sido nomeados presidente e secretário da província de *** o Lobo Neves e eu. Escrevi imediatamente a Virgília, e segui duas horas depois para a Gamboa. Coitada de D. Plácida! Estava cada vez mais aflita; perguntou-me se esqueceríamos a nossa velha, se a ausência era grande e se a província ficava longe. Consolei-a; mas eu próprio precisava de consolações; a objeção de Cotrim afligia-me. Virgília chegou daí a pouco, lépida como uma andorinha; mas, ao ver-me triste, ficou muito séria.

"Que aconteceu?"

"Vacilo", disse eu; "não sei se devo aceitar..."

Virgília sat down on the couch, laughing. "Why?" she said.

"It's not convenient, it would draw too much attention..."

"But we're not going anymore."

"What do you mean?"

She told me that her husband was going to refuse the appointment, and for a reason that he told only to her, asking her for the utmost secrecy; he couldn't confess it to anyone else. "It is childish," he observed, "it is ridiculous; but in short, it's a powerful reason for me." He told her that the decree had the date of 13th, and that this number meant a funereal remembrance to him. His father died on the 13th, thirteen days after a dinner at which there were thirteen people. The house number where his mother died was 13. ET CETERA. It was a fateful digit. He could not say such a thing to the minister; he would tell him that he had particular reasons for not accepting. I was as the reader probably is – a little amazed by this sacrifice to a number; but, as he was ambitious, I thought the sacrifice was sincere...

The Conflict 84

Fateful number, do you remember that I blessed you many times? Likewise, the red-haired virgins in Thebes were to bless the mare, with a red-haired mane, which replaced them at the sacrifice of Pelopidas[78] – a gracious mare, which died there, covered by flowers, without anyone ever giving it a word of nostalgia. Well, I give it to you, pious mare, not only because of the death, but because, among the escaping maidens, it's not impossible that there was a grandmother of the Cubas... Fateful number, you were our salvation. The husband did not confess to me the cause

---

78   PELOPIDAS (? /364 BC) was a Theban politician and military man who defeated the Spartans in the battle of Leuctra (371 BC). Plutarch, his biographer, narrates that in substitution of the sacrifice of a young Theban, with beautiful red hair, Pelopidas would have offered in sacrifice a mare of fiery hair.

Virgília deixou-se cair, no canapé, a rir. "Por quê?", disse ela.

"Não é conveniente, dá muito na vista..."

"Mas nós não já vamos."

"Como assim?"

Contou-me que o marido ia recusar a nomeação, e por motivo que só lhe disse, a ela, pedindo-lhe o maior segredo; não podia confessá-lo a ninguém mais. "É pueril, observou ele, é ridículo; mas em suma, é um motivo poderoso para mim. Referiu-lhe que o decreto trazia a data de 13, e que esse número significava para ele uma recordação fúnebre. O pai morreu num dia 13, treze dias depois de um jantar em que havia treze pessoas. A casa em que morrera a mãe tinha o n° 13. ET COETERA. Era um algarismo fatídico. Não podia alegar semelhante coisa ao ministro; dir-lhe-ia que tinha razões particulares para não aceitar. Eu fiquei como há de estar o leitor – um pouco assombrado com esse sacrifício a um número; mas, sendo ele ambicioso, o sacrifício devia ser sincero...

84 O Conflito

Número fatídico, lembras-te que te abençoei muitas vezes? Assim também as virgens ruivas de Tebas deviam abençoar a égua, de ruiva crina, que as substituiu no sacrifício de Pelópidas[78] – uma donosa égua, que lá morreu, coberta de flores, sem que ninguém lhe desse nunca uma palavra de saudade. Pois dou-ta eu, égua piedosa, não só pela morte havida, como porque, entre as donzelas escapas, não é impossível que figurasse uma avó dos Cubas... Número fatídico, tu foste a nossa salvação. Não me confessou o marido a causa da recusa; disse-

---

[78] PELOPIDAS (? / 364 aC) foi um político e militar de Tebas que derrotou os espartanos na batalha de Leuctra (371 aC). Plutarco, o seu biógrafo, narra que, em substituição ao sacrifício de uma jovem tebana, com lindos cabelos ruivos, Pelopidas teria oferecido em sacrifício uma égua de cabelos ígneos.

of the refusal; he also told me that it was private matters, and the serious, convinced face with which I heard him was an honour to human dissimulation. It was him who could barely conceal the deep sadness that was undermining him; he spoke little, absorbed in himself, and stayed home, reading. On other occasions he would receive people, and then he would talk and laugh, with noise and simulation. Two things oppressed him – ambition, which a scruple had defeated, and then doubt, and perhaps regret – but a regret that would come again, if the hypothesis were repeated, because the superstitious background was there. He doubted superstition, without rejecting it. This persistence of a feeling, which the very individual dislikes, was a phenomenon worthy of some attention. But I preferred Dona Placida's mere naivety, when she confessed that she couldn't see a shoe faced up.

"What of it?" I asked her.

"It's bad" was her answer.

Only that, this only answer, which to her, was worth the book of the seven seals. It's bad. She was told that as a child, without further explanation, and she was satisfied with the certainty of evil. It was not the same thing when we talked about pointingat a star with the finger; then she knew perfectly well that it was a case of creating a wart.

Wart or something else, what was that worth of, for those who lose a provincial presidency? An unfounded or banal superstition is tolerated; the one that takes part in life is unbearable. This was the case of Lobo Neves, with the addition of the doubt and terror of having been ridiculous. And one more addition: the minister did not believe in the particular reasons; he attributed the refusal of Lobo Neves to political managing, a complicated illusion of some appearances; the minister treated him badly, communicated his distrust to colleagues; some incidents occurred; finally, over time, the resigning president went to the opposition.

-me também que eram negócios particulares, e o rosto sério, convencido, com que eu o escutei, fez honra à dissimulação humana. Ele é que mal podia encobrir a tristeza profunda que o minava; falava pouco, absorvia-se, metia-se em casa, a ler. Outras vezes recebia, e então conversava e ria muito, com estrépito e afetação. Oprimiam-no duas coisas – a ambição, que um escrúpulo desasara, e logo depois a dúvida, e talvez o arrependimento – mas um arrependimento, que viria outra vez, se repetisse a hipótese, porque o fundo supersticioso existia. Duvidava da superstição, sem chegar a rejeitá-la. Essa persistência de um sentimento, que repugna ao mesmo indivíduo, era um fenômeno digno de alguma atenção. Mas eu preferia a pura ingenuidade de D. Plácida, quando confessava não poder ver um sapato voltado para o ar.

"Que tem isso?" perguntava-lhe eu.

"Faz mal", era a sua resposta.

Isto somente, esta única resposta, que valia para ela o livro dos sete selos. Faz mal. Disseram-lhe isso em criança, sem outra explicação, e ela contentava-se com a certeza do mal. Já não acontecia mesma coisa quando se falava de apontar uma estrela com o dedo; aí sabia perfeitamente que era caso de criar uma verruga.

Ou verruga ou outra coisa, que valia isso, para quem não perde uma presidência de província? Tolera-se uma superstição gratuita ou barata; é insuportável a que leva uma parte da vida. Este era o caso do Lobo Neves com o acréscimo da dúvida e do terror de haver sido ridículo. E mais este outro acréscimo, que o ministro não acreditou nos motivos particulares; atribuiu a recusa do Lobo Neves a manejos políticos, ilusão complicada de algumas aparências; tratou-o mal, comunicou a desconfiança aos colegas; sobrevieram incidentes; enfim, com o tempo, o presidente resignatário foi para a oposição.

The Summit of the Mountain 85

Whoever escapes danger loves life with more intensity. I started loving Virgilia with much more fervour, after I was about to lose her, and the same thing happened to her. Thus, the presidency did nothing more than enliven primitive affection; it was the drug with which we made our love more delightful, and more cherished as well. In the first days, after that incident, we were happy to imagine the pain of separation, if there would be a separation, the sadness of one and the other, as far as the sea, like an elastic towel, was expanding between us; and, like children, who come to their mothers' laps to escape a mere grimace, we ran away from the supposed danger by hugging each other.

"My good Virgilia!"

"My love!"

"You are mine, aren't you?"

"Yours, yours..."

And so we resumed the adventure thread, like sultana Scheherazade resumed that of her stories. This was, I suppose, the highest point of our love, the summit of the mountain, from where we for some time spotted the east and west valleys, and above us the calm and blue sky. After that serene time, we started to go down the slope, with our hands joined together or not, but going down, going down...

The Mistery 86

Down the hill, as I saw her a little different, I don't know if downcast or something else, I asked her what it was; she fell

85 O Cimo da Montanha

Quem escapa a um perigo ama a vida com outra intensidade. Entrei a amar Virgília com muito mais ardor, depois que estive a pique de a perder, e a mesma coisa lhe aconteceu a ela. Assim, a presidência não fez mais do que avivar a afeição primitiva; foi a droga com que tornamos mais saboroso o nosso amor, e mais prezado também. Nos primeiros dias, depois daquele incidente, folgávamos de imaginar a dor da separação, se houvesse separação, a tristeza de um e de outro, à proporção que o mar, como uma toalha elástica, se fosse dilatando entre nós; e, semelhantes às crianças, que se achegam ao regaço das mães, para fugir a uma simples careta, fugíamos do suposto perigo, apertando-nos com abraços.

"Minha boa Virgília!"

"Meu amor!"

"Tu és minha, não?"

"Tua, tua..."

E assim reatamos o fio da aventura como a sultana Scheherazade o dos seus contos. Esse foi, cuido eu, o ponto máximo do nosso amor, o cimo da montanha, donde por algum tempo divisamos os vale de leste e de oeste, e por cima de nós o céu tranquilo e azul. Repousado esse tempo, começamos a descer a encosta, com as mãos presas ou soltas, mas a descer, a descer...

86 O Mistério

Serra abaixo, como eu a visse um pouco diferente, não sei se abatida ou outra coisa, perguntei-lhe o que tinha; calou-

silent, made a gesture of boredom, of malaise, of fatigue; I insisted, she told me that... A subtle fluid ran through my whole body: strong, fast, singular sensation, which I will never get to jot down on paper. I took her hands, pulled her slightly closer to me, and kissed her on the forehead, with delicacy of zephyr and gravity of Abraham. She shuddered, took my head between her palms, looked into my eyes, then caressed me with a motherly gesture... There is the mystery; let's give the reader time to solve this mystery.

Geology

It was at this time that a disaster occurred; the death of Viegas. Viegas passed away at a glance, in his seventies, stifled of asthma, awkward of rheumatism, and a heart condition in addition. He was one of the fine watchers of our adventure. Virgília had great hopes that this old relative, miser as a grave, would support her son's future with some legacy; and if her husband had similar thoughts, he concealed them or strangled them. Everything must be said: there was a certain fundamental dignity in Lobo Neves, a layer of rock that resisted the commerce of the men. The others, the top layers, loose soil and sand, they were washed away by life, which is a perpetual downpour. If the reader still remembers chapter XXIII, he will note that it is now the second time that I compare life to a downpour; but you will also notice that this time I added an adjective – perpetual. And God knows the force of an adjective, especially in new and warm countries.

What is new in this book is the moral geology of Lobo Neves, and probably that of the gentleman, who is reading me. Yes, these layers of character, which life alters, maintains or dissolves, according to their resistance, these layers would deserve a chapter, which I do not write, for not lengthening the narration. I just say that the most honest man I have ever met in my life was a certain Jacó Medeiros or Jacó Valadares, I don't quite remember the name. Perhaps it was Jacó Rodrigues; in short,

-se, fez um gesto de enfado, de mal-estar, de fadiga; ateimei, ela disse-me que... Um fluido sutil percorreu todo o meu corpo: sensação forte, rápida, singular, que eu não chegarei jamais a fixar no papel. Travei-lhe das mãos, puxei-a levemente a mim, e beijei-a na testa, com uma delicadeza de zéfiro e uma gravidade de Abraão. Ela estremeceu, colheu-me a cabeça entre as palmas, fitou-me os olhos, depois afagou-me com um gesto maternal... Eis aí um mistério; deixemos ao leitor o tempo de decifrar este mistério.

Geologia

Sucedeu por esse tempo um desastre; a morte do Viegas. O Viegas passou aí de relance, com os seus setenta anos, abafados de asma, desconjuntados de reumatismo, e uma lesão de coração por quebra. Foi um dos finos espreitadores da nossa aventura. Virgília nutria grandes esperanças em que esse velho parente, avaro como um sepulcro, lhe amparasse o futuro do filho, com algum legado; e, se o marido tinha iguais pensamentos, encobria-os ou estrangulava-os. Tudo se deve dizer: havia no Lobo Neves certa dignidade fundamental, uma camada de rocha, que resistia ao comércio dos homens. As outras, as camadas de cima, terra solta e areia, levou-lhas a vida, que é um enxurro perpétuo. Se o leitor ainda se lembra do capítulo XXIII, observará que é agora a segunda vez que eu comparo a vida a um enxurro; mas também há de reparar que desta vez acrescento-lhe um adjetivo – perpétuo. E Deus sabe a força de um adjetivo, principalmente em países novos e cálidos.

O que é novo neste livro é a geologia moral do Lobo Neves, e provavelmente a do cavalheiro, que me está lendo. Sim, essas camadas de caráter, que a vida altera, conserva ou dissolve, conforme a resistência delas, essas camadas mereceriam um capítulo, que eu não escrevo, por não alongar a narração. Digo apenas que o homem mais probo que conheci em minha vida foi um certo Jacó Medeiros ou Jacó Valadares, não me recorda bem o nome. Talvez fosse Jacó Rodrigues; em suma, Jacó. Era a

Jacó. He was the epitome of honesty; he could be rich, violating a small scruple, and he didn't want to; he let drip through his hands no less than four hundred contos; his honesty was so exemplary that it came to be miser and tiring. One day, as we were alone at his house, in a good talking, they came to say that Dr. B., a boring fellow, was looking for him. Jacó sent word that he was not at home.

"It doesn't work," a voice exclaimed from the corridor; "I'm already here."

And, in fact, it was Dr. B., who appeared soon at the door of the living room. Jacó went to receive him, stating that he thought it was someone else, and not him, and adding that he was very pleased with the visit, which provided us an hour and a half of deadly boredom, and that is because Jacó pulled his watch; Dr. B. then asked him if he was going to leave.

"With my wife" said Jacob.

Dr. B. withdrew and we took a breath. Once we had breathed, I told Jacó that he had just lied four times, in less than two hours: the first, refusing, the second, rejoicing at the presence of the annoying; the third, saying that he was going to leave; the fourth, adding his wife. Jacó reflected for a moment, then confessed to the fairness of my observation, but apologized saying that absolute veracity was incompatible with an advanced social state, and that peace in the cities could only be obtained at the expenses of reciprocal deceptions... Ah! I remember now: his name was Jacó Tavares.

The Sick Man

Needless to say, I refuted such a pernicious doctrine, with the most elementary arguments; but he was so embarrassed by my criticism that he resisted until the end, showing some fictitious warmth, perhaps to stun his conscience.

Virgilia's case was a little more serious. She was less

probidade em pessoa; podia ser rico, violentando um pequenino escrúpulo, e não quis; deixou ir pelas mãos fora nada menos de uns quatrocentos contos; tinha a probidade tão exemplar, que chegava a ser miúda e cansativa. Um dia, como nos achássemos, a sós, em casa dele, em boa palestra, vieram dizer que o procurava o Dr. B., um sujeito enfadonho. Jacó mandou dizer que não estava em casa.

"Não pega", bradou uma voz do corredor; "cá estou de dentro."

E, com efeito, era o Dr. B., que apareceu logo à porta da sala. Jacó foi recebê-lo, afirmando que cuidava ser outra pessoa, e não ele, e acrescentando que tinha muito prazer com a visita, o que nos rendeu hora e meia de enfado mortal, e isto mesmo, porque Jacó tirou o relógio; o Dr. B. perguntou-lhe então se ia sair.

"Com minha mulher", disse Jacó.

Retirou-se o Dr. B. e respiramos. Uma vez respirados, disse eu ao Jacó que ele acabava de mentir quatro vezes, em menos de duas horas: a primeira, negando-se, a segunda, alegrando-se com a presença do importuno; a terceira, dizendo que ia sair; a quarta, acrescentando que com a mulher. Jacó refletiu um instante, depois confessou a justeza da minha observação, mas desculpou-se dizendo que a veracidade absoluta era incompatível com um estado social adiantado, e que a paz das cidades só se podia obter à custa de embaçadelas recíprocas... Ah! lembra-me agora: chamava-se Jacó Tavares.

O Enfermo

Não é preciso dizer que refutei tão perniciosa doutrina, com os mais elementares argumentos; mas ele estava tão vexado do meu reparo, que resistiu até o fim, mostrando certo calor fictício, talvez para atordoar a consciência.

O caso de Virgília tinha alguma gravidade mais. Ela era

scrupulous than her husband: she clearly expressed the hopes she had for the legacy, she gave the relative all the attentions, courtesies and favours that could yield, at least, a codicil. In fact, she flattered him; but I noticed that women's adulation is not the same as men's. This one is calculated by servility; the other one is mistaken for affection. The gracefully curved forms, the sweet word, the very physical weakness give the flattering action of the woman a local colour, a legitimate aspect. It doesn't matter the age of the flattered; the woman will always have to him an air of mother or sister – or even nurse, another feminine profession, in which the most skilled man will always lack a touch, a QUID, a fluid, something.

That's what I thought, when Virgilia expressed a lot of courtesies to the old relative. She would greet him at the door, talking and laughing, taking off his hat and cane, taking him by the arm and leading him to a chair, or to his chair, because there was at home the "Viegas's chair", a special work, comfortable, made for ill or elderly people. She would close the nearby window, if there was a breeze, or open it, if it was hot, but carefully, so as not to cause him a health problem.

"Well! You are a little stronger today..."

"Nay! I had a bad night: this damned asthma won't let me."

And the man snorted, resting little by little from the tiredness of the entrance and the climb, not from the walk, because he always took the coach. Next to him, a little further on, Virgilia sat on a stool, with her hands on the ill man's knees. In the meantime, Nhonhô came into the room, without the usual jumps, but discreet, sweet, serious. Viegas liked him very much.

"Come here, Nhonhô" he told him; and, with difficult, he inserted his hand into the wide pouch, took out a pill box, put one tablet in his mouth and gave another to the boy. Anti-asthmatic tablets. The boy used to say that they were very good.

This was repeated, with variants. As Viegas liked to play checkers, Virgilia fulfilled his wish, putting up with him for a long time, while he moved the pieces with a loose and slow hand. On other occasions, they went down to walk around the farmstead, and she gave him the arm, which he did not always accept, saying he was stiff and able to walk a mile. They would go, sit down and would go again, talking about different things, sometimes about a family affair, sometimes about a gossip of

menos escrupulosa que o marido: manifestava claramente as esperanças que trazia no legado, cumulava o parente de todas as cortesias, atenções e afagos que poderiam render, pelo menos, um codicilo. Propriamente, adulava-o; mas eu observei que a adulação das mulheres não é a mesma coisa que a dos homens. Esta orça pela servilidade; a outra confunde-se com a afeição. As formas graciosamente curvas, a palavra doce, a mesma fraqueza física dão à ação lisonjeira da mulher, uma cor local, um aspecto legítimo. Não importa a idade do adulado; a mulher há de ter sempre para ele uns ares de mãe ou de irmã – ou ainda de enfermeira, outro ofício feminil, em que o mais hábil dos homens carecerá sempre de um QUID, um fluido, alguma coisa.

Era o que eu pensava comigo, quando Virgília se desfazia toda em afagos ao velho parente. Ela ia recebê-lo à porta, falando e rindo, tirava-lhe o chapéu e a bengala, dava-lhe o braço e levava-o a uma cadeira, ou à cadeira, porque havia lá em casa a "cadeira do Viegas", obra especial, conchegada, feita para gente enferma ou anciã. Ia fechar a janela próxima, se havia alguma brisa, ou abri-la, se estava calor, mas com cuidado, combinando de modo que lhe não desse um golpe de ar.

"Então? Hoje está mais fortezinho..."

"Qual! Passei mal a noite: o diabo da asma não me deixa."

E bufava o homem, repousando a pouco e pouco do cansaço da entrada e da subida, não do caminho, porque ia sempre de sege. Ao lado, um pouco mais para a frente, sentava-se Virgília, numa banquinha, com as mãos nos joelhos do enfermo. Entretanto, o Nhonhô chegava à sala, sem os pulos do costume, mas discreto, meigo, sério. Viegas gostava muito dele.

"Vem cá, Nhonhô", dizia-lhe; e a custo introduzia a mão na ampla algibeira, tirava uma caixinha de pastilhas, metia uma na boca e dava outra ao pequeno. Pastilhas antiasmáticas. O pequeno dizia que eram muito boas.

Repetia-se isto, com variantes. Como o Viegas gostasse de jogar damas, Virgília cumpria-lhe o desejo, aturando-o por largo tempo, a mover as pedras com a mão frouxa e tarda. Outras vezes, desciam a passear na chácara, dando-lhe ela o braço, que ele nem sempre aceitava, por dizer-se rijo e capaz de andar uma légua. Iam, sentavam-se tornavam a ir, a falar de coisas várias, ora de um negócio de família, ora de uma bisbilhotice de sala, ora enfim de uma casa que ele meditava

high society, sometimes about a house that he thought about building, for his own residence, a modern house, because his house was old, contemporary of King Dom João VI, in the manner of some that can still be seen today (I believe) in São Cristóvão neighbourhood, with its thick columns at the front. It seemed to him that the big house he lived in could be replaced, and he had already commissioned the project from a famous contractor. Ah! Yes, then Virgília would see what an old man of taste was.

He spoke, as can be supposed, slowly and with difficult, interspersed with an uncomfortable gasp for him and the others. From time to time, there was a fit of coughing; he bent over, moaning, he raised the handkerchief to his mouth and investigated it; after the fit, he returned to the plan of the house, which should have such and such rooms, a terrace, a waterfall, a masterpiece.

In Extremis

"Tomorrow I will spend the day at Viegas' house" she told me once. "Poor thing! He has no one..."

Viegas was in bed, definitely; his daughter, married, had fallen ill at this very time, and could not keep him company. Virgilia went there from time to time. I took advantage of the circumstance to spend that whole day with her. It was two o'clock in the afternoon when I arrived. Viegas's cough was so strong that it made my chest burn; in the interval of the fits he debated the price of a house with a thin guy. The guy offered thirty contos. Viegas demanded forty. The buyer insisted as if he were afraid of losing the railroad train, but Viegas did not yield; at first, he refused the thirty contos, then two more, then three more, finally he had a strong fit, which prevented him from speaking for fifteen minutes. The buyer was very kind to him, arranged his pillows, and offered him thirty-six contos.

"Never!" the sick man groaned.

He sent for a sheaf of papers from the desk; not having the strength to remove the rubber tape that held the papers,

construir, para residência própria, casa de feitio moderno, porque a dele era das antigas, contemporânea de el-Rei D. João VI, à maneira de algumas que ainda hoje (creio eu) se podem ver no bairro de São Cristóvão, com as suas grossas colunas na frente. Parecia-lhe que o casarão em que morava podia ser substituído, e já tinha encomendado o risco a um pedreiro de fama. Ah! então sim, então é que Virgília chegaria a ver o que era um velho de gosto.

Falava, como se pode supor, lentamente e a custo, intervalado de uma arfagem incômoda para ele e para os outros. De quando em quando, vinha um acesso de tosse; curvo, gemendo, levava o lenço à boca, e investigava-o; passado o acesso, tornava ao plano da casa, que devia ter tais e tais quartos, um terraço, cachoeira, um primor.

In Extremis

"Amanhã vou passar o dia em casa do Viegas", disse-me ela uma vez. "Coitado! não tem ninguém..."

Viegas caíra na cama, definitivamente; a filha, casada, adoecera justamente agora, e não podia fazer-lhe companhia. Virgília ia lá de quando em quando. Eu aproveitei a circunstância para passar todo aquele dia ao pé dela. Eram duas horas da tarde quando cheguei. Viegas tossia com tal força que me fazia arder o peito; no intervalo dos acessos debatia o preço de uma casa, com um sujeito magro. O sujeito oferecia trinta contos. Viegas exigia quarenta. O comprador instava como quem receia perder o trem da estrada de ferro, mas Viegas não cedia; recusou primeiramente os trinta contos, depois mais dois, depois mais três, enfim teve um forte acesso, que lhe tolheu a fala durante quinze minutos. O comprador acarinhou-o muito, arranjou-lhe os travesseiros, ofereceu-lhe trinta e seis contos.

"Nunca!" gemeu o enfermo.

Mandou buscar um maço de papéis à escrivaninha; não tendo forças para tirar a fita de borracha que prendia os papéis,

he asked me to untie them: I did it. They were the bills for the expenses with the construction of the house: mason, carpenter, and painter bills; wallpaper bills for the living room, the dining room, the bedrooms, the offices; hardware bills; cost of land. He opened them, one by one, with a trembling hand, and asked me to read them, and I read them.

"Look; one thousand and two hundred; wallpaper of one thousand and two hundred each roll. French hinges... Look, it's very, very cheap" he concluded after reading the last bill.

"Well... but..."

"Forty contos; I won't sell it for less. Only the interests... you do the math, the interests..."

The words were coughed out ; they came in spurts, in syllables, as if they were crumbs from a broken lung. Bright eyes rolled in their deep eye sockets, which reminded me of the early morning lamp. Under the sheet, the bone structure of the body was drawn, pointed in two places, in the knees and the feet; the yellowish, slack, wrinkled skin coated only the skull of an expressionless face; a white cotton cap covered his weathered skull.

"So?" said the thin guy.

I motioned him not to insist, and he was silent for a few moments. The patient stared at the ceiling, silent, panting a lot: Virgilia paled, got up, went to the window. She had suspected the death and was afraid. I tried to talk about other things. The thin guy told an anecdote, and he spoke about the house again, raising the offer.

"Thirty-eight contos" he said.

"Huh?..." groaned the ill man.

The thin guy approached the bed, took his hand, and felt it cold. I approached the ill man, asked him if he felt anything, if he wanted to have a glass of wine.

"No... no... fort... fort... for... for..."

He had a coughing fit, and it was the last; in a little while he died, to great consternation from the thin guy, who later confessed to me he would be willing to offer the forty contos; but it was late.

pediu-me que os deslaçasse: fi-lo. Eram as contas das despesas com a construção da casa: contas de pedreiro, de carpinteiro, de pintor; contas do papel da sala de visitas, da sala de jantar, das alcovas, dos gabinetes; contas das ferragens; custo do terreno. Ele abria-as, uma por uma, com a mão trêmula, e pedia-me que as lesse, e eu lia-as.

"Veja; mil e duzentos, papel de mil e duzentos a peça. Dobradiças francesas... Veja, é de graça", concluiu ele depois de lida a última conta.

"Pois bem... mas..."

"Quarenta contos; não lhe dou por menos. Só os juros... faça a conta dos juros..."

Vinham tossidas estas palavras, às golfadas, às sílabas, como se fossem migalhas de um pulmão desfeito. Nas órbitas fundas rolavam os olhos lampejantes, que me faziam lembrar a lamparina da madrugada. Sob o lençol desenhava-se a estrutura óssea do corpo, pontudo em dois lugares, nos joelhos e nos pés; a pele amarelada, bamba, rugosa, revestia apenas a caveira de um rosto sem expressão; uma carapuça de algodão branco cobria-lhe o crânio rapado pelo tempo.

"Então?" disse o sujeito magro.

Fiz-lhe sinal para que não insistisse, e ele calou-se por alguns instantes. O doente ficou a olhar para o teto, calado, a arfar muito: Virgília empalideceu, levantou-se, foi até à janela. Suspeitara a morte e tinha medo. Eu procurei falar de outras coisas. O sujeito magro contou uma anedota, e tornou a tratar da casa, alteando a proposta.

"Trinta e oito contos", disse ele.

"Ahn?..." gemeu o enfermo.

O sujeito magro aproximou-se da cama, pegou-lhe na mão, e sentiu- a fria. Eu acheguei-me ao doente, perguntei-lhe se sentia alguma coisa, se queria tomar um cálice de vinho.

"Não... não... quar... quaren... quar... quar..."

Teve um acesso de tosse, e foi o último; daí a pouco expirava ele, com grande consternação do sujeito magro, que me confessou depois a disposição em que estava de oferecer os quarenta contos; mas era tarde.

The Old Dialogue of Adam and Cain

Nothing. No mention in the will, a tablet at least, so that he did not seem totally ungrateful or forgotten. Nothing. Virgilia took this failure angrily, and said it to me with some caution, not because of the fact itself, but because it was related to her son, whom she knew I didn't like very much, or little. I suggested she shouldn't think about it anymore. The best of all was to forget the deceased, a fool, a terrible miser, and to think about cheerful things; our son, for example...

Well, it escaped me the decipherment of the mystery, that sweet mystery of a few weeks ago, when Virgilia seemed a little different than she used to be. A son! A being sprung from my being! This was my exclusive concern at that time. Eyes of the world, zealousness of the husband, death of Viegas, nothing interested me then, neither political conflicts, nor revolutions, nor earthquakes, anything. I only thought of that anonymous embryo, of obscure paternity, and a secret voice said to me: it's your son. My son! And I repeated these two words, with a certain indefinable voluptuousness, and some touches of pride. I felt like a man.

The best thing was that we talked, the embryo and me, we talked about present and future things. The naughty loved me, he was gracefully cheeky, he patted me on the face with his little fat hands, or he would wear a bachelor gown, because he was going to be a Law graduate and he would give a speech in the Chamber of Representatives. And his father listening to him from a platform, with tearful eyes. From bachelor he went to school again, a little boy, books under his arm, or he fell into the crib to rise again as a man. In vain did I try to fix in my spirit an age, an attitude: this embryo had, in my view, all sizes and

90 O Velho Colóquio de Adão e Caim

Nada. Nenhuma lembrança testamentária, uma pastilha que fosse, com que do todo em todo não parecesse ingrato ou esquecido. Nada. Virgília travou raivosa esse malogro, e disse-mo com certa cautela, não pela coisa em si, senão porque entendia com o filho, de quem sabia que eu não gostava muito, nem pouco. Insinuei-lhe que não devia pensar mais em semelhante negócio. O melhor de tudo era esquecer o defunto, um lorpa, um cainho sem nome, e tratar de coisas alegres; o nosso filho, por exemplo...

Lá me escapou a decifração do mistério, esse doce mistério de algumas semanas antes, quando Virgília me pareceu um pouco diferente do que era. Um filho! Um ser tirado do meu ser! Esta era a minha preocupação exclusiva daquele tempo. Olhos do mundo, zelos do marido, morte do Viegas, nada me interessava por então, nem conflitos políticos, nem revoluções, nem terremotos, nem nada. Eu só pensava naquele embrião anônimo, de obscura paternidade, e uma voz secreta me dizia: é teu filho. Meu filho! E repetia estas duas palavras, com certa voluptuosidade indefinível, e não sei que assomos de orgulho. Sentia-me homem.

O melhor é que conversávamos os dois, o embrião e eu, falávamos de coisas presentes e futuras. O maroto amava-me, era um pelintra gracioso, dava-me pancadinhas na cara com as mãozinhas gordas, ou então traçava a beca de bacharel, porque ele havia de ser bacharel e fazia um discurso na Câmara dos Deputados. E o pai a ouvi-lo de uma tribuna, com os olhos rasos de lágrimas. De bacharel passava outra vez à escola, pequenino, lousa e livros debaixo do braço, ou então caía no berço para tornar a erguer-se homem. Em vão buscava fixar no espírito uma idade, uma atitude: esse embrião tinha a meus olhos todos

gestures: he suckled, he wrote, he waltzed, he was endless within the limits of a quarter of an hour – baby and deputy, schoolboy and dandy. Sometimes, Virgilia standing close to me, I forgot about her and everything; Virgilia shook me, reproached me for the silence; she said that I wanted her no more. The truth is that I was in dialogue with the embryo; it was the old colloquy of Adam and Cain, a wordless conversation between life and life, mystery and mystery.

An Extraordinary Letter

At that time I received an extraordinary letter, accompanied by an object no less extraordinary. What the letter said was this:

"My dear Bras Cubas,

Long ago, in the Promenade, I borrowed your watch. I am pleased to return it to you with this letter. The difference is that it is not the same, but another, I do not say superior, but equal to the first. QUE VOULEZ-VOUS, MONSEIGNEUR? – as Figaro said – C'EST LA MISÈRE[79]. Many things happened after our meeting; I will tell them in detail, if you don't close the door on me. I want you to know that I no longer wear those old boots, nor do I wear a famous froak coat whose flaps were lost in the nights of time. I gave up my step at the stair of São Francisco Church; finally, I can eat lunch.

Having said that, I ask your permission to go one of these days to show you a project, the result of a long study, a new system of philosophy, which not only explains and describes the origin and consummation of things, but also

---

[79] "WHAT DO YOU EXPECT, MY LORD? IT'S MISERY": in French, originally, quote from "THE MAD DAY, OR THE MARRIAGE OF FIGARO" (La folle journée, or le Mariage de Figaro), Act I, scene II, comedy by French playwright Pierre-Augustin Caron de Beaumarchais (1732/1799).

os tamanhos e gestos: ele mamava, ele escrevia, ele valsava, ele era o interminável nos limites de um quarto de hora – BABY e deputado, colegial e pintalegrete. Às vezes, ao pé de Virgília, esquecia-me dela e de tudo; Virgília sacudia-me, reprochava-me o silêncio; dizia que eu já lhe não queria nada. A verdade é que estava em diálogo com o embrião; era o velho colóquio de Adão e Caim, uma conversa sem palavras entre a vida e a vida, o mistério e o mistério.

91 Uma Carta Extraordinária

Por esse tempo recebi uma carta extraordinária, acompanhada de um objeto não menos extraordinário. Eis o que a carta dizia:

"Meu caro Brás Cubas,

Há tempos, no Passeio Público, tomei-lhe de empréstimo um relógio. Tenho a satisfação de restituir-lho com esta carta. A diferença é que não é o mesmo, porém outro, não digo superior, mas igual ao primeiro. QUE VOULEZ-VOUS, MONSEIGNEUR? – como dizia Fígaro – C'EST LA MISÈRE[79]. Muitas coisas se deram depois do nosso encontro; irei contá-las pelo miúdo, se me não fechar a porta. Saiba que já não trago aquelas botas caducas, nem envergo uma famosa sobrecasaca cujas abas se perdiam na noite dos tempos. Cedi o meu degrau da escada de São Francisco; finalmente, almoço.

Dito isto, peço licença para ir um dia destes expor-lhe um trabalho, fruto de longo estudo, um novo sistema de filosofia, que não só explica e descreve a origem e a consumação das coisas, como faz dar um grande passo

---

79 "O QUE ESPERAIS, MEU SENHOR? É A MISÉRIA": em francês, originalmente, citação da obra "O LOUCO DIA OU AS BODAS DE FÍGARO" (La folle journée, ou Le Mariage de Figaro), Ato I, cena II, comédia do dramaturgo francês Pierre-Augustin Caron de Beaumarchais (1732/1799).

takes a big step further and passes Zeno[80] and Seneca[81], whose stoicism was a child's play next to my moral recipe. This system of mine is singularly amazing; it rectifies the human spirit, suppresses pain, ensures happiness, and fills our country with immense glory. I call it Humanitism, from Humanitas, the principle of things. My first idea revealed a great deal of vanity: it was to call it Borbism, from Borba; a vain denomination, as well as rude and annoying. And it certainly expressed less. You will see, my dear Bras Cubas, you will see that it is indeed a monument; and if there is anything that can make me forget the bitterness of life, it is the pleasure of having finally caught up with truth and happiness. These two elusive are in my hand; after so many centuries of struggles, research, discoveries, systems and falls, they are in the hands of man. See you soon, my dear Bras Cubas.

Miss you

Your old friend

Joaquim Borba dos Santos."

I read this letter without understanding it. It came with a round little box containing a beautiful watch with my initials engraved on it, and this sentence: A souvenir from old Quincas. I returned to the letter, reread it carefully, with attention. The restitution of the watch excluded the whole idea of fraud; the lucidity, serenity, conviction – a little boastful, to be sure – seemed to exclude the suspicion of folly. Naturally, Quincas Borba had inherited from one of his relatives from Minas[82], and the wealth had given him back the original dignity. I don't say exactly so; there are things that cannot be fully recovered; but in the end regeneration was not impossible. I kept the letter and the watch, and waited for philosophy.

---

80 ZENO OF CITIUM (334 BC / 262 BC), a philosopher from Ancient Greece, who founded the Stoic philosophical school around 300 BC. Based on the ideas of the cynics, stoicism emphasized the peace of mind, achieved through a life full of virtue, according to the laws of nature.

81 LUCIUS ANNAEUS SENECA (4 BC / 65 AD) was a Roman philosopher who saw serene Stoicism as the greatest virtue, which allowed to practice the imperturbability of the soul.

82 MINAS GERAES, a Brazilian South-east State.

adiante de Zenon[80] e Sêneca[81], cujo estoicismo era um verdadeiro brinco de crianças ao pé da minha receita moral. É singularmente espantoso esse meu sistema; retifica o espírito humano, suprime a dor, assegura a felicidade, e enche de imensa glória o nosso país. Chamo--lhe Humanitismo, de Humanitas, princípio das coisas. Minha primeira ideia revelava uma grande enfatuação: era chamar-lhe borbismo, de Borba; denominação vaidosa, além de rude e molesta. E com certeza exprimia menos. Verá, meu caro Brás Cubas, verá que é deveras um monumento; e se alguma coisa há que possa fazer-me esquecer as amarguras da vida, é o gosto de haver enfim apanhado a verdade e a felicidade. Ei-las na minha mão essas duas esquivas; após tantos séculos de lutas, pesquisas, descobertas, sistemas e quedas, ei-las nas mãos do homem. Até breve, meu caro Brás Cubas.

Saudades do

Velho amigo

Joaquim Borba dos Santos."

Li esta carta sem entendê-la. Vinha com ela uma boceta contendo um bonito relógio com as minhas iniciais gravadas, e esta frase: Lembrança do velho Quincas. Voltei à carta, reli-a com pausa, com atenção. A restituição do relógio excluía toda a ideia de burla; a lucidez, a serenidade, a convicção – um pouco jactanciosa, é certo – pareciam excluir a suspeita de insensatez. Naturalmente o Quincas Borba herdara de algum dos seus parentes de Minas[82], e a abastança devolvera-lhe a primitiva dignidade. Não digo tanto; há coisas que se não podem reaver integralmente; mas enfim a regeneração não era impossível. Guardei a carta e o relógio, e esperei a filosofia.

---

80 ZENÃO DE CÍTIO (334 a.C./ 262 a.C.), filósofo da Grécia Antiga, que fundou a escola filosófica estoica por volta de 300 a.C. Com base nas ideias dos cínicos, o estoicismo enfatizava a paz de espírito, conquistada através de uma vida plena de virtude, de acordo com as leis da natureza.

81 LÚCIO ANEU SÊNECA (4 a.C./ 65 d.C.) foi um filósofo romano que via o sereno Estoicismo como a maior virtude, o que lhe permitiu praticar a imperturbabilidade da alma.

82 MINAS GERAES, um Estado do sudeste brasileiro.

An Extraordinary Man

Now I will finish with the extraordinary things. I had just kept the letter and the watch, when a thin, medium-height man came to see me, with a note from Cotrim, inviting me to dinner. The bearer of the note was married to one of Cotrim's sisters, he had arrived from the North a few days before, his name was Damasceno, and he had fought in the revolution of 1831. He told me so himself, within five minutes. He had left Rio de Janeiro, as he disagreed with the Regent[83], who was an arse, a little less dumb than the ministers who served with him. Furthermore, the revolution was coming again. At this point, although he brought his political ideas a little mixed up, I managed to organize and formulate the government of his preference: it was a temperate despotism – not by songs, as they say elsewhere – but by the hats with plumes of the National Guard. I just couldn't understand if he wanted the despotism of one person, of three, of thirty or of three hundred. He expressed his opinion about several things, among them, the development of the African slave's traffic and the expulsion of the British. He was fond of theatre; as soon as he arrived he went to São Pedro Theatre[84], where he saw a superb drama, MARIE JEANNE[85], and a very interesting comedy, KETTLY, OR

---

[83] When mentioning the position of "Regent" in the singular, the author refers to the period of "Unified Regency", whose first regent elected in 1835, was Father Diogo Antônio Feijó, who remained in power until 1837, during the Emperor's minority D. Pedro II; in other works Machado de Assis demonstrates his discontent with the politician, expressing his opinions through the voice of his characters.

[84] The former SÃO PEDRO DE ALCÂNTARA THEATRE, located at Constitution Square, currently Tiradentes Square, downtown Rio de Janeiro. Throughout the nineteenth century, it endured several fires, always rebuilt by the actor João Caetano (1808/1863), who currently names the theatre built in the same place.

[85] MARIE JEANNE OR THE WOMAN OF THE PEOPLE (Marie-Jeanne or la femme du peuple) drama in five acts and six pictures, by French playwrights Adolphe d'Ennery (1811/1899) and Julien de Mallian (1805/1851).

Um Homem Extraordinário

Já agora acabo com as coisas extraordinárias. Vinha de guardar a carta e o relógio, quando me procurou um homem magro e meão, com um bilhete do Cotrim, convidando-me para jantar. O portador era casado com uma irmã do Cotrim, chegara poucos dias antes do Norte, chamava-se Damasceno, e fizera a revolução de 1831. Foi ele mesmo que me disse isto, no espaço de cinco minutos. Saíra do Rio de Janeiro, por desacordo com o Regente[83], que era um asno, pouco menos asno do que os ministros que serviram com ele. De resto, a revolução estava outra vez às portas. Neste ponto, conquanto trouxesse as ideias políticas um pouco baralhadas, consegui organizar e formular o governo de suas preferências: era um despotismo temperado – não por cantigas, como dizem alhures – mas por penachos da guarda nacional. Só não pude alcançar se ele queria o despotismo de um, de três, de trinta ou de trezentos. Opinava por várias coisas, entre outras, o desenvolvimento do tráfico dos africanos e a expulsão dos ingleses. Gostava muito de teatro; logo que chegou foi ao Teatro de São Pedro[84], onde viu um drama soberbo, a MARIA JOANA[85], e uma comédia muito interessante, KETTLY, OU A

---

83   Ao mencionar o cargo do "Regente" no singular, o autor refere-se ao período da "Regência Una", cujo primeiro regente eleito em 1835, foi o Padre DIOGO ANTÔNIO FEIJÓ, que ficou no poder até 1837, durante a menoridade do Imperador D. Pedro II; em outras obras Machado de Assis demonstra o seu descontentamento com o político, expressando suas opiniões através da voz das suas personagens.

84   O antigo TEATRO SÃO PEDRO DE ALCÂNTARA, localizado na Praça da Constituição, atualmente Praça Tiradentes, no centro do Rio de Janeiro. Ao longo do século XIX, sofreu vários incêndios, sendo sempre reconstruídos pelo ator João Caetano (1808/1863), que atualmente nomeia o teatro construído no mesmo local.

85   MARIA JOANA OU A MULHER DO POVO (Marie-Jeanne ou la femme du peuple) drama em cinco atos e seis fotos, dos dramaturgos franceses Adolphe d'Ennery (1811/1899) e Julien de Mallian (1805/1851).

The Return to Switzerland[86]. He also liked the Deperini[87] a lot, in Sappho[88], or in Anne Boleyn[89], he didn't remember very well. But the Candiani! Yes, sir, she was superb. Now he wanted to hear the Ernani[90], which his daughter sang at home, at the piano: Ernani, Ernani, Involami... And he said this by getting up and humming in a low voice. In the North, these things came as an echo. The daughter was dying to hear all the operas. She had a very sweet voice. And an excellent taste. Ah! He was anxious to return to Rio de Janeiro. She had already walked all over the city, with a lot of longing... Really! In some places he wanted to cry. But he would no longer board. He had been very ill on board, like all the other passengers, except an Englishman... Let the devil take the English! That would not be right before they were all sent out to sea. What could England do to us? If he found some people of good will, it was the work of one night to expel such godemes[91]... Thank God, he had patriotism – and he beat his chest – which was not surprising, because it was a family thing; he descended from an old captain-major very patriotic. Yes, he was not a poor devil. If the occasion came, he would give him what for... But it was getting late, he was going to tell me not to miss dinner, and that he was waiting for me there for a longer conversation. I walked him to the door of the room; he stopped, saying he liked me a lot. When he got married, I was in Europe. He met my father, an upright man, with whom he had participated in a dance at a famous ball in Praia Grande... Things! Things! He would speak later, it was late, he had to take the answer to Cotrim. He left; I closed the door on him...

---

86   Vaudeville comedy in an act by the French playwriters Félix-Auguste Duvert (1795/1876) and Nicolas-Paul Duport (1798/1866).

87   MARGHERITA DEPERINI, Italian mezzo-soprano, who performed in Rio de Janeiro, in the company of her husband, tenor Giuseppe Deperini, and with the Italian Lyric Company, from 1844 until the 1847.

88   Opera by the Italian composer Giovanni Pacini (1796/1867), with libretto by Salvadore Cammarano (1801/1852), which opened in Rio de Janeiro in 1845, with re-performances in 1846 and 1847.

89   Opera in two acts by the Italian composer Gaetano Donizetti (1797/1848), with libretto by Felice Romani (1788/1865).

90   Opera by the Italian composer Giuseppe Verdi (1813/1901), with libretto by Francesco Maria Piave (1810-1876), adapted from the play by Victor Hugo (1802/1885), HERNANI OU L'HONNEUR CASTILLAN.

91   GODEME: a funny nickname of the English.

VOLTA À SUÍÇA[86]. Também gostara muito da Deperini[87], na SAFO[88], ou na ANA BOLENA[89], não se lembrava bem. Mas a Candiani! sim, senhor, era papa-fina. Agora queria ouvir o ERNANI[90], que a filha dele cantava em casa, ao piano: ERNANI, ERNANI, INVOLAMI... E dizia isto levantando-se e cantarolando a meia voz. No Norte essas coisas chegavam como um eco. A filha morria por ouvir todas as óperas. Tinha uma voz muito mimosa a filha. E gosto, muito gosto. Ah! ele estava ansioso por voltar ao Rio de Janeiro. Já havia corrido a cidade toda, com umas saudades... Palavra! em alguns lugares teve vontade de chorar. Mas não embarcaria mais. Enjoara muito a bordo, como todos os outros passageiros, exceto um inglês... Que os levasse o diabo os ingleses! Isto não ficava direito sem irem todos eles barra fora. Que é que a Inglaterra podia fazer-nos? Se ele encontrasse algumas pessoas de boa vontade, era obra de uma noite a expulsão de tais godemes[91]... Graças a Deus, tinha patriotismo – e batia no peito – o que não admirava porque era de família; descendia de um antigo capitão-mor muito patriota. Sim, não era nenhum pé-rapado. Viesse a ocasião, e ele havia de mostrar de que pau era a canoa... Mas fazia-se tarde, ia dizer que eu não faltaria ao jantar, e lá me esperava para maior palestra. "Levei-o até à porta da sala; ele parou dizendo que simpatizava muito comigo. Quando casara, estava eu na Europa. Conheceu meu pai, um homem às direitas, com quem dançara num célebre baile da Praia Grande... Coisas! coisas! Falaria depois, fazia-se tarde, tinha de ir levar a resposta ao Cotrim. Saiu; fechei-lhe a porta...

---

86 Comédia de Vaudeville em um ato dos dramaturgos franceses Félix-Auguste Duvert (1795/1876) e Nicolas-Paul Duport (1798/1866).

87 MARGHERITA DEPERINI, mezzo-soprano italiana, que se apresentou no Rio de Janeiro, na companhia de seu marido, o tenor Giuseppe Deperini, e com a Companhia Lírica Italiana, de 1844 a 1847.

88 Ópera do compositor italiano Giovanni Pacini (1796/1867), com libreto de Salvadore Cammarano (1801/1852), cuja estreia no Rio de Janeiro ocorreu em 1845, com reapresentações em 1846 e 1847.

89 Ópera em dois atos do compositor italiano Gaetano Donizetti (1797/1848), com libreto de Felice Romani (1788/1865).

90 Ópera do compositor italiano Giuseppe Verdi (1813/1901), com libreto de Francesco Maria Piave (1810-1876), adaptado da peça de Victor Hugo (1802/1885), HERNANI OU L'HONNEUR CASTILLAN.

91 GODEME: um apelido engraçado dado aos ingleses.

The Dinner

The dinner was such a torture! Fortunately, Sabina made me sit next to Damasceno's daughter, a certain Dona Eulalia, or Nhã-loló, in a more familiar way, a graceful girl, somewhat bashful at first, but only at first. She lacked elegance, but she made up for it with her eyes, which were superb, and they only had the defect of not deviating from me, except when they came down to the plate; but Nhã-loló ate so little that she hardly looked at her plate. At night she sang; the voice was, as the father said, "very delicate". Nevertheless, I dodged it. Sabina came to the door, and asked me what I thought of Damasceno's daughter.

"So, so."

"Very nice, isn't she?" she replied quickly; "she lacks a little more of the court air. But what a great heart! She's a pearl. A very good fiancée for you."

"I don't like pearls."

"Introverted! What do you save yourself for? For when you are very, very mature, I know. Well, my dear, whether you like it or not, you will marry Nhã-loló."

And she said this tapping me in the face with her fingers, sweet as a dove, and at the same time pushy and resolute. Oh my God! Would that be the reason for reconciliation? I was a little disconsolate with the idea, but a mysterious voice called me to Lobo Neves' house; I said goodbye to Sabina and her threats.

The Secret Cause

"How is my dear mummy?" At these words, Virgilia sulked, as always. She was at the window, alone, looking at the moon,

93 · O Jantar

Que suplício que foi o jantar! Felizmente, Sabina fez-me sentar ao pé da filha do Damasceno, uma D. Eulália, ou mais familiarmente Nhã-loló, moça graciosa, um tanto acanhada a princípio, mas só a princípio. Faltava-lhe elegância, mas compensava-a com os olhos, que eram soberbos e só tinham o defeito de se não arrancarem de mim, exceto quando desciam ao prato; mas Nhã-loló comia tão pouco, que quase não olhava para o prato. De noite cantou; a voz era como dizia o pai, "muito mimosa". Não obstante, esquivei-me. Sabina veio até à porta, e perguntou-me que tal achara a filha do Damasceno.

"Assim, assim."

"Muito simpática, não é?" acudiu ela; "falta-lhe um pouco mais de corte. Mas que coração! é uma pérola. Bem boa noiva para você."

"Não gosto de pérolas."

"Casmurro! Para quando é que você se guarda? para quando estiver a cair de maduro, já sei. Pois, meu rico, quer você queira quer não, há de casar com Nhã-loló."

E dizia isto a bater-me na face com os dedos, meiga como uma pomba, e ao mesmo tempo intimativa e resoluta. Santo Deus! seria esse o motivo da reconciliação? Fiquei um pouco desconsolado com a ideia, mas uma voz misteriosa chamava-me à casa do Lobo Neves; disse adeus a Sabina e às suas ameaças.

94 · A Causa Secreta

"Como está a minha querida mamãe?" A esta palavra, Virgília amuou-se, como sempre. Estava ao canto de uma ja-

and received me cheerfully; but when I told her about our son she sulked. She did not like such an allusion; my anticipated paternal caresses annoyed her. I, for whom she was already a sacred person, a divine ambassador, let her be quiet. I assumed at first that the embryo, that profile of the unknown, projecting itself on our adventure, had restored to her the awareness of evil. I was wrong. Virgilia had never seemed to me more expansive, more unreserved, and less concerned about the others and about her husband. It was not remorse. I also imagined that the conception would be a pure invention, a way to catch me, a resource without long effectiveness, which perhaps started to oppress her. This hypothesis was not absurd; my sweet Virgilia lied sometimes, so gracefully!

That night I discovered the real cause. It was fear of childbirth and pregnancy shame. She had suffered a lot when her first child was born; and that hour, made of minutes of life and minutes of death, already gave her the chills of the gallows. As for the shame, it was further complicated by the forced deprivation of some habits of the elegant life. Surely, it was like that; I alluded to it, rebuking her, a little in the name of my rights as a father. Virgília looked at me; then she looked away and smiled in incredulous way.

Olden Flowers

Where are they, the olden flowers? One afternoon, after a few weeks of pregnancy, the whole building of my paternal chimeras collapsed. The embryo is gone, at that point where Laplace cannot be distinguished from a turtle. I heard the news from Lobo Neves, who left me in the drawing room and accompanied the doctor to the frustrated mother's bedroom. I leaned against the window, looking at the farmstead, at the green of the orange trees without flowers. Where did they go, the olden flowers?

nela, sozinha, a olhar para a lua, e recebeu-me alegremente; mas quando lhe falei no nosso filho amuou-se. Não gostava de semelhante alusão, aborreciam-lhe as minhas antecipadas carícias paternais. Eu, para quem ela era já uma pessoa sagrada, uma âmbula divina, deixava-a estar quieta. Supus a princípio que o embrião, esse perfil do incógnito, projetando-se na nossa aventura, lhe restituíra a consciência do mal. Enganava-me. Nunca Virgília me parecera mais expansiva, mais sem reservas, menos preocupada dos outros e do marido. Não eram remorsos. Imaginei também que a concepção seria um puro invento, um modo de prender-me a ela, recurso sem longa eficácia, que talvez começava de oprimi-la. Não era absurda esta hipótese; a minha doce Virgília mentia às vezes, com tanta graça!

Naquela noite descobri a causa verdadeira. Era medo do parto e vexame da gravidez. Padecera muito quando lhe nasceu o primeiro filho; e essa hora, feita de minutos de vida e minutos de morte, dava-lhe já imaginariamente os calafrios do patíbulo. Quanto ao vexame, complicava-se ainda da forçada privação de certos hábitos da vida elegante. Com certeza, era isso mesmo; dei-lho a entender, repreendendo-a, um pouco em nome dos meus direitos de pai. Virgília fitou-me; em seguida desviou os olhos e sorriu de um jeito incrédulo.

95 Flores de Antanho

Onde estão elas, as flores de antanho? Uma tarde, após algumas semanas de gestação, esboroou-se todo o edifício das minhas quimeras paternais. Foi-se o embrião, naquele ponto em que se não distingue Laplace de uma tartaruga. Tive a notícia por boca do Lobo Neves, que me deixou na sala e acompanhou o médico à alcova da frustrada mãe. Eu encostei-me à janela, a olhar para a chácara, onde verdejavam as laranjeiras sem flores. Aonde iam elas as flores de antanho?

The Anonymous Letter 96

I felt someone touching my shoulder; it was Lobo Neves. We stared at each other for a few moments, silent, inconsolable. I asked about Virgilia, and then we talked for half an hour. At the end of that time, they came to bring him a letter; he read it, went pale, and closed it with a trembling hand. I think I saw him make a gesture, as if he wanted throw himself on me; but I don't remember very well. What I clearly remember is that, during the following days, he received me coldly and reticently. At last, Virgilia told me everything, a few days later in Gamboa.

The husband showed her the letter as soon as she recovered. It was anonymous and denounced us. It didn't say everything; it did not say, for example, about our external encounters; it merely warned him against my intimacy, and added that the suspicion was public. Virgilia read the letter and said with indignation that it was an infamous slander.

"Slander?" asked Lobo Neves.

"Infamous."

The husband caught his breath; but, returning to the letter, it seemed to him that each word made a negative sign with its finger, each word shouted against his wife's indignation. This man, in fact intrepid, was now the most fragile of creatures. Perhaps his imagination showed him, in the distance, the famous eye of the public opinion, staring at him sarcastically, with an air of mockery; perhaps an invisible mouth repeated in his ear the jest he had once heard or said. He urged the woman to confess to him, for he would forgive everything. Virgilia realized that she was saved; she seemed irritated by the insistence, she swore that on my part she had heard only words of joke and courtesy. The letter had to be from some ungodly admirer. And she quoted one who had openly flirted with her for three weeks, another who had written her a letter, and still others and others. She quoted them by name, with circumstances, studying her husband's eyes, and

96 A Carta Anônima

Senti tocar-me no ombro; era Lobo Neves. Encaramo-nos alguns instantes, mudos, inconsoláveis. Indaguei de Virgília, depois ficamos a conversar uma meia hora. No fim desse tempo, vieram trazer-lhe uma carta; ele leu-a, empalideceu muito, e fechou-a com a mão trêmula. Creio que lhe vi fazer um gesto, como se quisesse atirar-se sobre mim; mas não me lembra bem. O que me lembra claramente é que durante os dias seguintes recebeu-me frio e taciturno. Enfim, Virgília contou-me tudo, daí a dias na Gamboa.

O marido mostrou-lhe a carta, logo que ela se restabeleceu. Era anônima e denunciava-nos. Não dizia tudo; não falava, por exemplo, das nossas entrevistas externas; limitava-se a precavê-lo contra a minha intimidade, e acrescentava que a suspeita era pública. Virgília leu a carta e disse com indignação que era uma calúnia infame.

"Calúnia?" perguntou Lobo Neves.

"Infame."

O marido respirou; mas, tornando à carta, parece que cada palavra dela lhe fazia com o dedo um sinal negativo, cada letra bradava contra a indignação da mulher. Esse homem, aliás intrépido, era agora a mais frágil das criaturas. Talvez a imaginação lhe mostrou, ao longe, o famoso olho da opinião, a fitá-lo sarcasticamente, com um ar de pulha; talvez uma boca invisível lhe repetiu ao ouvido as chufas que ele escutara ou dissera outrora. Instou com a mulher que lhe confessasse tudo, porque tudo lhe perdoaria. Virgília compreendeu que estava salva; mostrou-se irritada com a insistência, jurou que da minha parte só ouvira palavras de gracejo e cortesia. A carta havia de ser de algum namorado sem-ventura. E citou alguns – um que a galanteara francamente, durante três semanas, outro que lhe escrevera uma carta, e ainda outros e outros. Citava-os pelo nome, com circunstâncias, estudando os olhos do marido, e

she concluded by saying that, in order not to give rise to slander, she would treat me in a way that I would not return there.

I heard all this a little disturbed, not because of the added dissimulation that would be necessary from now on, until I departed from the house of Lobo Neves entirely, but because of Virgilia's moral tranquillity, the lack of emotion, of fright, of longing, and even of remorse. Virgilia noticed my concern; she raised my head, because I was looking at the floor, and said to me with some bitterness:

"You don't deserve the sacrifices I make for you."

I didn't say anything to her; it was useless to consider that a little desperation and terror would give our situation the caustic flavour of the early days; but if I told her, it is not impossible that she would reach, slowly and artificially, that bit of despair and terror. I didn't say anything to her. She stomped her foot nervously on the floor; I approached and kissed her on the forehead. Virgilia recoiled, as if it were a kiss from the dead.

Between Mouth and Forehead

I feel that the reader shuddered – or should shudder. Naturally, the last word suggested three or four reflexions. Take a look at the picture: in a little house in Gamboa, two people who have been in love for a long time, one leaning towards the other, giving a kiss on the forehead, and the other recoiling, as if feeling the contact of a corpse mouth. There is here, in the brief interval between the mouth and the forehead, before the kiss and after the kiss, there is a wide space for a lot of things – the contraction of resentment – the wrinkle of distrust – or, finally, the pale, sleepy nose of satiety...

concluiu dizendo que, para não dar margem à calúnia, tratar-me-ia de maneira que eu não voltaria lá.

Ouvi tudo isto um pouco turbado, não pelo acréscimo de dissimulação que era preciso empregar de ora em diante, até afastar-me inteiramente da casa do Lobo Neves, mas pela tranquilidade moral de Virgília, pela falta de comoção, de susto, de saudades, e até de remorsos. Virgília notou a minha preocupação, levantou-me a cabeça, porque eu olhava então para o soalho, e disse-me com certa amargura:

"Você não merece os sacrifícios que lhe faço."

Não lhe disse nada; era ocioso ponderar-lhe que um pouco de desespero e terror daria à nossa situação o sabor cáustico dos primeiros dias; mas se lho dissesse, não é impossível que ela chegasse lenta e artificiosamente até esse pouco de desespero e terror. Não lhe disse nada. Ela batia nervosamente com a ponta do pé no chão; aproximei-me e beijei-a na testa. Virgília recuou, como se fosse um beijo de defunto.

97 Entre a Boca e a Testa

Sinto que o leitor estremeceu – ou devia estremecer. Naturalmente a última palavra sugeriu-lhe três ou quatro reflexões. Veja bem o quadro: numa casinha da Gamboa, duas pessoas que se amam há muito tempo, uma inclinada para a outra, a dar-lhe um beijo na testa, e a outra a recuar, como se sentisse o contato de uma boca de cadáver. Há aí, no breve intervalo, entre a boca e a testa, antes do beijo e depois do beijo, há aí largo espaço para muita coisa – a contração de um ressentimento – a ruga da desconfiança – ou enfim o nariz pálido e sonolento da saciedade...

Suppressed

We parted happily. I had dinner, reconciled with the situation. The anonymous letter restored the salt of mystery and the pepper of danger to our adventure; and after all, it was very good that Virgilia did not lose possession of herself in that crisis. At night I went to São Pedro Theatre; a great play was on, in which Estela[92] made the audience cry. I enter; I run my eyes over the boxes; I see in one of them Damasceno and his family. The daughter was dressed with more elegance and some refinement, something difficult to explain, because the father earned only what was necessary to get into debt; so what, perhaps that was why.

During the break I went to visit them. Damasceno received me with many words, the woman with many smiles. As for Nhã-loló, she never took her eyes off me. She looked more beautiful to me now than she was at the day of the dinner. I thought she had a certain ethereal softness married to the delicacy of earthly figure: a vague expression, and worthy of a chapter in which everything must be vague. Really, I don't know how to tell you that I didn't feel bad, next to the girl, who wore elegantly a fine dress, a dress that tickled me like Tartuffe. When looking at it, covering the knee in a chaste and complete way, I made a subtle discovery, namely, that nature predicted human clothing, a necessary condition for the development of our species. The usual nudity, given the multiplication of the individual's works and cares, would tend to dull the senses and slow the sexes, while the clothing, by teasing nature, sharpens and attracts the wills, it activates them, it reproduces them, and consequently makes the civilization move forward. Blessed use that OTHELLO and the transatlantic ships gave us!

I am in the mood to suppress this chapter. The slope is dangerous. But, at last, I write my memories and not yours, peaceful reader. Next to the graceful maiden, I seemed to have

---

92   ESTELA SEZEFREDA (1810/1874) Actress, dancer and wife of Brazilian actor and theatre entrepreneur João Caetano, alongside whom she played several roles.

# Suprimido

Separamo-nos alegremente. Jantei reconciliado com a situação. A carta anônima restituía à nossa aventura o sal do mistério e a pimenta do perigo; e afinal foi bem bom que Virgília não perdesse naquela crise a posse de si mesma. De noite fui ao teatro de São Pedro; representava-se uma grande peça, em que a Estela[92] arrancava lágrimas. Entro; corro os olhos pelos camarotes; vejo em um deles Damasceno e a família. Trajava a filha com outra elegância e certo apuro, coisa difícil de explicar, porque o pai ganhava apenas o necessário para endividar-se; e daí, talvez fosse por isso mesmo.

No intervalo fui visitá-los. Damasceno recebeu-me com muitas palavras, a mulher com muitos sorrisos. Quanto a Nhã-loló, não tirou mais os olhos de mim. Parecia-me agora mais bonita que no dia do jantar. Achei-lhe certa suavidade etérea casada ao polido das formas terrenas: "expressão vaga, e condigna de um capítulo em que tudo há de ser vago. Realmente, não sei como lhes diga que não me senti mal, ao pé da moça, trajando garridamente um vestido fino, um vestido que me dava cócegas de Tartufo. Ao contemplá-lo, cobrindo casta e redondamente o joelho, foi que eu fiz uma descoberta sutil, a saber, que a natureza previu a vestidura humana, condição necessária ao desenvolvimento da nossa espécie. A nudez habitual, dada a multiplicação das obras e dos cuidados do indivíduo, tenderia a embotar os sentidos e a retardar os sexos, ao passo que o vestuário, negaceando a natureza, aguça e atrai as vontades, ativa-as, reprodu-las, e conseguintemente faz andar a civilização. Abençoado uso que nos deu Otelo e os paquetes transatlânticos!

Estou com vontade de suprimir este capítulo. O declive é perigoso. Mas enfim eu escrevo as minhas memórias e não as tuas, leitor pacato. Ao pé da graciosa donzela, parecia-me tomado

---

92   ESTELA SEZEFREDA (1810/1874) Atriz, dançarina e esposa do ator e empresário de teatro brasileiro João Caetano, ao lado de quem desempenhou vários papéis.

a double and indefinable sensation. She fully expressed Pascal's duality, L'Ange et la Bête[93], with the difference that the Jansenist did not admit the simultaneity of the two natures, whereas they were right there together – L'Ange, who said some things about Heaven – and La Bête, that... No; decidedly I suppress this chapter.

In the Auditorium

In the auditorium I found Lobo Neves, talking to some friends; we spoke little, coldly, both embarrassed. But in the next break, about to raise the curtain, we met at a corridor, where there was no one. He came to me, with a lot of affability and laughter, pulled me into one of the theatre windows, and we talked a lot, especially him, who seemed the most peaceful of men. I even asked him about his wife; he replied that she was fine, but soon changed the conversation to general matters; he was expansive, almost smiling. Anyone who wants it can guess the cause of the difference; I run away from Damasceno, who peeps at me at the cabin door.

I heard nothing from the following act, or the words of the actors, nor the applause of the audience. Reclining in the chair, I picked up from memory the shreds of Lobo Neves' conversation, I remade his manners, and concluded that the new situation was much better. Gamboa was enough for us. The frequency of the other house would whet the envy. We could strictly dispense ourselves with talking every day; it was even better, it would intersperse longing with love. Besides, I was forty years old, and I was nothing, not even a mere parish voter. Something had to be done, still for Virgilia's sake, which would be proud when she saw my name shine... I believe that there was great applause on this occasion, but I don't swear; I thought of something else.

---

93   Quote taken from PENSÉES (THE THOUGHTS) by the French philosopher and mathematician Blaise Pascal (1623/1662) in Fragment 329: «L'HOMME N'EST NI ANGE NI BÊTE, ET LE MALHEUR VEUT QUE QUI VEUT FAIRE L'ANGE FAIT LA BÊTE.» ("Man is neither an angel nor an animal, and unfortunately, whoever wants to be an angel is an animal.")

de uma sensação dupla e indefinível. Ela exprimia inteiramente a dualidade de Pascal, L'Ange et la Bête[93], com a diferença que o jansenista não admitia a simultaneidade das duas naturezas, ao passo que elas aí estavam bem juntinhas – L'Ange, que dizia algumas coisas do Céu – e La Bête, que... Não; decididamente suprimo este capítulo.

99 Na Plateia

Na plateia achei Lobo Neves, de conversa com alguns amigos, falamos por alto, a frio, constrangidos um e outro. Mas no intervalo seguinte, prestes a levantar o pano, encontramo-nos num dos corredores, em que não havia ninguém. Ele veio a mim, com muita afabilidade e riso, puxou-me a um dos óculos do teatro, e falamos muito, principalmente ele, que parecia o mais tranquilo dos homens. Cheguei a perguntar-lhe pela mulher; respondeu que estava boa, mas torceu logo a conversação para assuntos gerais, expansivo, quase risonho. Adivinhe quem quiser a causa da diferença; eu fujo ao Damasceno que me espreita ali da porta do camarote.

Não ouvi nada do seguinte ato, nem as palavras dos atores, nem as palmas do público. Reclinado na cadeira, apanhava de memória os retalhos da conversação do Lobo Neves, refazia as maneiras dele, e concluía que era muito melhor a nova situação. Bastava-nos a Gamboa. A frequência da outra casa aguçaria as invejas. Rigorosamente podíamos dispensar-nos de falar todos os dias; era até melhor, metia a saudade de permeio nos amores. Ao demais, eu galgara os quarenta anos, e não era nada, nem simples eleitor de paróquia. Urgia fazer alguma coisa, ainda por amor de Virgília, que havia de ufanar-se quando visse luzir o meu nome... Creio que nessa ocasião houve grandes aplausos, mas não juro; eu pensava em outra coisa.

---

93   Citação extraída de PENSÉES (OS PENSAMENTOS) de autoria do filósofo e matemático francês Blaise Pascal (1623/1662) no fragmento 329: «L'HOMME N'EST NI ANGE NI BÊTE, ET LE MALHEUR VEUT QUE QUI VEUT FAIRE L'ANGE FAIT LA BÊTE.» ("O homem não é nem um anjo nem um animal e, infelizmente, quem quer ser anjo é um animal.")

Oh, crowd, whose love I coveted to death, that was how I took revenge on you sometimes; I let human people buzz around my body, without hearing them, as Aeschylus' PROMETHEUS did to his executioners. Oh! Did you suppose to chain me to the rock of your frivolity, your indifference, or your agitation? Fragile chains, my friend; I broke them with a GULLIVER gesture. It is a common thing to meditate in the middle of the wilderness. The voluptuous, the weird, is the man insulate himself in the middle of a sea of gestures and words, of nerves and passions, to decree himself unconnected, inaccessible, absent. The most they can say, when he came to – that is, when he came to the others – is that he comes down from the world of the moon; but the world of the moon, that luminous and modest space of the brain – is that anything else but the disdainful affirmation of our spiritual freedom? God lives! Here's a good end for a chapter.

The Probable Case

If this world were not a region of inattentive spirits, I would not need to remind the reader that I only affirm certain laws, when I do have them; in relation to others, I restrict myself to the admission of probability. An example of the second class constitutes the present chapter, which I recommend reading to all people who love the study of social phenomena. It seems, and it is not improbable, that there is a certain reciprocal, regular, and perhaps periodic action between the facts of public life and those of private life – or, to use an image, there is something similar to the tides of Flamengo Beach and of others equally turbulent. In fact, when the wave hits the beach, it floods it many feet inward; but that same water returns to the sea, with varying strength, and will thicken the wave that is to come, and that will return like the first. This is the image; let's see the application.

I said on another page that Lobo Neves, who was appointed president of the province, refused the appointment due to the date of the decree, which was 13th; a serious act, the consequence

Multidão, cujo amor cobicei até à morte, era assim que eu me vingava às vezes de ti; deixava burburinhar em volta do meu corpo a gente humana, sem a ouvir, como o PROMETEU de Ésquilo fazia aos seus verdugos. Ah! tu cuidavas encadear-me ao rochedo da tua frivolidade, da tua indiferença, ou da tua agitação? Frágeis cadeias, amiga minha; eu rompia-as de um gesto de GULLIVER. Vulgar coisa é ir considerar no ermo. O voluptuoso, o esquisito, é insular-se o homem no meio de um mar de gestos e palavras, de nervos e paixões, decretar-se alheado, inacessível, ausente. O mais que podem dizer, quando ele torna a si – isto é, quando torna aos outros – é que baixa do mundo da lua; mas o mundo da lua, esse desvão luminoso e recatado do cérebro, que outra coisa é senão a afirmação desdenhosa da nossa liberdade espiritual? Vive Deus! eis um bom fecho de capítulo.

100 O Caso Provável

Se esse mundo não fosse uma região de espíritos desatentos, era escusado lembrar ao leitor que eu só afirmo certas leis, quando as possuo deveras; em relação a outras restrinjo-me à admissão da probabilidade. Um exemplo da segunda classe constitui o presente capítulo, cuja leitura recomendo a todas as pessoas que amam o estudo dos fenômenos sociais. Segundo parece, e não é improvável, existe entre os fatos da vida pública e os da vida particular uma certa ação recíproca, regular, e talvez periódica – ou para usar de uma imagem, há alguma coisa semelhante às marés da Praia do Flamengo e de outras igualmente marulhosas. Com efeito, quando a onda investe a praia, alaga-a muitos palmos a dentro; mas essa mesma água torna ao mar, com variável força, e vai engrossar a onda que há de vir, e que terá de tornar como a primeira. Esta é a imagem; vejamos a aplicação.

Deixei dito noutra página que o Lobo Neves, nomeado presidente de província, recusou a nomeação por motivo da data do decreto que era 13; ato grave, cuja consequência foi separar

of which was to separate Virgilia's husband from the ministry. Thus, the particular fact of the dislike of a number produced the phenomenon of political dissent. It remains to be seen how, later on, a political act determined a cessation of movement in private life. As it does not suit the method of this book to describe immediately this other phenomenon, I just say for the moment that Lobo Neves, four months after our meeting at the theatre, reconciled with the ministry; a fact that the reader should not lose sight of, if he wants to penetrate the subtlety of my thinking.

The Dalmatian Revolution 101

It was Virgilia who informed me of her husband's political turnaround, one morning in October, between eleven and noon; she talked to me about meetings, about conversations, about a speech...

"So, this time, you will be baroness" I interrupted.

She bent the corners of her mouth, and moved her head to one side and to the other; but this gesture of indifference was denied by something less definable, less clear, an expression of pleasure and hope. I don't know why, I thought that the imperial letter of appointment could attract her to virtue, I don't mean virtue itself, but for gratitude to the husband. For she cordially loved the nobility. One of the biggest displeasure of our life was the appearance of a certain cheeky from a Legation – from the Dalmatian Legation, Let's say – Count B. V., who courted her for three months. This man, a true nobleman with pedigree, had disturbed Virgilia's mind a little, and, in addition, she had a diplomatic vocation. I can't even think what would happen to me if a revolution did not break out in Dalmatia, which overthrew the government and purified the embassies. The revolution was bloody, painful, and formidable; the newspapers, every time a ship arrived from Europe, transcribed the horrors, measured the blood, counted the heads; everyone trembled with indignation and

do ministério o marido de Virgília. Assim, o fato particular da ojeriza de um número produziu o fenômeno da dissidência política. Resta ver como, tempos depois, um ato político determinou na vida particular uma cessação de movimento. Não convindo ao método deste livro descrever imediatamente esse outro fenômeno, limito-me a dizer por ora que o Lobo Neves, quatro meses depois de nosso encontro no teatro, reconciliou-se com o ministério; fato que o leitor não deve perder de vista, se quiser penetrar a sutileza do meu pensamento.

101 A Revolução Dálmata

Foi Virgília quem me deu notícia da viravolta política do marido, certa manhã de outubro, entre onze e meio-dia; falou-me de reuniões, de conversas, de um discurso...

De maneira, que desta vez fica você baronesa, interrompi eu.

Ela derreou os cantos da boca, e moveu a cabeça a um e outro lado; mas esse gesto de indiferença era desmentido por alguma coisa menos definível, menos clara, uma expressão de gosto e de esperança. Não sei por que, imaginei que a carta imperial da nomeação podia atraí-la à virtude, não digo pela virtude em si mesma, mas por gratidão ao marido. Que ela amava cordialmente a nobreza. Um dos maiores desgostos de nossa vida foi o aparecimento de certo pelintra de legação – da legação da Dalmácia, suponhamos – o Conde B. V., que a namorou durante três meses. Esse homem, vero fidalgo de raça, transtornara um pouco a cabeça de Virgília, que, além do mais, possuía a vocação diplomática. Não chego a alcançar o que seria de mim, se não rebentasse na Dalmácia uma revolução, que derrocou o governo e purificou as embaixadas. Foi sangrenta a revolução, dolorosa, formidável; os jornais, a cada navio que chegava da Europa, transcreviam os horrores, mediam o sangue, contavam as cabeças; toda a gente fremia de indignação e piedade... Eu

pity... Not me; I internally blessed this tragedy, which had taken a pebble out of my shoe. And, moreover, Dalmatia was so far away!

Respite

But this same man, who rejoiced at the other's departure, practiced some time later... No, I won't tell you on this page; this chapter stays here for the respite of my shame. A rude, infamous action, with no possible explanation... I repeat, I will not tell the case on this page.

Distraction

"No, my dear sir, you don't do that. Forgive me, you don't do that."

Dona Placida was right. No gentleman arrives an hour later to the place where his lady awaits him. I entered breathlessly; Virgilia had left. Dona Placida told me that she had waited too long, that she had been angry, that she had cried, that she had sworn to despise me, and other things that our housekeeper said with tears in her voice, asking me not to abandon Iaiá, that this was being very unfair to a girl who sacrificed everything to me. I explained to her then that a misunderstanding... And it was not; I think it was a mere distraction. A saying, a conversation, an anecdote, anything; mere distraction.

Poor Dona Placida! She was really upset. She walked back and forth, shaking her head, sighing loudly, peering through the window. Poor Dona Placida! What art she had to arrange the clothes, to cherish the faces, to nurture the chicanery of our love!

não; eu abençoava interiormente essa tragédia, que me tirara uma pedrinha do sapato. E depois a Dalmácia era tão longe!

102 De Repouso

Mas este mesmo homem, que se alegrou com a partida do outro, praticou daí a tempos... Não, não hei de contá-lo nesta página; fique esse capítulo para repouso do meu vexame. Uma ação grosseira, baixa, sem explicação possível... Repito, não contarei o caso nesta página.

103 Distração

"Não, senhor doutor, isto não se faz. Perdoe-me, isto não se faz."

Tinha razão D. Plácida. Nenhum cavalheiro chega uma hora mais tarde ao lugar em que o espera a sua dama. Entrei esbaforido; Virgília tinha ido embora. D. Plácida contou-me que ela esperara muito, que se irritara, que chorara, que jurara votar-me ao desprezo, e outras mais coisas que a nossa caseira dizia com lágrimas na voz, pedindo-me que não desamparasse Iaiá, que era ser muito injusto com uma moça que me sacrificara tudo. Expliquei-lhe então que um equívoco... E não era; cuido que foi simples distração. Um dito, uma conversa, uma anedota, qualquer coisa; simples distração.

Coitada de D. Plácida! Estava aflita deveras. Andava de um lado para outro, abanando a cabeça, suspirando com estrépito, espiando pela rótula. Coitada de D. Plácida! Com que arte conchegava as roupas, bafejava as faces, acalentava as manhas

What a fertile imagination to make the hours more pleasant and brief! Flowers, sweets – the good sweets from other times – and a lot of laughter, a lot of care, laughter and care that grew over time, as if she wanted to keep in memory our adventure, or return to it the first flower. Our confidant and housekeeper didn't forget anything; nothing, not even a lie, because she referred to our sighs and longings that she had not seen; nothing, not even slander, because she once attributed a new passion to me. "You know I can't love another woman" was my answer, when Virgilia told me about such a thing. And only these words, without any protest or admonition, dispelled the false accusation of Dona Placida, who became sad.

"All right," I told her, after a quarter of an hour; "Virgilia will admit that I was not to blame... Will you take her a letter right now?"

"She must be devastated, poor thing! Look, I don't wish anyone to die; but, if you, sir, ever gets to marry Iaiá, then yes, you will see what an angel she is!"

I remember that I turned my face away and looked down to the ground. I recommend this gesture to people who do not have a word ready to answer, or to those who are afraid to face the pupil of other eyes. In such cases, some prefer to recite an octave of THE LUSIADS[94], others adopt the resource of whistling the NORMA[95]; I stick to the indicated gesture; it is simpler, it requires less effort.

Three days later, everything was explained. I suppose Virgilia was a little surprised, when I apologized for the tears she had shed on that sad occasion. I don't even remember if I internally attributed them to Dona Placida. In fact, it could happen that Dona Placida wept, when she saw her disappointed, and, due to a visual phenomenon, the tears that she had in her own eyes seemed to fall from Virgilia's eyes. In any case, everything was explained, but not forgiven, let alone forgotten. Virgilia said a lot of hard things, threatened me with separation, finally she praised her husband. Now, that was a worthy man, far superior

---

94 Epic poem by the Portuguese poet Luís de Camoens (c. 1524-1580), one of the great names in the lyrical literature of the Portuguese language.

95 Opera by the Italian composer Vicenzo Bellini (1801/1835), with libretto by Felice Romani (1788/1865), after the play NORMA, OU L'INFANTICIDE (NORMA, OR THE INFANTICIDE) by the French playwriter and poet Alexandre Soumet (1788 / 1845)

do nosso amor! que imaginação fértil em tornar as horas mais aprazíveis e breves! Flores, doces – os bons doces de outros dias – e muito riso, muito afago, riso e afago que cresciam com o tempo, como se ela quisesse fixar a nossa aventura, ou restituir--lhe a primeira flor. Nada esquecia a nossa confidente e caseira; nada, nem a mentira, porque a um e outro referia suspiros e saudades que não presenciara; nada, nem a calúnia, porque uma vez chegou a atribuir-me uma paixão nova. "Você sabe que não posso gostar de outra mulher", foi a minha resposta, quando Virgília me falou em semelhante coisa. E esta só palavra, sem nenhum protesto ou admoestação, dissipou o aleive de D. Plácida, que ficou triste.

"Está bem", disse-lhe eu, depois de um quarto de hora; "Virgília há de reconhecer que não tive culpa nenhuma... Quer você levar-lhe uma carta agora mesmo?"

"Ela há de estar bem triste, coitadinha! Olhe, eu não desejo a morte de ninguém; mas, se o senhor doutor algum dia chegar a casar com Iaiá, então sim, é que há de ver o anjo que ela é!"

Lembra-me que desviei o rosto e baixei os olhos ao chão. Recomendo este gesto às pessoas que não tiverem uma palavra pronta para responder, ou ainda às que recearem encarar a pupila de outros olhos. Em tais casos, alguns preferem recitar uma oitava d'Os Lusíadas[94], outros adotam o recurso de assobiar a Norma[95]; eu atenho-me ao gesto indicado; é mais simples, exige menos esforço.

Três dias depois, estava tudo explicado. Suponho que Virgília ficou um pouco admirada, quando lhe pedi desculpas das lágrimas que derramara naquela triste ocasião. Nem me lembra se interiormente as atribuí a D. Plácida. Com efeito, podia acontecer que D. Plácida chorasse, ao vê-la desapontada, e, por um fenômeno da visão, as lágrimas que tinha nos próprios olhos lhe parecessem cair dos olhos de Virgília. Fosse como fosse, tudo estava explicado, mas não perdoado, e menos ainda esquecido. Virgília dizia-me uma porção de coisas duras, ameaçava-me com a separação, enfim louvava o marido. Esse sim, era um

---

94   Poema épico do poeta português Luís de Camões (c. 1524-1580), um dos grandes nomes da literatura lírica da língua portuguesa.

95   Ópera do compositor italiano Vicenzo Bellini (1801/1835), com libreto de Felice Romani (1788/1865), a partir da peça NORMA, OU L'INFANTICIDE (NORMA, OU O INFANTICIDE) do dramaturgo e poeta francês Alexandre Soumet (1788/ 1845).

to me, gentle, a master of courtesy and affection; that's what she said, while I sat with my arms on my knees, looking at the ground, where a fly was dragging an ant that bit its foot. Poor fly! Poor ant!

"And you say nothing, nothing?" asked Virgília, standing before me.

"What can I say? I have explained everything; you insist on being angry; what can I say? Do you know what I think? It seems to me that you are tired, that you are bored, and that you want to break up..."

"Precisely!"

She went to put on her hat, with a trembling, enraged hand... "Goodbye, Dona Placida" she shouted into the house. Then she went to the door, opened the lock, she was going out; I grabbed her by the waist. "All right, all right" I told her. Virgilia still struggled to get out. I held her, asked her to stay, to forget; she stepped away from the door and threw herself on the couch. I sat next to her, told her many sweet, humble and graceful things. I do not say whether our lips have reached the distance of a cambric thread or even less; it is a controversial matter. I do remember that in that agitation an earring from Virgilia fell, that I bent to catch it, and that the fly I just mentioned climbed onto the earring, always carrying the ant on its foot. So, with the native delicacy of a man of our century, I put that mortified couple in the palm of my hand; I calculated the entire distance from my hand to the planet Saturn, and I asked myself what interest there could be in such an unfortunate episode. If you conclude that I was a barbarian, you are mistaken, because I asked Virgilia for a hairpin in order to separate the two insects; but the fly suspected my intention, spread its wings and left. Poor fly! Poor ant! And God saw that this was good, as it is said in Scripture.

It Was Him! 104

I returned the hairpin to Virgilia, who stuck it in her hair, and she prepared to leave. It was late; it was three o'clock.

homem digno, muito superior a mim, delicado, um primor de cortesia e afeição; é o que ela dizia, enquanto eu, sentado, com os braços fincados nos joelhos, olhava para o chão, onde uma mosca arrastava uma formiga que lhe mordia o pé. Pobre mosca! pobre formiga!

"Mas você não diz nada, nada?" perguntou Virgília, parando diante de mim.

"Que hei de dizer? Já expliquei tudo; você teima em zangar-se; que hei de dizer? Sabe que me parece? Parece-me que você está enfastiada, que se aborrece, que quer acabar..."

"Justamente!"

Foi dali pôr o chapéu, com a mão trêmula, raivosa... "Adeus, D. Plácida", bradou ela para dentro. Depois foi até à porta, correu o fecho, ia sair; agarrei-a pela cintura. "Está bom, está bom", disse-lhe. Virgília ainda forcejou por sair. Eu retive-a, pedi-lhe que ficasse, que esquecesse; ela afastou-se da porta e foi cair no canapé. Sentei-me ao pé dela, disse-lhe muitas coisas meigas, outras humildes, outras graciosas. Não afirmo se os nossos lábios chegaram à distância de um fio de cambraia ou ainda menos; é matéria controversa. Lembra-me, sim, que na agitação caiu um brinco de Virgília, que eu inclinei-me a apanhá-lo, e que a mosca de há pouco trepou ao brinco, levando sempre a formiga no pé. Então eu, com a delicadeza nativa de um homem do nosso século, pus na palma da mão aquele casal de mortificados; calculei toda a distância que ia da minha mão ao planeta Saturno, e perguntei a mim mesmo que interesse podia haver num episódio tão mofino. Se concluis daí que eu era um bárbaro, enganas-te, porque eu pedi um grampo a Virgília, a fim de separar os dois insetos; mas a mosca farejou a minha intenção, abriu as asas e foi-se embora. Pobre mosca! pobre formiga! E Deus viu que isto era bom, como se diz na Escritura.

104 Era Ele!

Restituí o grampo a Virgília, que o repregou nos cabelos, e preparou- se para sair. Era tarde; tinham dado três horas.

Everything was forgotten and forgiven. Dona Placida, who was waiting for the right moment for our departure, suddenly closed the window and exclaimed:

"Blessed Mother of God! Here comes Iaiá's husband!"

The moment of terror was short, but complete. Virgilia became as white as the lace on her dress, she ran to the bedroom; Dona Placida, who had closed the blinds, also wanted to close the inside door; I was willing to wait for Lobo Neves. That brief moment passed. Virgilia came to her senses, pushed me into the bedroom, and told Dona Placida to go back to the window; the confidant obeyed.

It was him. Dona Placida opened the door to him with many exclamations of amazement: "You here! Honouring your old lady's house! Come in, please. Guess who's here... You don't have to guess, you didn't come for another reason... Show up, Iaiá."

Virgilia, who was in the corner of the room, threw herself at her husband. I peeked at them through the keyhole. Lobo Neves entered slowly, pale, cold, quiet, without enthusiasm, without rapture, and looked around the room.

"What is this?" exclaimed Virgilia. "You, over here?"

"I happened to be around, I saw Dona Placida at the window, and I came to greet her."

"Thank you very much" this one answered promptly. "And they say that old women are not worth anything... Look at this! Iaiá seems to be jealous." And caressing her a lot: "This little angel has never forgotten old Placida. Poor thing! It's really the face of the mother... Sit down, my dear Sir..."

"I won't be long."

"Are you going home?" said Virgilia. "Let's go together."

"I am."

"Give me my hat, Dona Placida."

"Here it is."

Dona Placida went to get a mirror, and opened it before her. Virgilia put on her hat, tied the ribbons, arranged her hair, talking to her husband, who did not answer anything. Our good old woman chattered too much; it was a way of disguising the

Tudo estava esquecido e perdoado. D. Plácida, que espreitava a ocasião idônea para a saída, fecha subitamente a janela e exclama:

"Virgem Nossa Senhora! aí vem o marido de Iaiá!"

O momento de terror foi curto, mas completo. Virgília fez-se da cor das rendas do vestido, correu até a porta da alcova; D. Plácida, que fechara a rótula, queria fechar também a porta de dentro; eu dispus-me a esperar o Lobo Neves. Esse curto instante passou. Virgília tornou a si, empurrou-me para a alcova, disse a D. Plácida que voltasse à janela; a confidente obedeceu.

Era ele. D. Plácida abriu-lhe a porta com muitas exclamações de pasmo: "O senhor por aqui! honrando a casa de sua velha! Entre, faça favor. Adivinhe quem está cá... Não tem que adivinhar, não veio por outra coisa... Apareça, Iaiá."

Virgília, que estava a um canto, atirou-se ao marido. Eu espreitava-os pelo buraco da fechadura. O Lobo Neves entrou lentamente, pálido, frio, quieto, sem explosão, sem arrebatamento, e circulou um olhar em volta da sala.

"Que é isto?" exclamou Virgília. "Você por aqui?"

"Ia passando, vi D. Plácida à janela, e vim cumprimentá-la."

Muito obrigada, acudiu esta. E digam que as velhas não valem alguma coisa... Olhai, gentes! Iaiá parece estar com ciúmes. E acariciando-a muito: "Este anjinho é que nunca se esqueceu da velha Plácida. Coitadinha! é mesmo a cara da mãe... Sente-se, senhor doutor..."

"Não me demoro."

"Você vai para casa?" disse Virgília. "Vamos juntos."

"Vou."

"Dê cá o meu chapéu, D. Plácida."

"Está aqui."

D. Plácida foi buscar um espelho, abriu-o diante dela. Virgília punha o chapéu, atava as fitas, arranjava os cabelos, falando ao marido, que não respondia nada. A nossa boa velha tagarelava demais; era um modo de disfarçar as tremuras do

tremors of the body. Virgilia, dominated the first instant, had taken possession of herself.

"Ready!" she said. "Adieu, Dona Placida; don't forget to show up, do you hear me?"

The other promised and opened the door for them.

Equivalence of the Windows 105

Dona Placida closed the door and fell into a chair. I immediately left the alcove and took two steps to get out on the street, in order to pluck Virgilia from her husband; that's what I said, and I'm glad I said, because Dona Placida held me by the arm. There was a time when I even assumed that I had said that but that she might stop me; but mere reflection is enough to show that, after ten minutes in the bedroom, the most genuine and cordial gesture could be no other than this. And that due to that famous law of the equivalence of the windows, which I had the satisfaction of discovering and formulating, in chapter LI. It was necessary to air out the conscience. The bedroom was a closed window; I opened another, hinting at my departure, and I took a breath.

Dangerous Game 106

I took a breath and sat down. Dona Placida stunned the ambience of the room with exclamations and lamentations. I listened without saying anything; I wondered if it was not better to have closed Virgilia in the alcove and stayed in the living room; but I soon concluded that it would be worse; it would confirm the suspicion, the fire would reach the gunpowder, and a scene of

corpo. Virgília, dominado o primeiro instante, tornara à posse de si mesma.

"Pronta!" disse ela. "Adeus, D. Plácida; não se esqueça de aparecer, ouviu?"

A outra prometeu que sim, e abriu-lhes a porta.

105 Equivalência das Janelas

D. Plácida fechou a porta e caiu numa cadeira. Eu deixei imediatamente a alcova, e dei dois passos para sair à rua, com o fim de arrancar Virgília ao marido; foi o que disse, e em bem que o disse, porque D. Plácida deteve-me por um braço. Tempo houve em que cheguei a supor que não dissera aquilo senão para que ela me detivesse; mas a simples reflexão basta para mostrar que, depois dos dez minutos da alcova, o gesto mais genuíno e cordial não podia ser senão esse. E isto por aquela famosa lei da equivalência das janelas, que eu tive a satisfação de descobrir e formular, no capítulo LI. Era preciso arejar a consciência. A alcova foi uma janela fechada; eu abri outra com o gesto de sair, e respirei.

106 Jogo Perigoso

Respirei e sentei-me. D. Plácida atroava a sala com exclamações e lástimas. Eu ouvia, sem lhe dizer coisa nenhuma; refletia comigo se não era melhor ter fechado Virgília na alcova e ficado na sala; mas adverti logo que seria pior; confirmaria a suspeita, chegaria o fogo à pólvora, e uma cena de sangue... Foi muito melhor assim. Mas depois? que ia acontecer em casa

blood... It was much better that way. But then what? What would happen at Virgilia's house? Would her husband kill her? Would he beat her? Would he lock her up? Would he expel her? These questions slowly ran through my brain, as dark dots and commas run across the visual field of ill or tired eyes. They came and went, with their dry and tragic appearance, and I couldn't grab one of them and say: it's you, you and not the other.

Suddenly I see a black figure; it was Dona Placida, who had gone inside, put on a shawl, and came to offer to go to Lobo Neves' house. I alleged it was risky, because he would suspect such a close visit.

"Rest assured," she interrupted; "I will know how to arrange things. If he is home I will not go in."

She left; I kept ruminating on the success and the possible consequences. In the end, I seemed to be playing a dangerous game, and I wondered if it was time to get up and relax. I felt taken with a longing for marriage, with a desire to channel life. Why not? My heart had yet to explore; I did not feel incapable of a chaste, severe and pure love. Indeed, adventures are the torrential and dizzying part of life, that is, the exception; I was ill of them; I don't even know if I felt any remorse. As soon as I thought about it, I got carried away with the imagination; I soon found myself married, next to a lovely woman, in front of a baby, who was sleeping on the nanny's lap, all of us at the bottom of a dark and green farmstead, peering through the farmstead a sliver of blue sky, extremely blue...

The Note 107

Nothing happened, but he suspects something; he is very serious and does not speak; now he left. He smiled only once, at Nhonhô, after looking at him for a long time, scowling. He didn't treat me badly or well. I don't know what's going to happen; God willing it will pass. A lot of caution, for now, a lot of caution.

de Virgília? matá-la-ia o marido? espancá-la-ia? encerrá-la-ia? expulsá-la-ia? Estas interrogações percorriam lentamente o meu cérebro, como os pontinhos e vírgulas escuras percorrem o campo visual dos olhos enfermos ou cansados. Iam e vinham, com o seu aspecto seco e trágico, e eu não podia agarrar um deles e dizer: és tu, tu e não outro.

De repente vejo um vulto negro; era D. Plácida, que fora dentro, enfiara a mantinha, e vinha oferecer-se-me para ir à casa do Lobo Neves. Ponderei que era arriscado, porque ele desconfiaria da visita tão próxima.

"Sossegue", interrompeu ela; "eu saberei arranjar as coisas. Se ele estiver em casa não entro."

Saiu; eu fiquei a ruminar o sucesso e as consequências possíveis. Ao cabo, parecia-me jogar um jogo perigoso, e perguntava a mim mesmo se não era tempo de levantar e espairecer. Sentia-me tomado de uma saudade do casamento, de um desejo de canalizar a vida. Por que não? Meu coração tinha ainda que explorar; não me sentia incapaz de um amor casto, severo e puro. Em verdade, as aventuras são a parte torrencial e vertiginosa da vida, isto é, a exceção; eu estava enfarado delas; não sei até se me pungia algum remorso. Mal pensei naquilo, deixei-me ir atrás da imaginação; vi-me logo casado, ao pé de uma mulher adorável, diante de um baby, que dormia no regaço da ama, todos nós no fundo de uma chácara sombria e verde, a espiarmos através da chácara uma nesga do céu azul, extremamente azul...

107 Bilhete

Não houve nada, mas ele suspeita alguma coisa; está muito sério e não fala; agora saiu. Sorriu uma vez somente, para Nhonhô, depois de o fitar muito tempo, carrancudo. Não me tratou mal nem bem. Não sei o que vai acontecer; Deus queira que isto passe. Muita cautela, por ora, muita cautela.

It Cannot Be Understood 108

Here is the drama; here is the tip of Shakespeare's tragic ear. This scrap of paper, scribbled in parts, crumpled by the hands, was a document of analysis, which I will not do in this chapter, or in the other, or perhaps in the rest of the book. I could take away the reader's pleasure in noticing for himself the coldness, the perspicacity and the spirit of these few lines traced in a hurry; and behind them the storm of another brain, the concealed rage, the despair that is embarrassed and meditates, because it must be resolved in mud or blood, or in tears?

As for me, if I tell you that I read the note three or four times that day, believe it, because it's true; if I still tell you that I reread it the next day, before and after lunch, you can believe it, it's mere reality. But if I tell you the commotion I had, doubt the assertion a little, and don't accept it without proof. Not then, not even now, did I discern what I experienced. It was fear, and it was not fear; it was pity and it was not pity; it was vanity and it was not vanity; in short, it was love without love, that is, without passion; and all this made a very complex and vague combination, something that you cannot understand, as I did not understand. Let's suppose I said nothing.

The Philosopher 109

It is known that I reread the letter, before and after lunch, it is known that I had lunch, and it remains to be said that this meal was one of the most frugal of my life: an egg, a slice of bread, a cup of tea. I did not forget this minimal circumstance; amidst so many important things obliterated escaped this lunch. The main

108 Que Se Não Entende

Eis aí o drama, eis aí a ponta da orelha trágica de Shakespeare. Esse retalhinho de papel, garatujado em partes, machucado das mãos, era um documento de análise, que eu não farei neste capítulo, nem no outro, nem talvez em todo o resto do livro. Poderia eu tirar ao leitor o gosto de notar por si mesmo a frieza, a perspicácia e o ânimo dessas poucas linhas traçadas à pressa; e por trás delas a tempestade de outro cérebro, a raiva dissimulada, o desespero que se constrange e medita, porque tem de resolver-se na lama ou no sangue, ou nas lágrimas?

Quanto a mim, se vos disser que li o bilhete três ou quatro vezes, naquele dia, acreditai-o, que é verdade; se vos disser mais que o reli no dia seguinte, antes e depois do almoço, podeis crê-lo, é a realidade pura. Mas se vos disser a comoção que tive, duvidai um pouco da asserção, e não a aceiteis sem provas. Nem então, nem ainda agora cheguei a discernir o que experimentei. Era medo, e não era medo; era dó e não era dó; era vaidade e não era vaidade; enfim, era amor sem amor, isto é, sem delírio; e tudo isso dava uma combinação assaz complexa e vaga, uma coisa que não podereis entender, como eu não entendi. Suponhamos que não disse nada.

109 O Filósofo

Sabido que reli a carta, antes e depois do almoço, sabido fica que almocei, e só resta dizer que essa refeição foi das mais parcas da minha vida: um ovo, uma fatia de pão, uma xícara de chá. Não me esqueceu esta circunstância mínima; no meio de tanta coisa importante obliterada escapou esse almoço. A razão

reason could be precisely my disaster; but it was not; the main reason was the reflection made by Quincas Borba, whose visit I received that day. He told me that frugality was not necessary to understand Humanitism, much less to practice it; that this philosophy easily accommodated itself with the pleasures of life, including the food, the spectacle and the loves; and that, on the contrary, frugality could indicate a certain tendency towards asceticism, which was the ultimate expression of human folly.

"Look at Saint John," he continued; "he fed on locusts, in the desert, instead of getting fat in the city, and making pharisaism slim inside the synagogue."

God forbid telling the story of Quincas Borba, which I actually heard entirely on that sad occasion, a long, complicated, but interesting story. And if I don't tell the story, I will not likewise to describe the figure, which is very different from the figure that appeared to me on the Public Promenade. I keep silent; I only say that if the main characteristic of man is not his features, but his clothes, he was not Quincas Borba; he was a judge without a gown, a general without a uniform, a businessman without a deficit. I noticed the perfection of his frock coat, the whiteness of his shirt, the cleanliness of his boots. The same voice, once a nasal voice, seemed to be restored to its original sonority. As for gesticulation, without having lost the liveliness of another time, it no longer had the disorder; it was subject to a certain method. But I don't want to describe him. If I told, for example, about the gold button he had on his chest, and about the quality of the leather of his boots, I would start a description, which I omit for brevity. Be content to know that the boots were made of varnish. Also know that he had inherited a few pairs of contos de reis from an old uncle who lived in Barbacena.

My spirit, (allow me a child comparison here!) my spirit at that occasion was a kind of shuttlecock. Quincas Borba's narration gave it a slap, it rose; when it was going to fall, Virgilia's note gave it another slap, and it was thrown again into the air, it went down, and the episode of the Promenade received it with another slap, equally hard and effective. I don't think I was born for complex situations. This pulling and pushing of opposite things threw me off balance; I wanted to wrap Quincas Borba and Lobo Neves and Virgilia's note in the same philosophy, and send them as a gift to Aristotle. However, our philosopher's narrative

principal poderia ser justamente o meu desastre; mas não foi; a principal razão foi a reflexão que me fez o Quincas Borba, cuja visita recebi naquele dia. Disse-me ele que a frugalidade não era necessária para entender o Humanitismo, e menos ainda praticá--lo; que esta filosofia acomodava-se facilmente com os prazeres da vida, inclusive a mesa, o espetáculo e os amores; e que, ao contrário, a frugalidade podia indicar certa tendência para o ascetismo, o que era a expressão acabada de tolice humana.

"Veja São João", continuou ele; "mantinha-se de gafanhotos, no deserto, em vez de engordar tranquilamente na cidade, e fazer emagrecer o farisaísmo na sinagoga."

Deus me livre de contar a história do Quincas Borba, que aliás ouvi toda naquela triste ocasião, uma história longa, complicada, mas interessante. E se não conto a história, dispenso-me outrossim de descrever-lhe a figura, aliás muito diversa da que me apareceu no Passeio Público. Calo-me; digo somente que se a principal característica do homem não são as feições, mas os vestuários, ele não era o Quincas Borba; era um desembargador sem beca, um general sem farda, um negociante sem déficit. Notei-lhe a perfeição da sobrecasaca, a alvura da camisa, o asseio das botas. A mesma voz, roufenha outrora, parecia restituída à primitiva sonoridade. Quanto à gesticulação, sem que houvesse perdido a viveza de outro tempo, não tinha já a desordem, sujeitava-se a um certo método. Mas eu não quero descrevê-lo. Se falasse, por exemplo, no botão de ouro que trazia ao peito, e na qualidade do couro das botas, iniciaria uma descrição, que omito por brevidade. Contentem-se de saber que as botas eram de verniz. Saibam mais que ele herdara alguns pares de contos de réis de um velho tio de Barbacena.

Meu espírito, (permitam-me aqui uma comparação de criança!) meu espírito era naquela ocasião uma espécie de peteca. A narração do Quincas Borba dava-lhe uma palmada, ele subia; quando ia a cair, o bilhete de Virgília dava-lhe outra palmada, e ele era de novo arremessado aos ares, descia, e o episódio do Passeio Público recebia-o com outra palmada, igualmente rija e eficaz. Cuido que não nasci para situações complexas. Esse puxar e empuxar de coisas opostas desequilibrava-me; tinha vontade de embrulhar o Quincas Borba e Lobo Neves e o bilhete de Virgília na mesma filosofia, e mandá-los de presente a Aristóteles. Contudo, era instrutiva a narração do nosso filósofo;

was instructive; I specially admired the observational talent with which he described gestation and the growth of addiction, inner struggles, slow capitulations, and the use of mud.

"Look," he observed; "the first night I spent on the stairs of São Francisco Church, I slept all night, as if it were the finest feather. Why? Because I gradually went from the mat bed to the wooden bed, from my own room to the civil guard headquarters, from the civil guard headquarters to the street..."

He finally wanted to expose me the philosophy; I asked him not to. "I am very worried today and I could not meet you; come later; I'm always at home."

Quincas Borba smiled in a malicious way; perhaps he knew about my adventure, but he didn't add anything. He only said these last words to me at the door:

"Come to Humanitism; it is the great lap of the spirits, the eternal sea in which I plunged to extract the truth from there. The Greeks made it come out of a well. What a petty conception! A well! But that's why they never realized it. Greeks, sub-Greeks, anti-Greeks, the entire long series of men have been leaning over the well, to see the truth come out, which is not there. They wore out ropes and buckets; a few men more daring went to the bottom and brought a frog. I went directly to the sea. Come to Humanitism."

A week later, Lobo Neves was appointed president of province. I held on to the hope of refusal, if the decree came again dated 13th; however, it brought the date of 31st, and this mere inversion of digits eliminated the diabolic substance from them. How deep are the springs of life!

admirava-lhe sobretudo o talento de observação com que descrevia a gestação e o crescimento do vício, as lutas interiores, as capitulações vagarosas, o uso da lama.

"Olhe", observou ele;" a primeira noite que passei, na escada de São Francisco, dormi-a inteira, como se fosse a mais fina pluma. Por quê? Porque fui gradualmente da cama de esteira ao catre de pau do quarto próprio ao corpo da guarda do corpo da guarda à rua..."

Quis expor-me finalmente a filosofia; pedi-lhe que não. "Estou muito preocupado hoje e não poderia atendê-lo; venha depois; estou sempre em casa."

Quincas Borba sorriu de um modo malicioso; talvez soubesse da minha aventura, mas não acrescentou nada. Só me disse estas últimas palavras à porta:

"Venha para o Humanitismo; ele é o grande regaço dos espíritos, o mar eterno em que mergulhei para arrancar de lá a verdade. Os gregos faziam-na sair de um poço. Que concepção mesquinha! Um poço! Mas é por isso mesmo que nunca atinaram com ela. Gregos, subgregos, antigregos, toda a longa série dos homens tem-se debruçado sobre o poço, para ver sair a verdade, que não está lá. Gastaram cordas e caçambas; alguns mais afoitos desceram ao fundo e trouxeram um sapo. Eu fui diretamente ao mar. Venha para o Humanitismo."

Uma semana depois, Lobo Neves foi nomeado presidente de província. Agarrei-me à esperança da recusa, se o decreto viesse outra vez datado de 13; trouxe, porém, a data de 31, e esta simples transposição de algarismos eliminou deles a substância diabólica. Que profundas que são as molas da vida!

The Wall III

Since it is not my custom to dissimulate or hide anything, I will tell the case of the wall on this page. They were about to embark. Entering Dona Placida's house, I saw a folded piece of paper on the table; it was a note from Virgilia; she said she was waiting for me at night, at the farmstead, without fail. And she concluded: "The wall is low on the side of the alley."

I made a gesture of displeasure. The letter seemed to me extraordinarily audacious, poorly thought out and even ridiculous. It wasn't just inviting the scandal, it was inviting it in partnership with mockery. I imagined myself jumping over the wall, albeit low and on the side of the alley; and, when I was about to transpose it, I saw myself caught by a policeman, who was taking me to the civil guard headquarters. The wall is low! And so what if it was low? Of course, Virgilia didn't know what she did; it was possible she was already sorry. I looked at the paper, a crumpled but unyielding piece of paper. I felt like tearing it, in thirty thousand pieces, and throw it in the wind, like the last spoil of my adventure; but I went back in time; self-love, the shame of escape, the idea of fear... There was no choice but to go.

"Tell her I will go."

"Where?" asked Dona Placida.

"Where she said she's waiting for me."

"She didn't say anything to me."

"In this note."

Dona Placida's eyes widened: "But that paper, I found it this morning, in this drawer, and I thought that..."

I had a weird feeling. I reread the note, looked at it, re-looked at it; it was, in fact, an old note from Virgilia, received at the beginning of our loves, a certain encounter at the farmstead, which effectively led me to jump over the wall, a low and discreet wall. I kept the paper and... I had a weird feeling.

III
O Muro

Não sendo meu costume dissimular ou esconder nada, contarei nesta página o caso do muro. Eles estavam prestes a embarcar. Entrando em casa de D. Plácida, vi um papelinho dobrado sobre a mesa; era um bilhete de Virgília; dizia que me esperava à noite, na chácara, sem falta. E concluía: "O muro é baixo do lado do beco".

Fiz um gesto de desagrado. A carta pareceu-me descomunalmente audaciosa, mal pensada e até ridícula. Não era só convidar o escândalo, era convidá-lo de parceria com a risota. Imaginei-me a saltar o muro, embora baixo e do lado do beco; e, quando ia a galgá-lo, via-me agarrado por um pedestre de polícia, que me levava ao corpo da guarda. O muro é baixo! E que tinha que fosse baixo? Naturalmente Virgília não soube o que fez; era possível que já estivesse arrependida. Olhei para o papel, um pedaço de papel amarrotado, mas inflexível. Tive comichões de o rasgar, em trinta mil pedaços, e atirá-los ao vento, como o último despojo da minha aventura; mas recuei a tempo; o amor-próprio, o vexame da fuga, a ideia do medo... Não havia remédio senão ir.

"Diga-lhe que vou."

"Aonde?" perguntou D. Plácida.

"Onde ela disse que me espera."

"Não me disse nada."

"Neste papel."

D. Plácida arregalou os olhos: "Mas esse papel, achei-o hoje de manhã, nesta sua gaveta, e pensei que..."

Tive uma sensação esquisita. Reli o papel, mirei-o, remirei-o; era, em verdade, um antigo bilhete de Virgília, recebido no começo dos nossos amores, uma certa entrevista na chácara, que me levou efetivamente a saltar o muro, um muro baixo e discreto. Guardei o papel e... Tive uma sensação esquisita.

The Opinion 112

It was written that this day should be the day of dubious events. A few hours later, I met Lobo Neves, at Ouvidor Street, we talked about the presidency and politics. He took advantage of the first acquaintance that passed us by, and left me, after many greetings. I remember that he was shy, but a shyness he struggled to hide. It seemed to me then (and I apologize to the critique, if this judgment of mine is reckless!), it seemed to me that he was afraid – he was not afraid of me, nor of him, nor of the moral code, nor of conscience; he was afraid of opinion. I assumed that this anonymous and invisible court, in which each member accuses and judges, was the limit imposed on Lobo Neves' will. Perhaps he no longer loved his wife; and so it may be that the heart was alien to the indulgence of his last acts. I imagine (and again I urge for the good will of the critique!) I imagine that he would be ready to part with his wife, just as the reader would part with many personal relationships; but the opinion, that opinion that would drag his life through all the streets, that would open a detailed investigation about the case, that would collect, one by one, all the circumstances, antecedents, inductions, evidence, that would report them in the conversations of the idle farmsteads, that terrible opinion, so curious about the sleeping rooms, prevented the family from dispersing. At the same time, it made retaliation impossible, which would be disclosure. He could not show resentment towards me, without also seeking marital separation; he then had to simulate the same ignorance as before, and, by deduction, the same feelings.

I believe it was very hard for him; in those days, mostly, I saw him so that it must have been very hard for him. But time (and it is another point where I expect the indulgence of thinking men!), time hardens sensitivity, and obliterates the memory of things; it was to be supposed that the years would cut off the tip of the thorns, that the distance from the facts would erase the respective contours, that a shadow of retrospective doubt would cover the nakedness of reality; anyway, that the opinion was con-

A Opinião

Mas estava escrito que esse dia devia ser o dos lances dúbios. Poucas horas depois, encontrei Lobo Neves, na Rua do Ouvidor, falamos da presidência e da política. Ele aproveitou o primeiro conhecido que nos passou à ilharga, e deixou-me, depois de muitos cumprimentos. Lembra-me que estava retraído, mas de um retraimento que forcejava por dissimular. Pareceu-me então (e peço perdão à crítica, se este meu juízo for temerário!), pareceu-me que ele tinha medo – não medo de mim, nem de si, nem do código, nem da consciência; tinha medo da opinião. Supus que esse tribunal anônimo e invisível, em que cada membro acusa e julga, era o limite posto à vontade do Lobo Neves. Talvez já não amasse a mulher; e, assim, pode ser que o coração fosse estranho à indulgência dos seus últimos atos. Cuido (e de novo insto pela boa vontade da crítica!) cuido que ele estaria pronto a separar-se da mulher, como o leitor se terá separado de muitas relações pessoais; mas a opinião, essa opinião que lhe arrastaria a vida por todas as ruas, que abriria minucioso inquérito acerca do caso, que coligiria uma a uma todas as circunstâncias, antecedências, induções, provas, que as relataria na palestra das chácaras desocupadas, essa terrível opinião, tão curiosa das alcovas, obstou à dispersão da família. Ao mesmo tempo tornou impossível o desforço, que seria a divulgação. Ele não podia mostrar-se ressentido comigo, sem igualmente buscar a separação conjugal; teve então de simular a mesma ignorância de outrora, e, por dedução, iguais sentimentos.

Que lhe custasse creio; naqueles dias, principalmente, vi-o de modo que devia custar-lhe muito. Mas o tempo (e é outro ponto em que eu espero a indulgência dos homens pensadores!), o tempo caleja a sensibilidade, e oblitera a memória das coisas; era de supor que os anos lhe despontassem os espinhos, que a distância dos fatos apagasse os respectivos contornos, que uma sombra de dúvida retrospectiva cobrisse a nudez da realidade; enfim, que a opinião se ocupasse um pouco com outras aventuras.

cerned a little with other adventures. The son, growing up, would seek to satisfy his father's ambitions; he would be the heir of all his affections. That, and external activity, and public prestige, and then old age, disease, decline, death, a liturgy, a biographical news, and the book of life was closed, without any page of blood.

The Weld

The conclusion, if there is a conclusion in the previous chapter, is that opinion is a good weld for domestic institutions. It is not impossible for me to develop this thought before I finish the book; but it is not impossible for me to leave it as it is. One way or another, opinion is a good weld, and both in domestic order and in politics. Some irascible metaphysicians have gone to the extreme of considering it as a simple product of the foolish or mediocre people; but it is evident that, even if such an extreme concept did not bring the answer in itself, it was enough to consider the salutary effects of opinion, to conclude that it is the superfine work of the elite of men, namely, the greatest number.

End of a Dialogue

"Yes, it's tomorrow. Will you come to our boarding?"

"Are you crazy? It's impossible."

"So, goodbye!"

"Goodbye!"

O filho, crescendo, buscaria satisfazer as ambições do pai; seria o herdeiro de todos os seus afetos. Isso, e a atividade externa, e o prestígio público, e a velhice depois, a doença, o declínio, a morte, um responso, uma notícia biográfica, e estava fechado o livro da vida, sem nenhuma página de sangue.

113 A Solda

A conclusão, se há alguma no capítulo anterior, é que a opinião é uma boa solda das instituições domésticas. Não é impossível que eu desenvolva este pensamento, antes de acabar o livro; mas também não é impossível que o deixe como está. De um ou de outro modo, é uma boa solda a opinião, e tanto na ordem doméstica, como na política. Alguns metafísicos biliosos têm chegado ao extremo de a darem como simples produto da gente chocha ou medíocre; mas é evidente que, ainda quando um conceito tão extremado não trouxesse em si mesmo a resposta, bastava considerar os efeitos salutares da opinião, para concluir que ela é a obra superfina da flor dos homens, a saber, do maior número.

114 Fim de um Diálogo

"Sim, é amanhã. Você vai a bordo?"
"Está doida? É impossível."
"Então, adeus!"
"Adeus!"

"Don't forget Dona Placida. See her sometimes. Poor thing! She went to say goodbye to us yesterday; she cried a lot, she said I would never see her again... she's a good creature, isn't she?"

"Certainly."

"If we have to write, she will receive the letters. Now, see you in..."

"Perhaps two years?"

"Nay! He says it's only until the elections are done."

"Yes? See you soon, then. Careful, they're looking at us."

"Who?"

"Over there, on the couch. Let's move away."

"It's very hard to me."

"But it's necessary; goodbye, Virgilia!"

"See you soon. Goodbye!"

115 The Lunch

I didn't see her leave; but at the appointed time I felt something that was neither pain nor pleasure, a mixed feeling, relief and longing, all mixed, in equal doses. Don't get upset, reader, with this confession. I well know that, to caress the nerves of your fantasy, I should suffer great despair, shed some tears, and not have lunch. It would be romantic; but it would not be biographical. The pure reality is that I had lunch, as in other days, satisfying my heart with the memories of my adventure, and my stomach with the delicacies of M. Prudhon...

... Old men of my time, do you remember that master cook from the Hotel Pharoux, a fellow who, according to the owner of the house, had served in the famous restaurants Véry[96] and

---

96 Famous Parisian café, located in the Jardin des Tuileries.

"Não se esqueça de D. Plácida. Vá vê-la algumas vezes. Coitada! Foi ontem despedir-se de nós; chorou muito, disse que eu não a veria mais... É uma boa criatura, não é?"

"Certamente."

"Se tivermos de escrever, ela receberá as cartas. Agora até daqui a..."

"Talvez dois anos?"

"Qual! ele diz que é só até fazer as eleições."

"Sim? então até breve. Olhe que estão olhando para nós."

"Quem?"

"Ali no sofá. Separemo-nos."

"Custa-me muito."

"Mas é preciso; adeus, Virgília!"

"Até breve. Adeus!"

115 O Almoço

Não a vi partir; mas à hora marcada senti alguma coisa que não era dor nem prazer, uma coisa mista, alívio e saudade, tudo misturado, em iguais doses. Não se irrite o leitor com esta confissão. Eu bem sei que, para titilar-lhe os nervos da fantasia, devia padecer um grande desespero, derramar algumas lágrimas, e não almoçar. Seria romanesco; mas não seria biográfico. A realidade pura é que eu almocei, como nos demais dias, acudindo ao coração com as lembranças da minha aventura, e ao estômago com os acepipes de M. Prudhon...

... Velhos do meu tempo, acaso vos lembrais desse mestre cozinheiro do Hotel Pharoux, um sujeito que, segundo dizia o dono da casa, havia servido nos famosos Véry[96] e Véfour, de

---

96   Famoso café parisiense, localizado no Jardim das Tulherias.

Véfour[97], in Paris, and also in the palaces of the Count Molé[98] and the Duke of La Rochefoucauld[99]? He was remarkable and entered Rio de Janeiro with the polka... The polka, M. Prudhon, the Tivoli, the foreigners' ball, the Casino... some of the best memories of that time; but, above all, the master's delicacies were delicious.

They were, and that morning it seems that the man had guessed our catastrophe. Never has skill and art been so favourable to him. What a refinement of spices! What a tenderness of meats! What elaborated forms! We ate with our mouth, with our eyes, with our nose. I didn't keep the bill that day; I know it was expensive. Oh, God! I needed to bury my loves magnificently. There they went, out to sea, in space and time, and I stood there at the end of a table, in my late forties, so idle and so empty; I stood there never to see them again, because she could come back and she did, but the morning fragrance, who asked for it at the afternoon twilight?

Philosophy of Old Leaves 116

I was so sad at the end of the last chapter that I was able not to write this one, to rest for a while, to purge the spirit of the melancholy that obstructs it, and to continue later. But no, I don't want to waste time.

Virgilia's departure gave me a glimpse of widowhood. In the first few days I stayed at home, catching flies, like Domitian, if Suetonius does not lie, but catching them in a particular way: with my eyes. I caught them one by one, at the back of a large room, stretched out in the hammock, with an open book in my hands. It was everything: longing, ambitions, a little boredom,

---

97 Sumptuous restaurant, frequented by the Parisian elite, founded in 1820 and located at the Palais Royal.

98 LOUIS MATHIEU, CONDE MOLÉ (1781/1855), French politician and French prime minister twice, in the 1830s and 1840s.

99 The title of DUKE DE LA ROCHEFOUCAULD was a French peerage belonging to one of the most famous families of the French nobility.

Paris[97], e mais nos palácios do Conde Molé[98] e do Duque de la Rochefoucauld[99]? Era insigne. Entrou no Rio de Janeiro com a polca... A polca, M. Prudhon, o Tivoli, o baile dos estrangeiros, o Cassino, eis algumas das melhores recordações daquele tempo; mas sobretudo os acepipes do mestre eram deliciosos.

Eram, e naquela manhã parece que o diabo do homem adivinhara a nossa catástrofe. Jamais o engenho e a arte lhe foram tão propícios. Que requinte de temperos! que tenrura de carnes! que rebuscado de formas! Comia-se com a boca, com os olhos, com o nariz. Não guardei a conta desse dia; sei que foi cara. Ai dor! era-me preciso enterrar magnificamente os meus amores. Eles lá iam, mar em fora, no espaço e no tempo, e eu ficava-me ali numa ponta de mesa, com os meus quarenta e tantos anos, tão vadios e tão vazios; ficava-me para os não ver nunca mais, porque ela poderia tornar e tornou, mas o eflúvio da manhã quem é que o pediu ao crepúsculo da tarde?

116 Filosofia das Folhas Velhas

Fiquei tão triste com o fim do último capítulo que estava capaz de não escrever este, descansar um pouco, purgar o espírito da melancolia que o empacha, e continuar depois. Mas não, não quero perder tempo.

A partida de Virgília deu-me uma amostra da viuvez. Nos primeiros dias meti-me em casa, a fisgar moscas, como Domiciano, se não mente o Suetônio, mas a fisgá-las de um modo particular: com os olhos. Fisgava-as uma a uma, no fundo de uma sala grande, estirado na rede, com um livro aberto entre as mãos. Era tudo: saudades, ambições, um pouco de tédio, e

---

97   Restaurante suntuoso, frequentado pela elite parisiense, fundado em 1820 e localizado no Palais Royal.

98   LOUIS MATHIEU, CONDE MOLÉ (1781/1855), político e primeiro-ministro francês por duas vezes, nas décadas de 1830 e 1840.

99   O título de DUQUE DE LA ROCHEFOUCAULD era um pariato francês pertencente a uma das famílias mais famosas da nobreza francesa.

and a lot of loose reverie. My canon uncle died in the meantime; the same way, two cousins. I was not jolted: I took them to the cemetery, like someone who takes money to a bank. What do I say? Like someone who takes letters to the post office: I sealed the letters, put them in the box, and left it to the postman to hand them over. It was also around this time that my niece Venância, Cotrim's daughter, was born. Some died, others were born: I continued drawing flies.

Other times I was agitated. I went to the drawers, poured old letters, from friends, relatives, girlfriends, (even Marcela's), and opened them all, read them one by one, and recomposed the past... Ignorant reader, if you don't keep the letters from your youth, you will not know someday the philosophy of old leaves, you will not have the pleasure of seeing yourself, in the distance, in the darkness, with a cocked hat, seven-league boots and long Assyrian beards, dancing to the sound of an Anacreontic harmonica. Keep your youth letters!

Or, if you don't like the cocked hat, I'll use the phrase of an old sailor, who used to frequent Cotrim's house; I will say that if you keep the letters from youth, you will find an opportunity to "sing a longing." It seems that our sailors give this name to the songs of the land, sung in the high seas. As a poetic expression, it is the saddest thing we can demand.

The Humanitism

Two forces, however, besides a third one, compelled me to return to the usual busy life: Sabina and Quincas Borba. My sister led Nhã-loló's marital candidacy in a truly impetuous way. When I realized I had the girl almost in my arms. As for Quincas Borba, he finally exposed Humanitism to me, a system of philosophy destined to ruin all other systems.

"Humanitas," he said, "the principle of things, is no other than the same man shared by all men. Count three Humanitas phases: the static one, before all creation; the expansive, begin-

muito devaneio solto. Meu tio cônego morreu nesse intervalo; item, dois primos. Não me dei por abalado: levei-os ao cemitério, como quem leva dinheiro a um banco. Que digo? como quem leva cartas ao correio: selei as cartas, meti-as na caixinha, e deixei ao carteiro o cuidado de as entregar em mão própria. Foi também por esse tempo que nasceu minha sobrinha Venância, filha do Cotrim. Morriam uns, nasciam outros: eu continuava às moscas.

Outras vezes agitava-me. Ia às gavetas, entornava as cartas antigas, dos amigos, dos parentes, das namoradas, (até as de Marcela), e abria-as todas, lia-as uma a uma, e recompunha o pretérito... Leitor ignaro, se não guardas as cartas da juventude, não conhecerás um dia a filosofia das folhas velhas, não gostarás o prazer de ver-te, ao longe, na penumbra, com um chapéu de três bicos, botas de sete léguas e longas barbas assírias, a bailar ao som de uma gaita anacreôntica. Guarda as tuas cartas da juventude!

Ou, se te não apraz o chapéu de três bicos, empregarei a locução de um velho marujo, familiar da casa de Cotrim; direi que, se guardares as cartas da juventude, acharás ocasião de "cantar uma saudade." Parece que os nossos marujos dão este nome às cantigas de terra, entoadas no alto mar. Como expressão poética, é o que se pode exigir mais triste.

117 O Humanitismo

Duas forças, porém, além de uma terceira, compeliam-me a tornar à vida agitada do costume: Sabina e Quincas Borba. Minha irmã encaminhou a candidatura conjugal de Nhã-loló de um modo verdadeiramente impetuoso. Quando dei por mim estava com a moça quase nos braços. Quanto ao Quincas Borba, expôs-me enfim o Humanitismo, sistema de filosofia destinado a arruinar todos os demais sistemas.

"Humanitas", dizia ele, "o princípio das coisas, não é outro senão o mesmo homem repartido por todos os homens. Conta

ning of things; the dispersive, emergence of man; and you will count one more, the contractive, absorption of man and things. The expansion, starting the universe, suggested to Humanitas the desire to enjoy it, and hence the dispersion, which is nothing more than the personified multiplication of the original substance."

As this explanation did not appear quite clear to me, Quincas Borba developed it in a profound way, highlighting the main lines of the system. He explained to me that, on the one hand, Humanitism was linked to Brahmanism, namely, in the distribution of men among the different parts of Humanitas' body; but what in Indian religion had only a limited theological and political significance, it was in Humanitism the great law of personal value. Thus, descending from Humanitas' chest or kidneys, that is, be strong, it was not the same as descending from the hair or the tip of the nose. Hence the need to cultivate and strengthen the muscle. Hercules was but an anticipated symbol of Humanitism. At this point Quincas Borba considered that paganism could have come to the truth, had it not became petty with the gallant part of its myths. None of this will happen with Humanitism. In this new church there are no easy adventures, no falls, no sadness, and no childish joy. Love, for example, is sacred, reproduction is a ritual. As life is the greatest blessing of the universe, and there is no beggar who does not prefer poverty to death (which is a delightful influx of Humanitas), it follows that the transmission of life, far from being an occasion for courtship, is the supreme hour of spiritual mass. That is why there is truly only one disgrace: not being born.

"Imagine, for example, that I hadn't been born not born," continued Quincas Borba; "it is certain that I would not have now the pleasure of talking to you, eating this potato, going to the theatre, and to say everything in one word: live. Note that I do not make man a mere vehicle for Humanitas; no, he is, at the same time, a vehicle, a coachman and a passenger; he is the very Humanitas reduced; hence the need to worship oneself. Do you want proof of the superiority of my system? Contemplate envy. There is no Greek or Turkish moralist, Christian or Muslim, who does not shout against the feeling of envy. The agreement is universal, from the fields of Idumeia to the top of Tijuca. Well; give up the old prejudices, forget the worn rhetoric, and study envy, that feeling so subtle and so noble. Each man being

três fases Humanitas: a estática, anterior a toda a criação; a expansiva, começo das coisas; a dispersiva, aparecimento do homem; e contará mais uma, a contrativa, absorção do homem e das coisas. A expansão, iniciando o universo, sugeriu a Humanitas o desejo de o gozar, e daí a dispersão, que não é mais do que a multiplicação personificada da substância original."

Como me não aparecesse assaz clara esta exposição, Quincas Borba desenvolveu-a de um modo profundo, fazendo notar as grandes linhas do sistema. Explicou-me que, por um lado, o Humanitismo ligava-se ao Bramanismo, a saber, na distribuição dos homens pelas diferentes partes do corpo de Humanitas; mas aquilo que na religião indiana tinha apenas uma estreita significação teológica e política, era no Humanitismo a grande lei do valor pessoal. Assim, descender do peito ou dos rins de Humanitas, isto é, ser um forte, não era o mesmo que descender dos cabelos ou da ponta do nariz. Daí a necessidade de cultivar e temperar o músculo. Hércules não foi senão um símbolo antecipado do Humanitismo. Neste ponto Quincas Borba ponderou que o paganismo poderia ter chegado à verdade, se se não houvesse amesquinhado com a parte galante dos seus mitos. Nada disso acontecerá com o Humanitismo. Nesta igreja nova não há aventuras fáceis, nem quedas, nem tristezas, nem alegrias pueris. O amor, por exemplo, é um sacerdócio, a reprodução um ritual. Como a vida é o maior benefício do universo, e não há mendigo que não prefira a miséria à morte (o que é um delicioso influxo de Humanitas), segue-se que a transmissão da vida, longe de ser uma ocasião de galanteio, é a hora suprema da missa espiritual. Porquanto, verdadeiramente há só uma desgraça: é não nascer.

"Imagina, por exemplo, que eu não tinha nascido", continuou o Quincas Borba; "é positivo que não teria agora o prazer de conversar contigo, comer esta batata, ir ao teatro, e para tudo dizer numa só palavra: viver. Nota que eu não faço do homem um simples veículo de Humanitas; não, ele é ao mesmo tempo veículo, cocheiro e passageiro; ele é o próprio Humanitas reduzido; daí a necessidade de adorar-se a si próprio. Queres uma prova da superioridade do meu sistema? Contempla a inveja. Não há moralista grego ou turco, cristão ou muçulmano, que não troveje contra o sentimento da inveja. O acordo é universal, desde os campos da Idumeia até o alto da Tijuca. Ora bem; abre mão dos velhos preconceitos, esquece as retóricas rafadas, e estuda a inveja, esse sentimento tão sutil

a reduction of Humanitas, of course no man is fundamentally opposed to another man, whatever the opposite appearances. Thus, for example, the executioner who executes the condemned can excite the useless cry of the poets; but substantially it is Humanitas that corrects in Humanitas an infraction of the law of Humanitas. I will say the same thing about the individual who disembowels another; it is a manifestation of the force of Humanitas. Nothing prevents him (and there are examples) from being equally disembowelled. If you understand it correctly, you will easily understand that envy is nothing but an admiration that fights, and since fighting is the main function of the human race, all bellicose feelings are the most suitable for its happiness. Hence, envy is a virtue."

Why deny it? I was amazed. The clarity of the presentation, the logic of the principles, the rigor of the consequences, all of these seemed to be superior and great, and I had to suspend the conversation for a few minutes, while assimilating the new philosophy. Quincas Borba could barely conceal the satisfaction of the triumph. He had a chicken wing on his plate, and he ate it with philosophical serenity. I still made some objections, but so weak that it didn't take him long to destroy them.

"To understand my system correctly," he concluded, "it is important never to forget the universal principle, shared and summarized in each man. Look: war, which looks like a calamity, it's a convenient operation, as if we said the snap of Humanitas' fingers; hunger (and he sucked on the chicken wing philosophically), hunger is a test to which Humanitas submits its own viscera. And I don't want another document about the sublimity of my system but this same chicken. It was nourished with corn, which was planted by an African man, let's suppose, imported from Angola. This African was born, grew up, was sold as a slave; a ship brought him, a ship built of wood cut in the woods by ten or twelve men, a ship carried by sails, which eight or ten men wove, not counting the cordage and other parts of the nautical apparatus. So, this chicken, which I just ate, is the result of a multitude of efforts and struggles, executed for the sole purpose of putting an end to my appetite."

Between the cheese and the coffee, Quincas Borba showed me that his system was the destruction of pain. Pain, according to Humanitism, is a mere illusion. When the child is threatened by a stick, even before he has been beaten, he closes his eyes

e tão nobre. Sendo cada homem uma redução de Humanitas, é claro que nenhum homem é fundamentalmente oposto a outro homem, quaisquer que sejam as aparências contrárias. Assim, por exemplo, o algoz que executa o condenado pode excitar o vão clamor dos poetas; mas substancialmente é Humanitas que corrige em Humanitas uma infração da lei de Humanitas. O mesmo direi do indivíduo que estripa a outro; é uma manifestação da força de Humanitas. Nada obsta (e há exemplos) que ele seja igualmente estripado. Se entendeste bem, facilmente compreenderás que a inveja não é senão uma admiração que luta, e sendo a luta a grande função do gênero humano, todos os sentimentos belicosos são os mais adequados à sua felicidade. Daí vem que a inveja é uma virtude."

Para que negá-lo? eu estava estupefato. A clareza da exposição, a lógica dos princípios, o rigor das consequências, tudo isso parecia superiormente grande, e foi-me preciso suspender a conversa por alguns minutos, enquanto digeria a filosofia nova. Quincas Borba mal podia encobrir a satisfação do triunfo. Tinha uma asa de frango no prato, e trincava-a com filosófica serenidade. Eu fiz-lhe ainda algumas objeções, mas tão frouxas, que ele não gastou muito tempo em destruí-las.

"Para entender bem o meu sistema", concluiu ele, "importa não esquecer nunca o princípio universal, repartido e resumido em cada homem. Olha: a guerra, que parece uma calamidade, é uma operação conveniente, como se disséssemos o estalar dos dedos de Humanitas; a fome (e ele chupava filosoficamente a asa do frango), a fome é uma prova a que Humanitas submete a própria víscera. Mas eu não quero outro documento da sublimidade do meu sistema, senão este mesmo frango. Nutriu-se de milho, que foi plantado por um africano, suponhamos, importado de Angola. Nasceu esse africano, cresceu, foi vendido; um navio o trouxe, um navio construído de madeira cortada no mato por dez ou doze homens, levado por velas, que oito ou dez homens teceram, sem contar a cordoalha e outras partes do aparelho náutico. Assim, este frango, que eu almocei agora mesmo, é o resultado de uma multidão de esforços e lutas, executados com o único fim de dar mate ao meu apetite."

Entre o queijo e o café, demonstrou-me Quincas Borba que o seu sistema era a destruição da dor. A dor, segundo o Humanitismo, é uma pura ilusão. Quando a criança é ameaçada por um pau, antes mesmo de ter sido espancada, fecha os olhos

and trembles; this predisposition is the basis of human illusion, inherited and transmitted. It is certainly not enough to adopt the system to end the pain immediately, but it is indispensable; the rest is the natural evolution of things. Once man realizes that he is the very Humanitas, he only needs to trace the thought back to the original substance to prevent any painful sensation. The evolution, however, is so profound that it can hardly be demarcated for a few thousand years.

Quincas Borba read me a few days later his great work. They were four manuscript volumes, one hundred pages each, in small print and Latin quotes. The last volume consisted of a political treatise, founded on Humanitism; it was perhaps the most boring part of the system, since it was conceived with formidable rigor of logic. If society was reorganized by his method, not even so the war, insurrection, mere punching, anonymous stabbing, poverty, hunger, disease were eliminated; but as these supposed scourges are true mistakes of understanding, because they would be nothing more than external movements of the inner substance, intended to influence man only as a mere break from universal monotony, it was clear that their existence would not prevent human happiness. But even if such scourges (and that was radically false) corresponded in the future to the narrow conception of ancient times, the system was not, therefore, destroyed, and for two reasons: 1.° because as Humanitas was the creating and absolute substance, each individual should consider the world's greatest delight to sacrifice himself to the principle from which he descends; 2.° because, even so, it would not diminish the spiritual power of the man on the Earth, which was invented solely for his recreation, like the stars, the breezes, the dates and the rhubarb. Pangloss, he told me when he closed the book, was not as foolish as Voltaire described him.

The Third Force

The third force that called me to the hustle was the taste for shining, and, above all, the inability to live alone. The crowd

e treme; essa predisposição, é que constitui a base da ilusão humana, herdada e transmitida. Não basta certamente a adoção do sistema para acabar logo com a dor, mas é indispensável; o resto é a natural evolução das coisas. Uma vez que o homem se compenetre bem de que ele é o próprio Humanitas, não tem mais do que remontar o pensamento à substância original para obstar qualquer sensação dolorosa. A evolução, porém, é tão profunda, que mal se lhe podem assinar alguns milhares de anos.

Quincas Borba leu-me daí a dias a sua grande obra. Eram quatro volumes manuscritos, de cem páginas cada um, com letra miúda e citações latinas. O último volume compunha-se de um tratado político, fundado no Humanitismo; era talvez a parte mais enfadonha do sistema, posto que concebida com um formidável rigor de lógica. Reorganizada a sociedade pelo método dele, nem por isso ficavam eliminadas a guerra, a insurreição, o simples murro, a facada anônima, a miséria, a fome, as doenças; mas sendo esses supostos flagelos verdadeiros equívocos do entendimento, porque não passariam de movimentos externos da substância interior, destinados a não influir sobre o homem, senão como simples quebra da monotonia universal, claro estava que a sua existência não impediria a felicidade humana. Mas ainda quando tais flagelos (o que era radicalmente falso) correspondessem no futuro à concepção acanhada de antigos tempos, nem por isso ficava destruído o sistema, e por dois motivos: 1.º porque sendo Humanitas a substância criadora e absoluta, cada indivíduo deveria achar a maior delícia do mundo em sacrificar-se ao princípio de que descende; 2.º porque, ainda assim, não diminuiria o poder espiritual do homem sobre a Terra, inventada unicamente para seu recreio dele, como as estrelas, as brisas, as tâmaras e o ruibarbo. Pangloss, dizia-me ele ao fechar o livro, não era tão tolo como o pintou Voltaire.

118 A Terceira Força

A terceira força que me chamava ao bulício era o gosto de luzir, e, sobretudo, a incapacidade de viver só. A multidão

attracted me, the applause courted me. If the idea of the plaster has appeared to me at that time, who knows? I would not have died soon and would have been famous. But the plaster didn't come. The desire came, the desire to stir me up in something, with something and for something.

Brackets 119

I want to leave here, in brackets, half a dozen maxims of the many I have written during that time. They are yawns of boredom; they can serve as epigraph to conversations without subject:

* * *

The colic of others is patiently endured.

* * *

We kill time; time buries us.

* * *

A philosopher coachman used to say that the taste for the carriage would be small, if everyone rode in a carriage.

* * *

Believe in yourself; but do not always doubt others.

* * *

atraía-me, o aplauso namorava-me. Se a ideia do emplasto me tem aparecido nesse tempo, quem sabe? não teria morrido logo e estaria célebre. Mas o emplasto não veio. Veio o desejo de agitar-me em alguma coisa, com alguma coisa e por alguma coisa.

119 Parênteses

Quero deixar aqui, entre parêntesis, meia dúzia de máximas das muitas que escrevi por esse tempo. São bocejos de enfado; podem servir de epígrafe a discursos sem assunto:

* * *

Suporta-se com paciência a cólica do próximo.

* * *

Matamos o tempo; o tempo nos enterra.

* * *

Um cocheiro filósofo costumava dizer que o gosto da carruagem seria diminuto, se todos andassem de carruagem.

* * *

Crê em ti; mas nem sempre duvides dos outros.

* * *

It is incomprehensible that a botocudo[100] pierces his lip to decorate it with a stick. This reflexion is from a jeweller.

* * *

Do not be angry if someone pays you badly a benefit: it's better to fall from the clouds than from a third floor.

"Compelle Intrare" 120

"No, sir, now whether you like it or not, you are getting married" Sabina told me. "What a beautiful future! A bachelor without children."

No children! The idea of having children gave me a start; the mysterious fluid ran through me again. Yes, I had to be a father. Celibate life could have certain advantages of its own, but they would be tenuous, and bought in exchange for solitude. No children! No; it was impossible. I was willing to accept everything, even the alliance with Damasceno. No children! As I already had great confidence in Quincas Borba, I went to him and explained the internal movements of my fatherhood. The philosopher heard me with excitement; he declared that Humanitas was in motion in my chest; he encouraged me to marry, pondered that they were a few more guests who knocked on the door, etc. COMPELLE INTRARE[101], as Jesus said. And he did not leave me without proving that the evangelical apologue was nothing more than a prognosis of the Humanitism, wrongly interpreted by the priests.

---

100 BOTOCUDO was a generic name given by Portuguese colonizers to different indigenous groups that inhabited Brazil in the sixteenth century; those individuals used to wear botoques, a circular ornament made of wood, inserted on their lips or ears.

101 "COMPEL THEM TO COME IN": In Latin, originally, an expression of Christ an expression of Christ, according to the Gospel of Saint Luke, ch. XIV, v. 23, referring to the guests for the feast.

Não se compreende que um botocudo[100] fure o beiço para enfeitá-lo com um pedaço de pau. Esta reflexão é de um joalheiro.

* * *

Não te irrites se te pagarem mal um benefício: antes cair das nuvens, que de um terceiro andar.

"Compelle Intrare"

"Não, senhor, agora quer você queira, quer não, há de casar", disse-me Sabina. "Que belo futuro! Um solteirão sem filhos."

Sem filhos! A ideia de ter filhos deu-me um sobressalto; percorreu-me outra vez o fluido misterioso. Sim, cumpria ser pai. A vida celibata podia ter certas vantagens próprias, mas seriam tênues, e compradas a troco da solidão. Sem filhos! Não; impossível. Dispus-me a aceitar tudo, ainda a aliança do Damasceno. Sem filhos! Como já então depositasse grande confiança em Quincas Borba, fui ter com ele e expus-lhe os movimentos internos da minha paternidade. O filósofo ouviu-me com alvoroço; declarou-me que Humanitas se agitava em meu seio; animou-me ao casamento, ponderou que eram mais alguns convivas que batiam à porta, etc. COMPELLE INTRARE[101], como dizia Jesus. E não me deixou sem provar que o apólogo evangélico não era mais do que um prenúncio do Humanitismo, erradamente interpretado pelos padres.

---

100 BOTOCUDO era um nome genérico dado pelos colonizadores portugueses a diferentes grupos indígenas que habitavam o Brasil no século XVI; esses indivíduos costumavam usar botoques, um ornamento circular feito de madeira, inserido nos lábios ou orelhas.

101 "OBRIGUE-OS A ENTRAR": originalmente em latim, uma expressão de Cristo, de acordo com o Evangelho de São Lucas, cap. XIV, v. 23, referindo-se aos convidados para a festa.

Down the Hill

After three months, everything was wonderful. The fluid, Sabina, the girl's eyes, her father's desires, they were many other impulses that led me to marriage. The memory of Virgilia appeared from time to time, at the door, and with her a black devil who put a mirror in my face, in which I could see Virgilia in tears, in the distance; but another devil came, a pink devil, with another mirror, in which the figure of Nhã-loló was reflected, tender, luminous, angelic.

I don't speak about the years. I didn't feel them; I will even add that I threw them away, one Sunday, when I went to Mass in the chapel of Livramento. As Damasceno lived in Cajueiros, I often accompanied them to Mass. There were still no houses on the hill, except for the old manor at the top, where the chapel was. One Sunday, when I came down with Nhã-loló by the arm, I don't know what phenomenon happened, but I left two years here, four years there, five years just ahead, so that, when I was down there, I was only twenty years old, the years as quick as they had been.

Now, if you want to know under what circumstances the phenomenon occurred, just read this chapter to the end. We came from Mass, her, her father and me. In the middle of the hill we found a group of men. Damasceno, who was close to us, understood what it was and came forward excitedly; we went after him. And we saw this: men of all ages, sizes and colours, some in shirts, some in jackets, some in ragged frock coats; different attitudes, some squatting, others with their hands resting on their knees, these sitting on stones, those leaning against the wall, and all of them staring at the centre, and the souls jumping from their pupils.

"What is that?" Nhã-loló asked me.

I gave her a sign to be silent; I subtly broke my way, and everyone gave me space, without anyone positively seeing me. The centre had captured their eyes. It was a cock fight. I saw

121 Morro Abaixo

No fim de três meses, ia tudo à maravilha. O fluido, Sabina, os olhos da moça, os desejos do pai, eram outros tantos impulsos que me levavam ao matrimônio. A lembrança de Virgília aparecia de quando em quando, à porta, e com ela um diabo negro que me metia à cara um espelho, no qual eu via ao longe Virgília desfeita em lágrimas; mas outro diabo vinha, cor-de-rosa, com outro espelho, em que se refletia a figura de Nhã-loló, terna, luminosa, angélica.

Não falo dos anos. Não os sentia; acrescentarei até que os deitara fora, certo domingo, em que fui à missa na capela do Livramento. Como o Damasceno morava nos Cajueiros, eu acompanhava-os muitas vezes à missa. O morro estava ainda nu de habitações, salvo o velho palacete do alto, onde era a capela. Pois um domingo, ao descer com Nhã-loló pelo braço, não sei que fenômeno se deu que fui deixando aqui dois anos, ali quatro, logo adiante cinco, de maneira que, quando cheguei abaixo, estava com vinte anos apenas, tão lépidos como tinham sido.

Agora, se querem saber em que circunstância se deu o fenômeno, basta-lhes ler este capítulo até o fim. Vínhamos da missa, ela, o pai e eu. No meio do morro achamos um grupo de homens. Damasceno, que vinha ao pé de nós, percebeu o que era e adiantou-se alvoroçado; nós fomos atrás dele. E vimos isto: homens de todas as idades, tamanhos e cores, uns em mangas de camisa, outros de jaqueta, outros metidos em sobrecasacas esfrangalhadas; atitudes diversas, uns de cócoras, outros com as mãos apoiadas nos joelhos, estes sentados em pedras, aqueles encostados ao muro, e todos com os olhos fixos no centro, e as almas debruçadas das pupilas.

"Que é?" perguntou-me Nhã-loló.

Fiz-lhe sinal que se calasse; abri sutilmente caminho, e todos me foram cedendo espaço, sem que positivamente ninguém me visse. O centro tinha-lhes atado os olhos. Era uma briga de

the two contenders, two roosters with keen spurs, fire eyes and sharp beaks. Both stirred their bloody cock-combs; the breast of both was featherless and red; fatigue invaded them. But still they fought, eyes fixed on eyes, beak down, beak up, blow from this, blow from that, vibrant and rabid. Damasceno knew nothing more; the spectacle eliminated the entire universe for him. I told him in vain that it was time to go down; he did not respond, he did not hear, he was concentrated on the duel. Cockfighting was one of his passions.

It was then that Nhã-loló gently pulled me by the arm, telling us to leave. I took the advice and came down with her. I already said that the hill was then uninhabited; I also said that we were coming from Mass, and as I have not told you that it was raining, it was clear that the weather was good, a delicious sun. And very strong. So strong that I immediately opened the umbrella, held it by the centre of the cable, and tilted it so that I added a page to Quincas Borba's philosophy: Humanitas osculated Humanitas... That was how I left my years there, as I was walking down the hill.

At the foot of the hill we stopped for a few minutes, waiting for Damasceno; he came shortly after surrounded by bettors, commenting on the fight with them. One of these, treasurer of the bets, distributed an old bundle of ten-cent notes, which the winners received doubly cheerful. As for the roosters, they came under the arm of the respective owner. One of them had the comb so wounded and bloody, that I immediately saw the loser in it; but it was a mistake - the loser was the other one, which had no comb. Both had their beaks open, breathing heavily, exhausted. The bettors, on the contrary, were happy, despite the strong commotions of the struggle; they biographed the contenders, recalled the exploits of both. I kept walking, ashamed; Nhã-loló, extremely ashamed.

A Very Fine Intention

What embarrassed Nhã-loló was her father. The ease with which he got involved with the bettors highlighted old customs

galos. Vi os dois contendores, dois galos de esporão agudo, olho de fogo e bico afiado. Ambos agitavam as cristas em sangue; o peito de um e de outro estava desplumado e rubro; invadia-os o cansaço. Mas lutavam ainda assim, olhos fitos nos olhos, bico abaixo, bico acima, golpe deste, golpe daquele, vibrantes e raivosos. Damasceno não sabia mais nada; o espetáculo eliminou para ele todo o universo. Em vão lhe disse que era tempo de descer; ele não respondia, não ouvia, concentrara-se no duelo. A briga de galos era uma de suas paixões.

Foi nessa ocasião que Nhã-loló me puxou brandamente pelo braço, dizendo que nos fôssemos embora. Aceitei o conselho e vim com ela por ali abaixo. Já disse que o morro era então desabitado; disse-lhes também que vínhamos da missa, e não lhes tendo dito que chovia, era claro que fazia bom tempo, um sol delicioso. E forte. Tão forte que eu abri logo o guarda-sol, segurei-o pelo centro do cabo, e inclinei-o por modo que ajuntei uma página à filosofia do Quincas Borba: Humanitas osculou Humanitas... Foi assim que os anos me vieram caindo pelo morro abaixo.

Ao sopé detivemo-nos alguns minutos, à espera de Damasceno; ele veio daí a pouco rodeado dos apostadores, a comentar com eles a briga. Um destes, tesoureiro das apostas, distribuía um velho maço de notas de dez tostões, que os vencedores recebiam duplamente alegres. Quanto aos galos vinham sobraçados pelo respectivo dono. Um deles trazia a crista tão comida e ensanguentada, que vi logo nele o vencido; mas era engano, "o vencido era o outro, que não trazia crista nenhuma. Ambos tinham o bico aberto, respirando a custo, esfalfados. Os apostadores, ao contrário, vinham alegres, sem embargo das fortes comoções da luta; biografavam os contendores, relembravam as proezas de ambos. Eu fui andando, vexado; Nhã-loló vexadíssima.

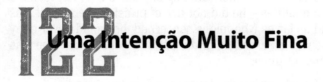

122 Uma Intenção Muito Fina

O que vexava a Nhã-loló era o pai. A facilidade com que ele se metera com os apostadores punha em relevo antigos costumes

and social affinities, and Nhã-loló even feared that such a father-in-law would seem unworthy to me. The difference she made of herself was remarkable; she studied herself and studied me. The elegant and refined life attracted her, mainly because it seemed the safest way to adjust ourselves. Nhã-loló watched, imitated, guessed; at the same time, she tried to mask the inferiority of the family. That day, however, her father's manifestation was so great that it saddened her greatly. I then tried to distract her from the subject, telling her many proper jokes and jests; vain efforts, which no longer cheered her. The dejection was so profound, the discouragement so expressive, that I even attributed to Nhã-loló the positive intention of separating, in my mind, her cause from the cause of her father. This feeling seemed to me of great elevation; it was an affinity more between us.

"There is no other way," I said to myself, "I will pull this flower out of this swamp."

The Real Cotrim

Even though I'm over forty, as I loved the harmony of the family, I decided not to settle the marriage without first talking to Cotrim. He listened to me and answered seriously that he had no opinion on the issues of his relatives. They could assume he had some interest if he praised Nhã-loló's rare gifts; so he would be silent. And more: he was sure that the niece had a real passion for me, but if she consulted him, his advice would be negative. He was not motivated by any hatred; he appreciated my good qualities – he did not tire of praising them, as it was fair; and as far as Nhã-loló is concerned, he would never deny that she was an excellent bride; but counselling marriage was quite another thing.

"I wash my hands of it entirely" he concluded.

"But you thought some other day that I should get married as soon as possible..."

e afinidades sociais, e Nhã-loló chegara a temer que tal sogro me parecesse indigno. Era notável a diferença que ela fazia de si mesma; estudava-se e estudava-me. A vida elegante e polida atraía-a, principalmente porque lhe parecia o meio mais seguro de ajustar as nossas pessoas. Nhã-loló observava, imitava, adivinhava; ao mesmo tempo dava-se ao esforço de mascarar a inferioridade da família. Naquele dia, porém, a manifestação do pai foi tamanha que a entristeceu grandemente. Eu busquei então diverti-la do assunto, dizendo-lhe muitas chanças e motes de bom-tom; vãos esforços, que não a alegravam mais. Era tão profundo o abatimento, tão expressivo o desânimo, que cheguei a atribuir a Nhã-loló a intenção positiva de separar, no meu espírito, a sua causa da causa do pai. Este sentimento pareceu-me de grande elevação; era uma afinidade mais entre nós.

"Não há remédio", disse eu comigo, "vou arrancar esta flor a este pântano."

123 O Verdadeiro Cotrim

Não obstante os meus quarenta e tantos anos, como eu amasse a harmonia da família, entendi não tratar o casamento sem primeiro falar ao Cotrim. Ele ouviu-me e respondeu-me seriamente que não tinha opinião em negócio de parentes seus. Podiam supor-lhe algum interesse, se acaso louvasse as raras prendas de Nhã-loló; por isso calava-se. Mais: estava certo de que a sobrinha nutria por mim verdadeira paixão, mas se ela o consultasse, o seu conselho seria negativo. Não era levado por nenhum ódio; apreciava as minhas boas qualidades – não se fartava de as elogiar, como era de justiça; e pelo que respeita a Nhã-loló, não chegaria jamais a negar que era noiva excelente; mas daí a aconselhar o casamento ia um abismo.

"Lavo inteiramente as mãos", concluiu ele.

"Mas você achava outro dia que eu devia casar quanto antes..."

"That's another question. I think it is imperative to get married, especially with political ambitions. Know that in politics celibacy is a delay. As for the bride, I can't express an opinion, I don't want to, I shouldn't, it's not honourable. It seems to me that Sabina went further, making certain confidences to you, as she told me; but in any case she is not a true aunt of Nhã-loló, like me. Look... but no... I won't say..."

"Say it."

"No; I won't say anything."

Perhaps Cotrim's scruple seems excessive to anyone who does not know that he had a fiercely honourable character. I was unfair to him myself during the years that followed my father's inventory. I recognize that he was an example. They reproached him for avarice, and I suppose they were right; but avarice is only the exaggeration of a virtue and the virtues must be like budgets: the positive balance is better than the deficit. As he was very harsh in manners he had enemies, who even accused him of being a barbarian. The only fact alleged in this regard was that he often sent slaves to the dungeon, from where they came dripping blood; but, in addition to the fact that he only sent the wicked and the fugitives, it happens that, having smuggled in slaves for a long time, he got used to the somewhat tougher treatment that this kind of business required, and it cannot be honestly attributed to the original nature of a man something that is a pure effect of social relations. The proof that Cotrim had pious feelings was to be found in his love for his children, and in the pain he suffered when Sara died, a few months later; irrefutable proof, I think, and not the only one. He was the treasurer of a fraternity, and brother of several brotherhoods, and even a senior member of one of these, which does not fit much the reputation of avarice; it is true that the benefit was not in vain: the brotherhood (of which he had been a judge) had ordered an oil portrait of him. He was certainly not perfect; he had, for example, the habit of sending to the newspapers the news of one or other benefit carried out by him – a reprehensible or not praiseworthy habit, I agree; but he excused himself by saying that good deeds were contagious, when they were public; a reason that have some importance, we cannot deny. I really believe (and in this I pay him the highest compliment) that he did not conduct these benefits from time to time except in order to arouse the philanthropy of others; and if such was the intention, we must confess that advertising became

"Isso é outro negócio. Acho que é indispensável casar, principalmente tendo ambições políticas. Saiba que na política o celibato é uma remora. Agora, quanto à noiva, não posso ter voto, não quero, não devo, não é de minha honra. Parece-me que Sabina foi além, fazendo-lhe certas confidências, segundo me disse; mas em todo caso ela não é tia carnal de Nhã-loló, como eu. Olhe... mas não... não digo..."

"Diga."

"Não; não digo nada."

Talvez pareça excessivo o escrúpulo do Cotrim, a quem não souber que ele possuía um caráter ferozmente honrado. Eu mesmo fui injusto com ele durante os anos que se seguiram ao inventário de meu pai. Reconheço que era um modelo. Arguiam-no de avareza, e cuide que tinham razão; mas a avareza é apenas a exageração de uma virtude e as virtudes devem ser como os orçamentos: melhor é o saldo que o déficit. Como era muito seco de maneiras tinha inimigos, que chegavam a acusá-lo de bárbaro. O único fato alegado neste particular era o de mandar com frequência escravos ao calabouço, donde eles desciam a escorrer sangue; mas, além de que ele só mandava os perversos e os fujões, ocorre que, tendo longamente contrabandeado em escravos, habituara-se de certo modo ao trato um pouco mais duro que esse gênero de negócio requeria, e não se pode honestamente atribuir à índole original de um homem o que é puro efeito de relações sociais. A prova de que o Cotrim tinha sentimentos pios encontrava-se no seu amor aos filhos, e na dor que padeceu quando lhe morreu Sara, dali a alguns meses; prova irrefutável, acho eu, e não única. Era tesoureiro de uma confraria, e irmão de várias irmandades, e até irmão remido de uma destas, o que não se coaduna muito com a reputação da avareza; verdade é que o benefício não caíra no chão: a irmandade (de que ele fora juiz) mandara-lhe tirar o retrato a óleo. Não era perfeito, decerto; tinha, por exemplo, o sestro de mandar para os jornais a notícia de um ou outro benefício que praticava – sestro repreensível ou não louvável, concordo; mas ele desculpava-se dizendo que as boas ações eram contagiosas, quando públicas; razão a que se não pode negar algum peso. Creio mesmo (e nisto faço o seu maior elogio) que ele não praticava, de quando em quando, esses benefícios senão com o fim de espertar a filantropia dos outros; e se tal era o intuito, força é confessar que a publicidade tornava-se uma condição

a SINE QUA NON condition. In short, he could owe some attentions, but he didn't owe anybody a penny.

Intermediate 124

What exists between life and death? A short bridge. However, if I did not compose this chapter, the reader would suffer a strong shock, quite harmful to the effect of the book. Jumping from a portrait to an epitaph can be real and usual; the reader, however, does not take refuge in the book except to escape life. I don't say that this thought is mine; I say that there is a dose of truth in it, and that, at least, the shape is picturesque. And I repeat: it's not mine.

Epitaph 125

HERE LIES

DONA EULÁLIA DAMASCENA DE BRITO

DEAD AT THE AGE OF NINETEEN

PRAY FOR HER!

SINE QUA NON. Em suma, poderia dever algumas atenções, mas não devia um real a ninguém.

 124 Vá de Intermédio

O que há entre a vida e a morte? Uma curta ponte. Não obstante, se eu não compusesse este capítulo, padeceria o leitor um forte abalo, assaz danoso ao efeito do livro. Saltar de um retrato a um epitáfio, pode ser real e comum; o leitor, entretanto, não se refugia no livro, senão para escapar à vida. Não digo que este pensamento seja meu; digo que há nele uma dose de verdade, e que, ao menos, a forma é pinturesca. E repito: não é meu.

 125 Epitáfio

AQUI JAZ
D. EULÁLIA DAMASCENA DE BRITO
MORTA AOS DEZENOVE ANOS DE IDADE
ORAI POR ELA!

Disconsolation

The epitaph says it all. It's worth more than if I told you about the illness of Nhã-loló, the death, the family's despair, the burial. Just know that she died; I will add that it was on the occasion of the first outbreak of yellow fever. I say no more, except that I accompanied her to the grave, and I said goodbye sadly, but without tears. I concluded that perhaps I didn't really love her.

Now look at the excesses that neglect can cause; it hurt me a little the blindness of the epidemic that, killing to the right and to the left, also took a young lady, who had to be my wife; I didn't understand the need for the epidemic, much less death. I believe that this one seemed to me even more absurd than all the other deaths. Quincas Borba, however, explained to me that epidemics were useful to the species, although disastrous for a certain portion of individuals; he made me realize that, however horrendous the spectacle was, there was a very important advantage: the survival of the greatest number. He even asked me whether, in the midst of general mourning, I felt no secret delight in escaping the claws of the plague; but this question was so foolish that it was left unanswered.

If I did not tell about the death, I do not tell about the requiem mass either. Damasceno's sadness was profound; this poor man looked like a ruin. Fifteen days later I met him; he was still inconsolable, and said that the great pain with which God had punished him had been further increased by the pain inflicted by men. He said no more. Three weeks later he returned to the subject, and then he confessed to me that, in the midst of the irreparable disaster, he wanted to have the consolation of his friends' presence. Twelve people only, and three fourth parts Cotrim's friends, accompanied to the grave the corpse of his beloved daughter. And he had sent eighty invitations. I said that the losses were so general that this apparent inattention could be excused. Damasceno shook his head in an incredulous and sad way.

126 Desconsolação

O epitáfio diz tudo. Vale mais do que se lhes narrasse a moléstia de Nhã-loló, a morte, o desespero da família, o enterro. Ficam sabendo que morreu; acrescentarei que foi por ocasião da primeira entrada da febre amarela. Não digo mais nada, a não ser que a acompanhei até o último jazigo, e me despedi triste, mas sem lágrimas. Concluí que talvez não a amasse deveras.

Vejam agora a que excessos pode levar uma inadvertência; doeu-me um pouco a cegueira da epidemia que, matando à direita e à esquerda, levou também uma jovem dama, que tinha de ser minha mulher; não cheguei a entender a necessidade da epidemia, menos ainda daquela morte. Creio até que esta me pareceu ainda mais absurda que todas as outras mortes. Quincas Borba, porém, explicou-me que epidemias eram úteis à espécie, embora desastrosas para uma certa porção de indivíduos; fez-me notar que, por mais horrendo que fosse o espetáculo, havia uma vantagem de muito peso: a sobrevivência do maior número. Chegou a perguntar-me se, no meio do luto geral, não sentia eu algum secreto encanto em ter escapado às garras da peste; mas esta pergunta era tão insensata, que ficou sem resposta.

Se não contei a morte, não conto igualmente a missa do sétimo dia. A tristeza do Damasceno era profunda; esse pobre homem parecia uma ruína. Quinze dias depois estive com ele; continuava inconsolável, e dizia que a dor grande com que Deus o castigara fora ainda aumentada com a que lhe infligiram os homens. Não me disse mais nada. Três semanas depois tornou ao assunto, e então confessou-me que, no meio do desastre irreparável, quisera ter a consolação da presença dos amigos. Doze pessoas apenas, e três quartas partes amigos do Cotrim, acompanharam à cova o cadáver de sua querida filha. E ele fizera expedir oitenta convites. Ponderei-lhe que as perdas eram tão gerais que bem se podia desculpar essa desatenção aparente. Damasceno abanava a cabeça de um modo incrédulo e triste.

"No!" he moaned, "they forsook me." And Cotrim, who was present:

"They came, those who are really interested in you and us. The eighty would come as a mere formality; they would talk about the inertia of the government, the panaceas of the apothecaries, the price of the houses, or about each other..."

Damasceno listened in silence, shook his head again, and sighed:

"But they should come!"

Formality 127

It is a great thing to have received a particle of wisdom from Heaven, the gift of finding the relations of the things, the ability to compare them and the talent to conclude! I had this psychic distinction; I thank it even now from the bottom of my grave.

In fact, the vulgar man who heard the last word from Damasceno would not remember it, when, sometime later, he had to look at a picture representing six Turkish ladies. For I remembered. They were six ladies from Constantinople – modern – in casual dress, face covered, not with a thick cloth that truly covered them, but with a very thin veil, which simulated to discover only the eyes, and actually discovered the whole face. And I found funny this cunning of the Muslim vanity, which thus hides the face – and satisfies the custom – but does not hide it – and discloses the beauty. Apparently, there is nothing between Turkish ladies and Damasceno; but if you are a profound and penetrating spirit (and I doubt very much that you deny it), you will understand that, in both cases, there appears the ear of a rigid and gentle companion of the social man...

Gracious Formality, you are, indeed, the protection of life, the balm of hearts, the mediator between men, the bond of Earth and Heaven; you wipe the tears of a father, you capture the indulgence of a Prophet. If pain falls asleep, and consciousness

"Qual!" gemia ele, "desampararam-me". Cotrim, que estava presente:

"Vieram os que deveras se interessam por você e por nós. Os oitenta viriam por formalidade, falariam da inércia do governo, das panaceias dos boticários, do preço das casas, ou uns dos outros..."

Damasceno ouviu calado, abanou outra vez a cabeça, e suspirou:

"Mas viessem!"

127 Formalidade

Grande coisa é haver recebido do céu uma partícula da sabedoria, o dom de achar as relações das coisas, a faculdade de as comparar e o talento de concluir! Eu tive essa distinção psíquica; eu a agradeço ainda agora do fundo do meu sepulcro.

De fato, o homem vulgar que ouvisse a última palavra do Damasceno não se lembraria dela, quando, tempos depois, houvesse de olhar para uma gravura representando seis damas turcas. Pois eu lembrei-me. Eram seis damas de Constantinopla – modernas – em trajos de rua, cara tapada, não com um espesso pano que as cobrisse deveras, mas com um véu tenuíssimo, que simulava descobrir somente os olhos, e na realidade descobria a cara inteira. E eu achei graça a essa esperteza da faceirice muçulmana, que assim esconde o rosto, "e cumpre o uso – mas não o esconde – e divulga a beleza. Aparentemente, nada há entre as damas turcas e o Damasceno; mas se tu és um espírito profundo e penetrante (e duvido muito que me negues isso), compreenderás que, tanto num como noutro caso, surge aí a orelha de uma rígida e meiga companheira do homem social...

Amável Formalidade, tu és, sim, o bordão da vida, o bálsamo dos corações, a medianeira entre os homens, o vínculo da Terra e do Céu; tu enxugas as lágrimas de um pai, tu captas a indulgência de um Profeta. Se a dor adormece, e a consciência

become complacent, to whom, if not you, they owe this immense benefit? The esteem that passes by with the hat on the head does not means anything to the soul; but the indifference that courts leaves it a delightful impression. The reason is that, unlike an old absurd formula, it is not the letter that kills; the letter gives life; it is the spirit the object of controversy, of doubt, of interpretation and consequently of struggle and of death. Live, gracious Formality, for the peace of Damasceno and the glory of Mohamed.

In the Chamber

And note that I saw the Turkish engraving two years after Damasceno's words, and I saw it in the Chamber of Representatives, in the midst of great buzz, while a deputy was discussing an opinion of the budget commission, and I was also a deputy. For those who have read this book, it is needless to describe my satisfaction, and for the others it is equally useless. I was a deputy, and I saw the Turkish engraving, when I was leaning on my chair, between a colleague, who was telling an anecdote, and another, who was drawing the profile of the speaker in pencil, on the back of an envelope. The speaker was Lobo Neves. The wave of life brought us to the same beach, like two bottles of castaways, he containing his resentment, I must contain my remorse; and I use this suspensive, doubtful or conditional form, in order to say that it effectively contained nothing but the ambition to be a minister.

No Remorse

I had no remorse. If I had the proper devices, I would include a chemistry page in this book, because I would de-

se acomoda, a quem, senão a ti, devem esse imenso benefício? A estima que passa de chapéu na cabeça não diz nada à alma; mas a indiferença que corteja deixa-lhe uma deleitosa impressão. A razão é que, ao contrário de uma velha fórmula absurda, não é a letra que mata; a letra dá vida; o espírito é que é objeto de controvérsia, de dúvida, de interpretação e conseguintemente de luta e de morte. Vive tu, amável Formalidade, para sossego do Damasceno e glória de Muamede.

Na Câmara

E notai bem que eu vi a gravura turca, dois anos depois das palavras de Damasceno, e vi-a na Câmara dos Deputados, em meio de grande burburinho, enquanto um deputado discutia um parecer da comissão do orçamento, sendo eu também deputado. Para quem há lido este livro é escusado encarecer a minha satisfação, e para os outros é igualmente inútil. Era deputado, e vi a gravura turca, recostado na minha cadeira, entre um colega, que contava uma anedota, e outro, que tirava a lápis, nas costas de uma sobrecarta, o perfil de orador. O orador era o Lobo Neves. A onda da vida trouxe-nos à mesma praia, como duas botelhas de náufragos, ele contendo o seu ressentimento, eu devendo conter o meu remorso; e emprego esta forma suspensiva, dubitativa ou condicional, para o fim de dizer que efetivamente não continha nada, a não ser a ambição de ser ministro.

Sem Remorsos

Não tinha remorsos. Se possuísse os aparelhos próprios, incluía neste livro uma página de química, porque havia de de-

compose remorse to its simplest elements, in order to know in a positive and conclusive way why Achilles chases around Troy the opponent's corpse[102], and Lady Macbeth walks around the room her blood stain[103]. But I have no chemical devices, just as I had no remorse; I wanted to be Minister of State. However, if I am to finish this chapter, I will say that I did not want to be Achilles or Lady Macbeth; and that, if I was to be something, I preferred to be Achilles, rather walk triumphant the corpse than the stain; Priam's pleas are heard at the end, and a beautiful military and literary reputation is gained. I didn't hear Priam's pleas, but Lobo Neves' speech, and I had no remorse.

To Interset in Chapter 129 130

The first time I could talk to Virgilia, after the presidency, was at a ball in 1855. She was wearing a superb blue silk dress, and showed to the lights the same pair of shoulders from another time. It was not the freshness of early age; on the contrary; but she was still beautiful, of an autumnal beauty, enhanced by the night. I remember we talked a lot, without mentioning anything from the past. Everything was implicit. A remote, vague word, or a look, and nothing else. Shortly after, she left; I went to see her go down the stairs, and I don't know which phenomenon of cerebral ventriloquism (I ask philologists to forgive me this barbaric phrase) led me to murmur to myself this deeply retrospective word:

"Magnificent!"

---

102   The author refers to the passage described in Book XXIV of the ILIAD, by Homer, which narrates the death of Prince Hector, son of the king of Troy, Priam, by the hands of the Greek Achilles, the main hero of the poem; in the passage, Achilles, after killing Hector in a duel, ties his opponent's body to his chariot and drags him around before the walls of Troy.

103   The author refers to Lady Macbeth's last appearance in the famous tragedy of William Shakespeare, MACBETH, Act V, scene I, when Lady Macbeth, devastated by guilt, wanders aimlessly in sleepwalking, judging her hands dirty by the blood of those who died for her actions.

compor o remorso até os mais simples elementos, com o fim de saber de um modo positivo e concludente por que razão Aquiles passeia à roda de Troia o cadáver do adversário[102], e lady Macbeth passeia à volta da sala a sua mancha de sangue[103]. Mas eu não tenho aparelhos químicos, como não tinha remorsos; tinha vontade de ser ministro de Estado. Contudo, se hei de acabar este capítulo, direi que não quisera ser Aquiles nem lady Macbeth; e que, a ser alguma coisa, antes Aquiles, antes passear ovante o cadáver do que a mancha; ouvem-se no fim as súplicas de Príamo, e ganha-se uma bonita reputação militar e literária. Eu não ouvia as súplicas de Príamo, mas o discurso do Lobo Neves, e não tinha remorsos.

130 Para Intercalar no Capítulo 129

A primeira vez que pude falar a Virgília, depois da presidência, foi num baile em 1855. Trazia um soberbo vestido de gorgorão azul, e ostentava às luzes o mesmo par de ombros de outro tempo. Não era a frescura da primeira idade; ao contrário; mas ainda estava formosa, de uma formosura outoniça, realçada pela noite. Lembra- me que falamos muito, sem aludir a coisa nenhuma do passado. Subentendia-se tudo. Um dito remoto, vago, ou então um olhar, e mais nada. Pouco depois retirou-se; eu fui vê-la descer as escadas, e não sei por que fenômeno de ventriloquismo cerebral (perdoem-me os filólogos essa frase bárbara) murmurei comigo esta palavra profundamente retrospectiva:

"Magnífica!"

---

102   O autor refere-se à passagem descrita no Livro XXIV da ILÍADA, de Homero, que narra a morte do príncipe Heitor, filho do rei de Troia, Príamo, pelas mãos do grego Aquiles, o principal herói do poema; na passagem, Aquiles, após matar Heitor em um duelo, amarra o corpo do seu oponente à sua carruagem e arrasta-o diante dos muros de Troia.

103   O autor refere-se à última aparição de Lady Macbeth na célebre da tragédia de William Shakespeare, MACBETH, Ato V, cena I, quando Lady Macbeth, arrasada pela culpa, vaga sem destino tomada pelo sonambulismo, a julgar as mãos sujas pelo sangue daqueles que morreram pelos seus atos.

This chapter should be inserted between the first sentence and the second sentence of chapter CXXIX.

A Slander

As I had just said that word, by the process of cerebral ventriloquism – which was simple opinion and not remorse – I felt that someone put a hand on my shoulder. I turned; it was a former companion, a naval officer, jovial, with somewhat informal manners. He smiled maliciously and said to me:

"You, naughty! Memories of the past, huh?"

"Hurrah to the past!"

"You were naturally reinstated in your job."

"Get away, cheeky!" I said, threatening him with my finger.

I confess that this dialogue was an indiscretion – mainly the last reply. And I confess it with so much pleasure, as it is women who are reputed to be indiscreet, and I do not want to finish the book without rectifying this notion of the human spirit. In points of love adventure, I found men who smiled, or denied it with difficulty, in a cold, monosyllabic way, etc., while their partners were indignant, and would swear by the Holy Gospels that it was all slander. The reason for this difference is that the woman (except the hypothesis of chapter CI and others) gives herself out of love, be it the Stendhal's love-passion, or the purely physical one of some Roman ladies, for example, or Polynesians, Lapps, Kaffir, and perhaps other civilized races; but man – I speak of man from an educated and elegant society – man combines his vanity with the other feeling. Furthermore (and I always refer to forbidden cases), when a woman loves another man, it seems to her that she betrays a duty, and therefore she has to hide it with greater skill, she has to refine her betrayal; whereas the man, feeling that he is the cause of the infraction and the winner of another man, is legitimately proud, and therefore demonstrates

Convém intercalar este capítulo entre a primeira oração e a segunda do capítulo CXXIX.

 De Uma Calúnia

Como eu acabava de dizer aquilo, pelo processo ventríloquo-cerebral – o que era simples opinião e não remorso – senti que alguém me punha a mão no ombro. Voltei-me; era um antigo companheiro, oficial de marinha, jovial, um pouco despejado de maneiras. Ele sorriu maliciosamente, e disse-me:

"Seu maganão! Recordações do passado, hein?"

"Viva o passado!"

"Você naturalmente foi reintegrado no emprego."

"Salta, pelintra!" disse eu, ameaçando-o com o dedo.

Confesso que este diálogo era uma indiscrição – principalmente a última réplica. E com tanto maior prazer o confesso, quanto que as mulheres é que têm fama de indiscretas, e não quero acabar o livro sem retificar essa noção do espírito humano. Em pontos de aventura amorosa, achei homens que sorriam, ou negavam a custo, de um modo frio, monossilábico, etc., ao passo que as parceiras não davam por si, e jurariam aos Santos Evangelhos que era tudo uma calúnia. A razão desta diferença é que a mulher (salva a hipótese do capítulo CI e outras) entrega-se por amor, ou seja o amor-paixão de Stendhal, ou o puramente físico de algumas damas romanas, por exemplo, ou polinésias, lapônias, cafres, e pode ser que outras raças civilizadas; mas o homem – falo do homem de uma sociedade culta e elegante, "o homem conjuga a sua vaidade ao outro sentimento. Além disso (e refiro-me sempre aos casos defesos), a mulher, quando ama outro homem, parece-lhe que mente a um dever, e portanto tem de dissimular com arte maior, tem de refinar a aleivosia; ao passo que o homem, sentindo-se causa da infração e vencedor de outro homem, fica legitimamente orgulhoso, e logo passa a

to another man a less harsh and less secret feeling – this good vanity, which is the luminous perspiration of merit.

But whether or not my explanation is true, I just need to write on this page, for the use of the centuries, that the indiscretion of women is a fraud invented by men; in terms of love, at least, they are a real tomb. They are often lost due to clumsiness, to restlessness, for not being able to resist gestures, glances; and that's why a great lady of fine spirit, the queen of Navarra, used somewhere this metaphor to say that every love affair was eventually discovered, sooner or later: "There is no dog so well trained, that in the end we don't hear it bark."

It is not Serious

Quoting the saying of the queen of Navarra, it occurs to me that among our people, when a person sees another person angry, she usually asks: "Why, who killed your puppies?" as if to say: "who took your loves, your secret adventures, etc." But this chapter is not serious.

The Helvetius Principle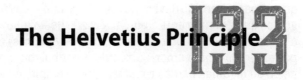

We were at the point where the navy officer drew from me the confession of Virgilia's loves, and here I amend the Helvetius principle[104] – or rather I explain it. My interest was

---

104 Principle created by the French philosopher CLAUDE ADRIEN HELVETIUS (1715/1771) in his work, ON MIND (DE L'ESPRIT), where he defends the idea that public ethics has a utilitarian basis and personal interest, based

outro sentimento menos ríspido e menos secreto – essa boa fatuidade, que é a transpiração luminosa do mérito.

Mas seja ou não verdadeira a minha explicação, basta-me deixar escrito nesta página, para uso dos séculos, que a indiscrição das mulheres é uma burla inventada pelos homens; em amor, pelo menos, elas são um verdadeiro sepulcro. Perdem-se muita vez por desastradas, por inquietas, por não saberem resistir aos gestos, aos olhares; e é por isso que uma grande dama e fino espírito, a rainha de Navarra, empregou algures esta metáfora para dizer que toda a aventura amorosa vinha descobrir-se por força, mais tarde ou mais cedo: "Não há cachorrinho tão adestrado, que alfim lhe não ouçamos o latir".

Que não é Sério

Citando o dito da rainha de Navarra, ocorre-me que entre o nosso povo, quando uma pessoa vê outra pessoa arrufada, costuma perguntar-lhe: "Gentes, quem matou seus cachorrinhos?" como se dissesse: "quem lhe levou os amores, as aventuras secretas, etc." Mas este capítulo não é sério.

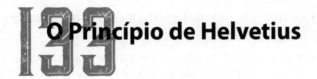
O Princípio de Helvetius

Estávamos no ponto em que o oficial de marinha me arrancou a confissão dos amores de Virgília, e aqui emendo eu o princípio de Helvetius[104] – ou, por outra, explico-o. O meu

---
104 Princípio criado pelo filósofo francês CLAUDE ADRIEN HELVETIUS (1715/1771) em sua obra, SOBRE O ESPÍRITO (DE L'ESPRIT), onde defende a ideia de que a ética pública tem uma base utilitária e um interesse pes-

to keep silent; confirming the suspicion of an old thing was to provoke some dormant hatred, to give rise to a scandal, at least to acquire the reputation of indiscreet. That was the interest; and if Helvetius's principle is understood in a superficial way, this is what it should have done. But I have already given the reason for male indiscretion: before that interest in security, there was another, that of vanity, which is more intimate, more immediate: the first one was reflective, it supposed an earlier syllogism; the second was spontaneous, instinctive, it came from the entrails of the individual; finally, the first one had a remote effect, the second, close. Conclusion: Helvetius' principle is true in my case; the difference is that it was not the apparent interest, but the hidden one.

Fifty Years Old

I haven't told you yet – but I tell it now – that when Virgilia walked down the stairs, and the navy officer touched my shoulder, I was fifty years old. It was my life, therefore, that walked down the stairs – or the best part of it, at least, a part full of pleasures, agitations, scares – covered with dissimulation and duplicity – but the best anyway, if we must speak the usual language. However, if we employ a more sublime language, the best part was the rest, as I will have the honour of telling you in the few pages of this book.

Fifty years old! There was no need to confess it. You can already feel that my style is not as agile as it was in the early days. In that occasion, at the end of the dialogue with the Navy officer, who put on his cloak and went out, I confess that I was a little sad. I went back to the ballroom; I remember dancing a polka, to get drunk with the lights, with the flowers, with the crystals, with the beautiful eyes, and with the light buzz of pri-

---

on Love, on Pleasure and on Fear of Suffering, would be the only basis for our actions and affections; in this way, the sensation of pleasure overlaps that of the pain inherent in it.

interesse era calar; confirmar a suspeita de uma coisa antiga fora provocar algum ódio sopitado, dar origem a um escândalo, quando menos adquirir a reputação de indiscreto. Era esse o interesse; e entendendo-se o princípio de Helvetius de um modo superficial, isso é o que devia ter feito. Mas eu já dei o motivo da indiscrição masculina: antes daquele interesse de segurança, havia outro, o do desvanecimento, que é mais íntimo, mais imediato: o primeiro era reflexivo, supunha um silogismo anterior; o segundo era espontâneo, instintivo, vinha das entranhas do sujeito; finalmente, o primeiro tinha o efeito remoto, o segundo próximo. Conclusão: o princípio de Helvetius é verdadeiro no meu caso; a diferença é que não era o interesse aparente, mas o recôndito.

Cinquenta Anos

Não lhes disse ainda, "mas digo-o agora – que quando Virgília descia a escada, e o oficial de marinha me tocava no ombro, tinha eu cinquenta anos. Era, portanto, a minha vida que descia pela escada abaixo – ou a melhor parte, ao menos, uma parte cheia de prazeres, de agitações, de sustos – capeada de dissimulação e duplicidade – "mas enfim a melhor, se devemos falar a linguagem usual. Se, porém, empregarmos outra mais sublime, a melhor parte foi a restante, como eu terei a honra de lhes dizer nas poucas páginas deste livro.

Cinquenta anos! Não era preciso confessá-lo. Já se vai sentindo que o meu estilo não é tão lesto como nos primeiros dias. Naquela ocasião, cessado o diálogo com o oficial de marinha, que enfiou a capa e saiu, confesso que fiquei um pouco triste. Voltei à sala, lembrou-me dançar uma polca, embriagar--me das luzes, das flores, dos cristais, dos olhos bonitos, e do burburinho surdo e ligeiro das conversas particulares. E não me

---

soal, baseados no Amor, no Prazer e no Medo do Sofrimento e que seriam a única base para as nossas ações e afetos; dessa maneira, a sensação de prazer se sobrepõe à dor inerente a ela.

vate conversations. And I don't regret it; I rejuvenated. But, half an hour later, when I left the ball at four in the morning, what did I find at the bottom of the car? My fifties. There they were, the stubborn ones, neither cold nor rheumatic, but dozing its fatigue, a little eager for bed and rest. So – and see how far the imagination of a sleepy man can go – so I thought I heard from a bat accommodated on the roof of the car: "Mr. Bras Cubas, rejuvenation was in the room, in the crystals, in the lights, in the silks – in short, in the others."

"Oblivion" 135

And now I feel that if any lady has followed these pages, she closes the book and does not read the rest. For her, the interest of my life, which was love, was extinguished. Fifty years old! It is not yet incapacity, but it is no longer freshness. Ten more will come, and I will understand what an Englishman said, I will understand that "it's a problem not to find anymore who remembers my parents, and how the very FORGETFULNESS will face me."

I put in capital letters this word. OBLIVION! It is fair to properly honour a character so despised and so dignified, a last minute guest, but unfailing. The lady who shone at the dawn of the current reign knows it, and most painfully the one who flaunted her graces under the Paraná cabinet[105], because the latter is closer to triumph, and she already feels that others have taken her car. Thus, if she is worthy of herself, she does not insist on awakening the dead or moribund memory; she does not seek in the gaze of today the same greeting of the yesterday's gaze, when others started the march of life, with a happy soul and a quick foot. TEMPORA MUTANTUR[106]. She understands that this whirlwind is

---

105 The author refers to the ministerial cabinet, between the years 1853 and 1856, commanded by Honório Hermeto Carneiro Leão, Marquis of Paraná, (1801/1856), one of the most prominent figures of the Brazilian Empire; his government managed to unify different political currents within parliament and undertook broad and important reforms.

106 "TIMES ARE CHANGING": In Latin, originally.

arrependo; remocei. Mas, meia hora depois, quando me retirei do baile, às quatro da manhã, o que é que fui achar no fundo do carro? Os meus cinquenta anos. Lá estavam eles os teimosos, não tolhidos de frio, nem reumáticos, "mas cochilando a sua fadiga, um pouco cobiçosos de cama e de repouso. Então – e vejam até que ponto pode ir a imaginação de um homem, com sono – então pareceu-me ouvir de um morcego escarapitado no tejadilho: Sr. Brás Cubas, a rejuvenescência estava na sala, nos cristais, nas luzes, nas sedas – enfim, nos outros.

135
"Oblivion"

E agora sinto que, se alguma dama tem seguido estas páginas, fecha o livro e não lê as restantes. Para ela extinguiu-se o interesse da minha vida, que era o amor. Cinquenta anos! Não é ainda a invalidez, mas já não é a frescura. Venham mais dez, e eu entenderei o que um inglês dizia, entenderei que "coisa é não achar já quem se lembre de meus pais, e de que modo me há de encarar o próprio Esquecimento".

Vai em versaletes esse nome. Oblivion! Justo é que se deem todas as honras a um personagem tão desprezado e tão digno, conviva da última hora, mas certo. Sabe-o a dama que luziu na aurora do atual reinado, e mais dolorosamente a que ostentou suas graças em flor sob o ministério Paraná[105], porque esta acha-se mais perto do triunfo, e sente já que outras lhe tomaram o carro. Então, se é digna de si mesma, não teima em espertar a lembrança morta ou expirante; não busca no olhar de hoje a mesma saudação do olhar de ontem, quando eram outros os que encetavam a marcha da vida, de alma alegre e pé veloz. Tempora Mutantur[106]. Compreende que este turbilhão é assim mesmo,

---

105 O autor refere-se ao gabinete ministerial, dentre os anos de 1853 e 1856, comandado por Honório Hermeto Carneiro Leão, o Marquês do Paraná, (1801/1856), uma das figuras mais importantes do Império Brasileiro; o seu governo conseguiu unificar diferentes correntes políticas dentro do parlamento e empreendeu reformas amplas e importantes.

106 "OS TEMPOS ESTÃO MUDANDO": em latim, originalmente.

just like that, it takes the leaves of the forest and the rags of the way, without exception or mercy; and if she has some philosophy, she does not envies, but regrets those who took her car, because they will be dismounted by the stable boy OBLIVION too. A spectacle, whose aim is to amuse the planet Saturn, which is very bored.

Uselessness

But either I am mistaken, or I have just written a useless chapter.

The Shako

Well, no; it summarizes the reflections I made to Quincas Borba the day after, adding that I felt discouraged, and a thousand other sad things. But this philosopher, with the high discernment he had, shouted to me that I was slipping on the fatal slope of melancholy.

"My dear Bras Cubas, do not let those ideas defeat you. What the hell! You have to be a man! Be strong! Fight! Win! Shine! Influence! Dominate! Fifty years old is the age of science and government. Cheer up, Bras Cubas; don't be silly. What have you to do with this succession from ruin to ruin or from flower to flower? Try to taste life; and I tell you that the worst philosophy is that of the whiny who lies down by the river in order to regret the incessant course of the waters. It's their job to never stop; you must accept the law, and try to take advantage of it."

You can see in the smallest things what the authority of a great philosopher is worth. Quincas Borba's words were able

leva as folhas do mato e os farrapos do caminho, sem exceção nem piedade; e se tiver um pouco de filosofia, não inveja, mas lastima as que lhe tomaram o carro, porque também elas hão de ser apeadas pelo estribeiro OBLIVION. Espetáculo, cujo fim é divertir o planeta Saturno, que anda muito aborrecido.

196 Inutilidade

Mas, ou muito me engano, ou acabo de escrever um capítulo inútil.

197 A Barretina

E daí, não; ele resume as reflexões que fiz no dia seguinte ao Quincas Borba, acrescentando que me sentia acabrunhado, e mil outras coisas tristes. Mas esse filósofo, com o elevado tino de que dispunha, bradou-me que eu ia escorregando na ladeira fatal da melancolia.

"Meu caro Brás Cubas, não te deixes vencer desses vapores. Que diacho! é preciso ser homem! ser forte! lutar! vencer! brilhar! influir! dominar! Cinquenta anos é a idade da ciência e do governo. Ânimo, Brás Cubas; não me sejas palerma. Que tens tu com essa sucessão de ruína a ruína ou de flor a flor? Trata de saborear a vida; e fica sabendo que a pior filosofia é a do choramigas que se deita à margem do rio para o fim de lastimar o curso incessante das águas. O ofício delas é não parar nunca; acomoda-te com a lei, e trata de aproveitá-la."

Vê-se nas menores coisas o que vale a autoridade de um grande filósofo. As palavras do Quincas Borba tiveram o condão

to shake the moral and mental torpor I was in. Come on, let us become government, it is time. I had not yet intervened in the great debates. I courted the ministry through flattery, teas, commissions and votes; and the ministry didn't come. It was urgent to take over the tribune.

I started slowly. Three days later, discussing the justice budget, I took the opportunity to modestly ask the minister if he did not consider it useful to reduce the National Guard's shako. The subject of the question was not far-reaching; but even so I demonstrated that it was not unworthy of the considerations of a statesman; and I quoted Philopoemen, who ordered the replacement of his troops' shields, which were small, by larger ones, as well as the spears, which were too light; a fact that history did not think that would deny the seriousness of its pages. The size of our shakos was in need of a deep cut, not only because they are inelegant, but also because they are unhygienic. In parades, in the sun, the excess heat produced by them could be fatal. As it was true that one of Hippocrates' precepts was to keep a fresh head, it seemed cruel to compel a citizen, simply for reasons of a uniform, to risk his health and his life, and consequently the family's future. The Chamber and the government should remember that the National Guard was the shield of freedom and independence, and that the citizen, called to a frequent, painful and free service, had the right to have his burden reduced, by decreeing a uniform light and easy to wear. In addition, the shako, for its weight, lowered the heads of the citizens, and our homeland needed citizens whose forehead could rise proud and serene before the power; and I concluded with this idea: The willow tree, which leans its branches to the ground, it's a tree of the cemetery; the palm tree, erect and firm, it's a tree of the desert, of the squares and the gardens.

The impression caused by this speech was varied. As for the form, the eloquent rapture, the literary and philosophical references, the opinion was only one; everyone told me it was complete, and that no one had managed to extract so many ideas from a shako. But the political part was considered deplorable by many people; some thought my speech was a parliamentary disaster; finally, someone told me that others considered me already as part of the opposition, including the oppositionists of the Chamber, who even suggested the convenience of a motion of no confidence. I strongly rejected this interpretation, which

de sacudir o torpor moral e mental em que andava. Vamos lá; façamo-nos governo, é tempo. Eu não havia intervindo até então nos grandes debates. Cortejava a pasta por meio de rapapés, chás, comissões e votos; e a pasta não vinha. Urgia apoderar-me da tribuna.

Comecei devagar. Três dias depois, discutindo-se o orçamento da justiça, aproveitei o ensejo para perguntar modestamente ao ministro se não julgava útil diminuir a barretina da guarda nacional. Não tinha vasto alcance o objeto da pergunta; mas ainda assim demonstrei que não era indigno das cogitações de um homem de Estado; e citei Filopémen, que ordenou a substituição dos broquéis de suas tropas, que eram pequenos, por outros maiores, e bem assim as lanças, que eram demasiado leves; fato que a história não achou que desmentisse a gravidade de suas páginas. O tamanho das nossas barretinas estava pedindo um corte profundo, não só por serem deselegantes, mas também por serem anti-higiênicas. Nas paradas, ao sol, o excesso de calor produzido por elas podia ser fatal. Sendo certo que um dos preceitos de Hipócrates era trazer a cabeça fresca, parecia cruel obrigar um cidadão, por simples consideração de uniforme, a arriscar a saúde e a vida, e consequentemente o futuro da família. A Câmara e o governo deviam lembrar-se que a guarda nacional era o anteparo da liberdade e da independência, e que o cidadão, chamado a um serviço gratuito, frequente e penoso, tinha direito a que se lhe diminuísse o ônus, decretando um uniforme leve e maneiro. Acrescia que a barretina, por seu peso, abatia a cabeça dos cidadãos, e a pátria precisava de cidadãos cuja fronte pudesse levantar-se altiva e serena diante do poder; e concluí com esta ideia: O chorão, que inclina os seus galhos para a terra, é árvore de cemitério; a palmeira, ereta e firme, é árvore do deserto, das praças e dos jardins.

Vária foi a impressão deste discurso. Quanto à forma, ao rapto eloquente, à parte literária e filosófica, a opinião foi só uma; disseram-me todos que era completo, e que de uma barretina ninguém ainda conseguira tirar tantas ideias. Mas a parte política foi considerada por muitos deplorável; alguns achavam o meu discurso um desastre parlamentar; enfim, vieram dizer-me que outros me davam já em oposição, entrando nesse número os oposicionistas da Câmara, que chegaram a insinuar a conveniência de uma moção de desconfiança. Repeli energicamente tal interpretação, que não era só errônea, mas

was not only erroneous, but slanderous, considering the notoriety with which I supported the cabinet; I added that the need to reduce the shako was not so great that it could not wait a few years; and that, in any case, I would compromise on the size of the cut, settling for three quarters of an inch or less; finally, even considering that my idea was not adopted, it was enough for me to have started it in parliament.

Quincas Borba, however, made no criticism. I'm not a politician, he told me at dinner; I don't know if you did well or badly; I know you made an excellent speech. And then he noticed the most prominent parts, the beautiful images, the strong arguments, with this restrained praise that looks so good on a great philosopher; then he took over the subject, and contested the shako with such force, with such lucidity, that he ended up effectively convincing me of its danger.

198

To a Critic

"My dear critic,

A few pages ago, saying I was fifty years old, I added: "You can already feel that my style is not as agile as it was in the early days". Perhaps you think this phrase is incomprehensible, knowing my current condition; but I call your attention to the subtlety of that thought. What I mean is not that I am now older than I was when I started the book. Death does not age. What I mean is that in every phase of my life's narration I experience the corresponding sensation. Good heavens! Everything needs to be explained."

caluniosa, à vista da notoriedade com que eu sustentava o gabinete; acrescentei que a necessidade de diminuir a barretina não era tamanha que não pudesse esperar alguns anos; e que, em todo caso, eu transigiria na extensão do corte, contentando-me com três quartos de polegada ou menos; enfim, dado mesmo que a minha ideia não fosse adotada, bastava-me tê-la iniciado no parlamento.

Quincas Borba, porém, não fez restrição alguma. Não sou homem político, disse-me ele ao jantar; não sei se andaste bem ou mal; sei que fizeste um excelente discurso. E então notou as partes mais salientes, as belas imagens, os argumentos fortes, com esse comedimento de louvor que tão bem fica a um grande filósofo; depois, tomou o assunto à sua conta, e impugnou a barretina com tal força, com tamanha lucidez, que acabou convencendo-me efetivamente do seu perigo.

A um Crítico

"Meu caro crítico,

Algumas páginas atrás, dizendo eu que tinha cinquenta anos, acrescentei: "Já se vai sentindo que o meu estilo não é tão lesto como nos primeiros dias". Talvez aches esta frase incompreensível, sabendo-se o meu atual estado; mas eu chamo a tua atenção para a sutileza daquele pensamento. O que eu quero dizer não é que esteja agora mais velho do que quando comecei o livro. A morte não envelhece. Quero dizer, sim, que em cada fase da narração da minha vida experimento a sensação correspondente. Valha-me Deus! é preciso explicar tudo."

How I Was Not a Minister of State 139

....
....
....
....
....
....
....
....
....
....

Which Explains the Previous One 140

There are things that are best said through silence; such is the subject of the previous chapter. The frustrated ambitious can understand it. If the passion for power is the strongest of all, as some claim, imagine the despair, the pain, the discouragement of the day when I lost the seat in the Chamber of Representatives. All my hopes were gone; the political career ended. And note that Quincas Borba, due to philosophical inductions he made, thought that my ambition was not the true passion for power, but a caprice, a desire for entertainment. In his opinion, this feeling, not being more profound than the other, bothers much more,

139
De Como Não Fui Ministro d'Estado

....
....
....
....
....
....
....
....

140
Que Explica o Anterior

Há coisas que melhor se dizem calando; tal é a matéria do capítulo anterior. Podem entendê-lo os ambiciosos malogrados. Se a paixão do poder é a mais forte de todas, como alguns inculcam, imaginem o desespero, a dor, o abatimento do dia em que perdi a cadeira da Câmara dos Deputados. Iam-se-me as esperanças todas; terminava a carreira política. E notem que o Quincas Borba, por induções filosóficas que fez, achou que a minha ambição não era a paixão verdadeira do poder, mas um capricho, um desejo de folgar. Na opinião dele, este sentimento, não sendo mais profundo que o outro, amofina muito

because it is measured by the love that women have for laces and hats. A Cromwell or a Bonaparte, he added, that is why the passion of power burns them; they get there by force, either by the stairs on the right or by the stairs on the left. That was not my feeling; the latter, not having the same strength, does not have the same certainty of the result; hence the greatest distress, the greatest disenchantment, the greatest sadness. My feeling, according to Humanitism...

"Go to hell with your Humanitism," I interrupted him; "I'm sick of philosophies that don't get me anywhere."

The harshness of the interruption, when it comes to such a philosopher, was equivalent to contempt; but he excused the exasperation with which I spoke to him. Someone brought us coffee; it was one o'clock in the afternoon, we were in my study room, a beautiful room, with a view to the back of the farmstead, good books, art objects, a Voltaire among them, a Voltaire made of bronze, which at that occasion seemed to accentuate the sarcasm giggle with which he looked at me, the thief; excellent chairs; outside, the sun, a great sun, which Quincas Borba, I don't know if by joke or poetry, called one of the ministers of nature; a fresh wind was blowing, the sky was blue. From each window – there were three – it hung a cage with birds, which chirped their rustic operas. Everything had the appearance of a conspiracy of the things against the man: and, though I was in my living room, looking at my farmstead, sitting in my chair, listening to my birds, next to my books, lit by my sun, I couldn't get over missing that other chair, which was not mine.

The Dogs

"But, anyway, what do you intend to do now?" Quincas Borba asked me, putting the empty cup on the windowsill.

"I don't know; I will go to Tijuca; run away from men. I'm ashamed, annoyed. So many dreams, my dear Borba, so many dreams, and I am nothing."

mais, porque orça pelo amor que as mulheres têm às rendas e toucados. Um Cromwell ou um Bonaparte, acrescentava ele, por isso mesmo que os queima a paixão do poder, lá chegam à fina força ou pela escada da direita, ou pela da esquerda. Não era assim o meu sentimento; este, não tendo em si a mesma força, não tem a mesma certeza do resultado; e daí a maior aflição, o maior desencanto, a maior tristeza. O meu sentimento, segundo o Humanitismo...

"Vai para o diabo com o teu Humanitismo", interrompi-o; "estou farto de filosofias que me não levam a coisa nenhuma."

A dureza da interrupção, tratando-se de tamanho filósofo, equivalia a um desacato; mas ele próprio desculpou a irritação com que lhe falei. Trouxeram-nos café; era uma hora da tarde, estávamos na minha sala de estudo, uma bela sala, que dava para o fundo da chácara, bons livros, objetos d'arte, um Voltaire entre eles, um Voltaire de bronze, que nessa ocasião parecia acentuar o risinho de sarcasmo, com que me olhava, o ladrão; cadeiras excelentes; fora, o sol, um grande sol, que o Quincas Borba, não sei se por chalaça ou poesia, chamou um dos ministros da natureza; corria um vento fresco, o céu estava azul. De cada janela – eram três – pendia uma gaiola com pássaros, que chilreavam as suas óperas rústicas. Tudo tinha a aparência de uma conspiração das coisas contra o homem: e, conquanto eu estivesse na minha sala, olhando para a minha chácara, sentado na minha cadeira, ouvindo os meus pássaros, ao pé dos meus livros, alumiado pelo meu sol, não chegava a curar-me das saudades daquela outra cadeira, que não era minha.

Os Cães

"Mas, enfim, que pretendes agora?" perguntou-me Quincas Borba, indo pôr a xícara vazia no parapeito de uma das janelas.

"Não sei; vou meter-me na Tijuca; fugir aos homens. Estou envergonhado, aborrecido. Tantos sonhos, meu caro Borba, tantos sonhos, e não sou nada."

"Nothing!" Quincas Borba interrupted me with a gesture of indignation.

To distract me, he asked me out; we went towards Engenho Velho[107]. We went on foot, philosophizing about things. I will never forget the benefit of this walk. That great man's word was the stimulant of wisdom. He told me that I could not escape the combat; if the tribune was closed to me, I had to open a newspaper. He even used a less polite expression, thus showing that the philosophical language could, at one time or another; strengthen itself in the slang of the people. "You must start a newspaper," he told me, "and dismantle this whole little church."

"Wonderful idea! I will start a newspaper, I will finish them, I will..."

"Fight. You can finish them or not; the essential thing is that you fight. Life is fight. Life without fight is a dead sea at the middle of the universal organism."

In a little while we came across a dogfight; a fact that, at the eyes of a vulgar man, would have no value. Quincas Borba made me stop and watch the dogs. There were two. He noticed that next to them was a bone, the reason for the fight, and he did not fail to draw my attention to the circumstance that the bone had no meat. A mere bare bone. The dogs bit, growled, with fury in their eyes... Quincas Borba put his cane under his arm, and looked ecstatic.

"How beautiful is this!" he said from time to time.

I tried to get him out of there, but I couldn't; he was stuck to the ground, and only continued to walk, when the fight ceased entirely, and one of the dogs, bitten and beaten, went to take its hunger elsewhere. I noticed that he had been genuinely happy, although he contained his joy, as befits a great philosopher. He made me observe the beauty of the spectacle, remembered the object of the fight, concluded that the dogs were hungry; but privation of food was nothing for the general purposes of philosophy. Nor did he fail to remember that in some parts of the globe the spectacle is more grandiose: humans dispute with the dogs for bones and other delicacies less desirable; a fight that becomes very complicated due to the intelligence of man comes into action, with all the accretion of wit that the centuries have given him, etc.

---

107 ENGENHO VELHO is an old parish (set of neighbourhoods) that comprised the entire region today called Grande Tijuca.

"Nada!" interrompeu-me Quincas Borba com um gesto de indignação.

Para distrair-me, convidou-me a sair; saímos para os lados do Engenho Velho[107]. Íamos a pé, filosofando as coisas. Nunca me há de esquecer o benefício desse passeio. A palavra daquele grande homem era o cordial da sabedoria. Disse-me ele que eu não podia fugir ao combate; se me fechavam a tribuna, cumpria-me abrir um jornal. Chegou a usar uma expressão menos elevada, mostrando assim que a língua filosófica podia, uma ou outra vez, retemperar-se no calão do povo. "Funda um jornal", disse-me ele, e "desmancha toda esta igrejinha".

"Magnífica ideia! Vou fundar um jornal, vou escachá-los, vou..."

"Lutar. Podes escachá-los ou não; o essencial é que lutes. Vida é luta. Vida sem luta é um mar morto no centro do organismo universal."

Daí a pouco demos com uma briga de cães; fato que aos olhos de um homem vulgar não teria valor. Quincas Borba fez-me parar e observar os cães. Eram dois. Notou que ao pé deles estava um osso, motivo da guerra, e não deixou de chamar a minha atenção para a circunstância de que o osso não tinha carne. Um simples osso nu. Os cães mordiam-se, rosnavam, com o furor nos olhos... Quincas Borba meteu a bengala debaixo do braço, e parecia em êxtase.

"Que belo que isto é!" dizia ele de quando em quando.

Quis arrancá-lo dali, mas não pude; ele estava arraigado ao chão, e só continuou a andar, quando a briga cessou inteiramente, e um dos cães, mordido e vencido, foi levar a sua fome a outra parte. Notei que ficara sinceramente alegre, posto contivesse a alegria, segundo convinha a um grande filósofo. Fez-me observar a beleza do espetáculo, relembrou o objeto da luta, concluiu que os cães tinham fome; mas a privação do alimento era nada para os efeitos gerais da filosofia. Nem deixou de recordar que em algumas partes do globo o espetáculo mais é grandioso: as criaturas humanas é que disputam aos cães os ossos e outros manjares menos apetecíveis; luta que se complica muito, porque entra em ação a inteligência do homem, com todo o acúmulo de sagacidade que lhe deram os séculos, etc.

---

107 ENGENHO VELHO é uma antiga paróquia (conjunto de bairros) que abrangia toda a região hoje denominada de Grande Tijuca.

The Secret Request

How many things in a minuet! As someone said. How many things in a dogfight! But I was not a servile or fearful disciple, who failed to make one or two appropriate objections. As we walked, I told him I had a doubt; I was not sure about the advantage of disputing with dogs for food. He answered me with extraordinary mildness:

"To dispute the food with men is more logical, because the condition of the contenders is the same, and the strongest takes the bone. But why cannot it be a great spectacle to dispute it with dogs?"

Voluntarily, locusts are eaten, like the Precursor, or worse, like Ezekiel; therefore, bad is edible; it remains to be seen whether it is more worthy of man to dispute it, because of a natural need, or to choose it, in order to obey a religious exaltation, that is, modifiable, whereas hunger is eternal, like life and like death.

We were at the door of my house; someone gave me a letter, saying it came from a lady. We entered, and Quincas Borba, with the very discretion of a philosopher, went to read the spines of the books from a bookshelf, while I read the letter, which was from Virgilia:

"My good friend,

Dona Placida is very ill. I ask you to do something for her; she lives in Escadinhas Alley; please try to put her in the Misericordia Hospital.

Your sincere friend,

"

142 O Pedido Secreto

Quanta coisa num minuete! como dizia o outro. Quanta coisa numa briga de cães! Mas eu não era um discípulo servil ou medroso, que deixasse de fazer uma ou outra objeção adequada. Andando, disse-lhe que tinha uma dúvida; não estava bem certo da vantagem de disputar a comida aos cães. Ele respondeu-me com excepcional brandura:

"Disputá-la aos outros homens é mais lógico, porque a condição dos contendores é a mesma, e leva o osso o que for mais forte. Mas por que não será um espetáculo grandioso disputá-lo aos cães?"

Voluntariamente, comem-se gafanhotos, como o Precursor, ou coisa pior, como Ezequiel; logo, o ruim é comível; resta saber se é mais digno do homem disputá-lo, por virtude de uma necessidade natural, ou preferi-lo, para obedecer a uma exaltação religiosa, isto é, modificável, ao passo que a fome é eterna, como a vida e como a morte.

Estávamos à porta de casa; deram-me uma carta, dizendo que vinha de uma senhora. Entramos, e o Quincas Borba, com a discrição própria de um filósofo, foi ler a lombada dos livros de uma estante, enquanto eu lia a carta, que era de Virgília:

"Meu bom amigo,

D. Plácida está muito mal. Peço-lhe o favor de fazer alguma coisa por ela; mora no Beco das Escadinhas; veja se alcança metê-la na Misericórdia.

Sua amiga sincera,

"

It wasn't Virgilia's fine and correct handwriting, but thick and uneven; the V of the signature was nothing more than a scribble without alphabetical intent; so that, if the letter appeared, it would be very difficult to attribute to her the authorship. I turned the paper again and again. Poor Dona Placida! But I had left her five contos I found in Botafogo Beach, and I couldn't understand that...

"You will understand" said Quincas Borba, taking a book from the shelf.

"What?" I asked in amazement.

"You will understand that I only told you the truth. Pascal is one of my spiritual grandfathers; and, although my philosophy is worth more than his, I cannot deny that he was a great man. Now, what does he says on this page?" And, with the hat on his head, the cane under his arm, he pointed the place with his finger. 'What does he says? He says that man has 'a great advantage over the rest of the universe: he knows that he dies, whereas the universe absolutely ignores it.' You see? Therefore, the man who disputes a bone with a dog has the great advantage of knowing that he is hungry; and this is what makes the fight great, as I said. 'He knows that he dies' is a profound expression; I believe, however, that my expression is the profoundest: he knows he is hungry. Because the fact of death limits, so to speak, human understanding; the awareness of extinction lasts for a brief moment and ends forever, while hunger has the advantage of returning, of prolonging the conscious condition. It seems to me (if there is no immodesty in it) that Pascal's formula is inferior to mine, while still being a great thought, and Pascal a great man."

I Will Not Go 143

While he returned the book to the shelf, I reread the note. At dinner, as he saw that I spoke little, chewed without swallowing, looked at the corner of the room, the tip of the table, a plate, a chair, an invisible fly, he said to me: "There is something going on with you; I bet it was that letter." It was. Indeed, I was upset,

Não era a letra fina e correta de Virgília, mas grossa e desigual; o V da assinatura não passava de um rabisco sem intenção alfabética; de maneira que, se a carta aparecesse, era muito difícil atribuir-lhe a autoria. Virei e revirei o papel. Pobre D. Plácida! Mas eu tinha-lhe deixado os cinco contos da praia de Botafogo, e não podia compreender que...

"Vais compreender", disse Quincas Borba, tirando um livro da estante.

"O quê?" perguntei espantado.

"Vais compreender que eu só te disse a verdade. Pascal é um dos meus avôs espirituais; e, conquanto a minha filosofia valha mais que a dele, não posso negar que era um grande homem. Ora, que diz ele nesta página? "E, chapéu na cabeça, bengala sobraçada, apontava o lugar com o dedo. "Que diz ele? Diz que o homem tem 'uma grande vantagem sobre o resto do universo: sabe que morre, ao passo que o universo ignora-o absolutamente'. Vês? Logo, o homem que disputa o osso a um cão tem sobre este a grande vantagem de saber que tem fome; e é isto que torna grandiosa a luta, como eu dizia. 'Sabe que morre' é uma expressão profunda; creio, todavia, que é mais profunda a minha expressão: sabe que tem fome. Porquanto o fato da morte limita, por assim dizer, o entendimento humano; a consciência da extinção dura um breve instante e acaba para nunca mais, ao passo que a fome tem a vantagem de voltar, de prolongar o estado consciente. Parece-me (se não vai nisso alguma imodéstia) que a fórmula de Pascal é inferior à minha, sem todavia deixar de ser um grande pensamento, e Pascal um grande homem."

143 Não Vou

Enquanto ele restituía o livro à estante, relia eu o bilhete. Ao jantar, vendo que eu falava pouco, mastigava sem acabar de engolir, fitava o canto da sala, a ponta da mesa, um prato, uma cadeira, uma mosca invisível, disse-me ele: "Tens alguma coisa; aposto que foi aquela carta? "Foi. Realmente, sentia-me

annoyed with Virgilia's request. I had given Dona Placida five contos de réis; I highly doubt that anyone was more generous than I was, not even as generous. Five contos! What had she done with them? Naturally she threw them away, ate them at big parties, and now it is Misericordia's responsibility, and I am the one who has to take her! We can die anywhere. In addition, I did not know or I did not remember the Escadinhas Alley; but, judging by the name, it seemed to me some narrow, dark corner of the city. I had to go there, draw the neighbours' attention, knock on the door, etc. What a nuisance! I will not go.

Relative Utility

But the night, which is a good counsellor, pondered that courtesy ordered to obey the wishes of my former lady.

"Overdue bills, it's urgent to pay them" I said when I got up.

After lunch I went to Dona Placida's house; I found a pile of bones, wrapped in rags, laid down in a shallow, old and disgusting bed; I gave her some money. The next day I had her transported to Misericordia, where she died a week later. I lie: she was dead at dawn; she left life on the sly, just as she had entered. Again, I asked myself, as in chapter LXXV, if it was for something like that the sacristan of the Cathedral and the confectioner brought Dona Placida to light, in a moment of special sympathy. But I immediately noticed that, had it not been for Dona Placida, perhaps my loves with Virgilia would have been interrupted, or immediately broken, at the height of its fervour; such was, therefore, the usefulness of Dona Placida's life. Relative utility, I agree; but what the hell it is absolute in this world?

aborrecido, incomodado com o pedido de Virgília. Tinha dado a D. Plácida cinco contos de réis; duvido muito que ninguém fosse mais generoso do que eu, nem tanto. Cinco contos! E que fizera deles? Naturalmente botou-os fora, comeu-os em grandes festas, e agora toca para a Misericórdia, e eu que a leve! Morre-se em qualquer parte. Acresce que eu não sabia ou não me lembrava do tal Beco das Escadinhas; mas, pelo nome, parecia-me algum recanto estreito e escuro da cidade. Tinha de lá ir, chamar a atenção dos vizinhos, bater à porta, etc. Que maçada! Não vou.

144 Utilidade Relativa

Mas a noite, que é boa conselheira, ponderou que a cortesia mandava obedecer aos desejos da minha antiga dama.

"Letras vencidas, urge pagá-las", disse eu ao levantar-me.

Depois do almoço fui à casa de D. Plácida; achei um molho de ossos, envolto em molambos, estendido sobre um catre velho e nauseabundo; dei-lhe algum dinheiro. No dia seguinte fi-la transportar para a Misericórdia, onde ela morreu uma semana depois. Minto: amanheceu morta; saiu da vida às escondidas, tal qual entrara. Outra vez perguntei, a mim mesmo, como no capítulo LXXV, se era para isto que o sacristão da Sé e a doceira trouxeram Dona Plácida à luz, num momento de simpatia específica. Mas adverti logo que, se não fosse D. Plácida, talvez os meus amores com Virgília tivessem sido interrompidos, ou imediatamente quebrados, em plena efervescência; tal foi, portanto, a utilidade da vida de D. Plácida. Utilidade relativa, convenho; mas que diacho há absoluto nesse mundo?

Mere Repetition 145

As for the five contos, it is not worth saying that a stonemason of the neighbourhood pretended to be in love with Dona Placida, managed to awaken her senses, or her vanity, and married her; after a few months he invented a business, sold the bonds and ran away with the money. It's not worth it. This is the case of the dogs of Quincas Borba. Mere repetition of a chapter.

The Plan of Action 146

There was an urgent need to start the newspaper. I wrote the plan of action, which was a political application of Humanitism; only, as Quincas Borba had not yet published the book (which he improved from year to year), we agreed not to mention it. Quincas Borba demanded only a declaration, written by me and private, that some new principles applied to politics were taken from his book, still unpublished.

It was the finest of programs; it promised to heal society, to destroy abuses, to defend the sound principles of freedom and conservation; it appealed to trade and farming; it quoted Guizot[108] and Ledru-Rollin[109], and ended with this threat, which

---

108 FRANÇOIS-PIERRE GUILLAUME GUIZOT (1787/1874) was a French politician and historiographer with a moderate liberal tendency, having held various ministries in various governments and served as prime minister of France between 1847 and 1848.

109 Alexandre Auguste Ledru-Rollin (1807/ 1874) was a French politician, lawyer and journalist, a champion of the working classes and considered one of the great figures of the French left-wing politics in the nineteenth century; he was forced into exile after the failure of the Revolution of 1848.

145 Simples Repetição

Quanto aos cinco contos, não vale a pena dizer que um canteiro da vizinhança fingiu-se enamorado de D. Plácida, logrou espertar-lhe os sentidos, ou a vaidade, e casou com ela; no fim de alguns meses inventou um negócio, vendeu as apólices e fugiu com o dinheiro. Não vale a pena. É o caso dos cães do Quincas Borba. Simples repetição de um capítulo.

146 O Programa

Urgia fundar o jornal. Redigi o programa, que era uma aplicação política do Humanitismo; somente, como o Quincas Borba não houvesse ainda publicado o livro (que aperfeiçoava de ano em ano), assentamos de lhe não fazer nenhuma referência. Quincas Borba exigiu apenas uma declaração, autógrafa e reservada, de que alguns princípios novos aplicados à política eram tirados do livro dele, ainda inédito.

Era a fina flor dos programas; prometia curar a sociedade, destruir os abusos, defender os sãos princípios de liberdade e conservação; fazia um apelo ao comércio e à lavoura; citava Guizot[108] e Ledru-Rollin[109], e acabava com esta ameaça, que o

---

108 FRANÇOIS-PIERRE GUILLAUME GUIZOT (1787/ 1874) foi um político e historiógrafo francês de tendência liberal moderada, tendo ocupado diversos ministérios em vários governos e o cargo de primeiro-ministro de França, entre 1847 e 1848.

109 Alexandre Auguste Ledru-Rollin (1807/1874) foi um político, advogado e jornalista francês, um campeão das classes trabalhadoras e considerado uma das grandes figuras da política de esquerda francesa no século XIX; ele foi forçado ao exílio após o fracasso da Revolução de 1848.

Quincas Borba considered petty and local: "The new doctrine we profess will inevitably overturn the current ministry". I confess that, in the political circumstances of the occasion, the program seemed to me a masterpiece. The threat in the end, which Quincas Borba considered petty, I showed him that it was impregnated with the purest Humanitism, and he confessed it later. Because Humanitism excluded nothing; Napoleon's wars and a feud of goats were, according to our doctrine, the same sublimity, with the difference that Napoleon's soldiers knew they were dying, which apparently does not happen to goats. Now, I did nothing more than apply our philosophical formula to the circumstances: Humanitas wanted to replace Humanitas for the consolation of Humanitas.

"You are my beloved disciple, my caliph" cried Quincas Borba, with a note of tenderness that until then I had not heard from him. "I can say like the great Mohamed: even if the sun and the moon come against me now, I will not retreat from my ideas. Believe, my dear Bras Cubas, that this is the eternal truth, previous to the worlds, subsequent to the centuries."

147 The Folly

I soon sent the press a discreet piece of news, saying that a new oppositional newspaper would be published, in a few weeks, written by Dr. Bras Cubas. Quincas Borba, whom I read the news, took the quill, and added to my name, with a truly humanistic fraternity, this phrase: "one of the most glorious members of the previous Chamber."

The next day Cotrim came to my house. He was a little upset, but he dissimulated it, seeming peaceful and even joyful. He had seen the news in the newspaper, and thought that he should, as a friend and relative, dissuade me from such an idea. It was a mistake, a fatal mistake. He showed that I was going to put myself in a difficult situation, and somehow lock the doors of parliament. The cabinet council, not only seemed excellent to

Quincas Borba achou mesquinha e local: "A nova doutrina que professamos há de inevitavelmente derrubar o atual ministério". Confesso que, nas circunstâncias políticas da ocasião, o programa pareceu-me uma obra-prima. A ameaça do fim, que o Quincas Borba achou mesquinha, demonstrei- lhe que era saturada do mais puro Humanitismo, e ele mesmo o confessou depois. Porquanto, o Humanitismo não excluía nada; as guerras de Napoleão e uma contenda de cabras eram, segundo a nossa doutrina, a mesma sublimidade, com a diferença que os soldados de Napoleão sabiam que morriam, coisa que aparentemente não acontece às cabras. Ora, eu não fazia mais do que aplicar às circunstâncias a nossa fórmula filosófica: Humanitas queria substituir Humanitas para consolação de Humanitas.

"Tu és o meu discípulo amado, o meu califa", bradou Quincas Borba, com uma nota de ternura, que até então lhe não ouvira. "Posso dizer como o grande Muamede: nem que venham agora contra mim o sol e a lua, não recuarei das minhas ideias. Crê, meu caro Brás Cubas, que esta é a verdade eterna, anterior aos mundos, posterior aos séculos."

147 O Desatino

Mandei logo para a imprensa uma notícia discreta, dizendo que provavelmente começaria a publicação de um jornal oposicionista, daí a algumas semanas, redigido pelo Dr. Brás Cubas. Quincas Borba, a quem li a notícia, pegou da pena, e acrescentou ao meu nome, com uma fraternidade verdadeiramente humanística, esta frase: "um dos mais gloriosos membros da passada Câmara".

No dia seguinte entra-me em casa o Cotrim. Vinha um pouco transtornado, mas dissimulava, afetando sossego e até alegria. Vira a notícia do jornal, e achou que devia, como amigo e parente, dissuadir-me de semelhante ideia. Era um erro, um erro fatal. Mostrou que eu ia colocar-me numa situação difícil, e de certa maneira trancar as portas do parlamento. O ministério,

him, which might not be my opinion, but it would certainly live long; and what could I gain by turning it against me? He knew that some of the ministers were fond of me; a vacancy was not impossible, and... I interrupted him at that point, to tell him that I had reflected a lot on the step I was going to take, and that I couldn't go back. I even encouraged him to read the program, but he strongly refused, saying he did not want to have the slightest part in my folly.

"It's a real folly," he repeated; "think for a few more days, and you will see that it's folly."

Sabina said the same at night, in the theatre. She left her daughter in the box with Cotrim, and brought me into the corridor.

"Brother Bras, what are you going to do?" she asked me, distressed. "What kind of idea is that of provoking the government, unnecessarily, when you could..."

I explained to her that it was not convenient for me to beg for a seat in parliament; that my idea was to overturn the ministry, because it did not seem to me appropriate to the situation – and to a certain philosophical formula; I guaranteed that I would always use courteous, yet energetic language. Violence was not a spice of my taste. Sabina tapped the fan on her fingertips, shook her head, and returned to the subject with an air of pleading and threat, alternately; I said no, no, and no. Disappointed, she threw in my face that I preferred the advice of strange and envious people to hers and her husband's. "Well, do whatever you think best," she concluded; "we have fulfilled our obligation." She turned her back on me and went back to the box.

The Insoluble Problem

I published the newspaper. Twenty-four hours later, a Cotrim statement appeared in other newspapers, saying, in short, that "since he did not take part in any of the parties into which the homeland was divided, he felt it appropriate to make it

não só lhe parecia excelente, o que aliás podia não ser a minha opinião, mas com certeza viveria muito; e que podia eu ganhar com indispô-lo contra mim? Sabia que alguns dos ministros me eram afeiçoados; não era impossível uma vaga, e... Interrompi-o nesse ponto, para lhe dizer que meditara muito o passo que ia dar, e não podia recuar uma linha. Cheguei a propor-lhe a leitura do programa, mas ele recusou energicamente, dizendo que não queria ter a mínima parte no meu desatino.

"É um verdadeiro desatino", repetiu ele; "pense ainda alguns dias, e verá que é um desatino."

A mesma coisa disse Sabina, à noite, no teatro. Deixou a filha no camarote, com o Cotrim, e trouxe-me ao corredor.

"Mano Brás, que é que você vai fazer?" perguntou-me aflita. "Que ideia é essa de provocar o governo, sem necessidade, quando podia..."

Expliquei-lhe que não me convinha mendigar uma cadeira no parlamento; que a minha ideia era derrubar o ministério, por não me parecer adequado à situação – e a certa fórmula filosófica; afiancei que empregaria sempre uma linguagem cortês, embora enérgica. A violência não era especiaria do meu paladar. Sabina bateu com o leque na ponta dos dedos, abanou a cabeça, e tornou ao assunto com um ar de súplica e ameaça, alternadamente; eu disse-lhe que não, que não, e que não. Desenganada, lançou-me em rosto preferi os conselhos de pessoas estranhas e invejosas aos dela e do marido. "Pois siga o que lhe parecer", concluiu; "nós cumprimos a nossa obrigação". Deu-me as costas e voltou ao camarote.

148 O Problema Insolúvel

Publiquei o jornal. Vinte e quatro horas depois, aparecia em outros uma declaração do Cotrim, dizendo, em substância, que "posto não militasse em nenhum dos partidos em que se dividia a pátria, achava conveniente deixar bem claro que não

clear that he had no direct or indirect influence on the newspaper of his brother-in-law, Dr. Bras Cubas, whose ideas and political procedure he entirely disapproved. The current cabinet council (as indeed any other composed of equal capacities) seemed to him destined to promote public happiness."

I couldn't believe my eyes. I rubbed them once and twice, and reread the inopportune, unusual and enigmatic statement. If he had nothing to do with the parties, what did he care about an incident as vulgar as the publication of a newspaper? Not all citizens who think a cabinet council good or bad make such statements in the press, nor are they obliged to make them. Indeed, it was a mystery that Cotrim was intruding into this business, no less than his personal aggression. Our relations until then had been sincere and benevolent; I didn't remember any dissent, any shadow, nothing, after the reconciliation. On the contrary, I remembered true favours; so, for example, as a deputy, I was able to get him some supplies for the Navy arsenal, supplies he continued to do with the utmost punctuality, and of which he told me a few weeks earlier that, after three more years, they could give him two hundred contos. Didn't the memory of such a favour have the strength to prevent him from insulting his brother-in-law publicly? The motive for the declaration must have been very powerful, which made him commit both nonsense and ingratitude; I confess it was an insoluble problem...

Theory of the Benefit

...So insoluble that Quincas Borba could not understand it, despite studying it for a long time and with goodwill.

"Never mind!" he concluded; "not all problems are worth five minutes of attention."

As for the censure of ingratitude, Quincas Borba rejected it entirely, not as improbable, but as absurd, for not obeying the conclusions of a good humanistic philosophy.

tinha influência nem parte direta ou indireta na folha de seu cunhado, o Dr. Brás Cubas, cujas ideias e procedimento político inteiramente reprovava. O atual ministério (como aliás qualquer outro composto de iguais capacidades) parecia-lhe destinado a promover a felicidade pública".

Não podia acabar de crer nos meus olhos. Esfreguei-os uma e duas vezes, e reli a declaração inoportuna, insólita e enigmática. Se ele nada tinha com os partidos, que lhe importava um incidente tão vulgar como a publicação de uma folha? Nem todos os cidadãos que acham bom ou mau um ministério fazem declarações tais pela imprensa, nem são obrigados a fazê-las. Realmente, era um mistério a intrusão do Cotrim neste negócio, não menos que a sua agressão pessoal. Nossas relações até então tinham sido lhanas e benévolas; não me lembrava nenhum dissentimento, nenhuma sombra, nada, depois da reconciliação. Ao contrário, as recordações eram de verdadeiros obséquios; assim, por exemplo, sendo eu deputado, pude obter-lhe uns fornecimentos para o arsenal de marinha, fornecimentos que ele continuava a fazer com a maior pontualidade, e dos quais me dizia algumas semanas antes, que no fim de mais três anos, podiam dar-lhe uns duzentos contos. Pois a lembrança de tamanho obséquio não teve força para obstar que ele viesse a público enxovalhar o cunhado? Devia ser muito poderoso e motivo da declaração, que o fazia cometer ao mesmo tempo um destempero e uma ingratidão; confesso que era um problema insolúvel...

149 Teoria do Benefício

... Tão insolúvel que o Quincas Borba não pôde dar com ele, apesar de estudá-lo longamente e com boa vontade.

"Ora adeus!" concluiu; "nem todos os problemas valem cinco minutos de atenção."

Quanto à censura de ingratidão, Quincas Borba rejeitou-a inteiramente, não como improvável, mas como absurda, por não obedecer às conclusões de uma boa filosofia humanística.

"You cannot deny a fact," he said; "the benefactor's pleasure is always greater than the beneficiary's. What is a benefit? It is an act that ends a certain deprivation of the beneficiary. Once the essential effect has been produced, that is, once deprivation has ceased, the organism returns to the previous state, to the indifferent state. Suppose the waistband of your trousers is too tight; to cease the nuisance, you unbutton the waistband, you breathe, you savour an instant of enjoyment, the organism returns to indifference, and you do not remember your fingers that performed the act. If there is nothing that lasts, it is natural that the memory fades, because it is not an aerial plant, it needs ground. The hope of other favours, it is true, always keeps the first favour in the memory of the beneficiary; but this fact, indeed one of the most sublime that philosophy can find in its path, it's explained by the memory of deprivation, or, using another formula, by the continued deprivation in memory, which reflects past pain and advises the precaution of the timely remedy. I do not say that, even without this circumstance, sometimes the memory of the favour does not persist, accompanied by certain affection more or less intense; but they are true aberrations, worthless in the eyes of a philosopher."

"But," I replied, "If there is no reason for the memory of the favour to last in the beneficiary, there is less reason in relation to the benefactor. I would like you to explain this point to me."

"There is no explanation for what is naturally evident," retorted Quincas Borba; "but I will say something else. The persistence of the benefit in the memory of those who exercise it is explained by the very nature of the benefit and its effects. Firstly, there is the feeling of a good deed, and deductively the awareness that we are capable of good deeds; secondly, one receives a conviction of superiority over another creature, superiority of condition and of means; and this is one of the most legitimately pleasant things, according to the best opinions, to the human organism. Erasmus, who in his IN PRAISE OF FOLLY wrote some good things, drew attention to the complacency with which two donkeys scratch each other. I am far from rejecting this Erasmus remark; but I will say what he did not say, namely, if one of the donkeys scratches the other one better, this one must have some special sign of satisfaction in its eyes. Why does a beautiful woman often look in the mirror,

"Não me podes negar um fato", disse ele; "é que o prazer do beneficiador é sempre maior que o do beneficiado. Que é o benefício? é um ato que faz cessar certa privação do beneficiado. Uma vez produzido o efeito essencial, isto é, uma vez cessada a privação, torna o organismo ao estado anterior, ao estado indiferente. Supõe que tens apertado em demasia o cós das calças; para fazer cessar o incômodo, desabotoas o cós, respiras, saboreias um instante de gozo, o organismo torna à indiferença, e não te lembras dos teus dedos que praticaram o ato. Não havendo nada que perdure, é natural que a memória se esvaeça, porque ela não é uma planta aérea, precisa de chão. A esperança de outros favores, é certo, conserva sempre no beneficiado a lembrança do primeiro; mas este fato, aliás um dos mais sublimes que a filosofia pode achar em seu caminho, explica-se pela memória da privação, ou, usando de outra fórmula, pela privação continuada na memória, que repercute a dor passada e aconselha a precaução do remédio oportuno. Não digo que, ainda sem esta circunstância, não aconteça, algumas vezes, persistir a memória do obséquio, acompanhada de certa afeição mais ou menos intensa; mas são verdadeiras aberrações, sem nenhum valor aos olhos de um filósofo."

"Mas", repliquei eu, "se nenhuma razão há para que perdure a memória do obséquio no obsequiado, menos há de haver em relação ao obsequiador. Quisera que me explicasses este ponto."

"Não se explica o que é de sua natureza evidente", retorquiu o Quincas Borba; "mas eu direi alguma coisa mais. A persistência do benefício na memória de quem o exerce explica-se pela natureza mesma do benefício e seus efeitos. Primeiramente há o sentimento de uma boa ação, e dedutivamente a consciência de que somos capazes de boas ações; em segundo lugar, recebe-se uma convicção de superioridade sobre outra criatura, superioridade no estado e nos meios; e esta é uma das coisas mais legitimamente agradáveis, segundo as melhores opiniões, ao organismo humano. Erasmo, que no seu Elogio da Sandice escreveu algumas coisas boas, chamou a atenção para a complacência com que dois burros se coçam um ao outro. Estou longe de rejeitar essa observação de Erasmo; mas direi o que ele não disse, a saber que se um dos burros coçar melhor o outro, esse há de ter nos olhos algum indício especial de satisfação. Por que é que uma mulher bonita olha muitas vezes

if not because she thinks she is beautiful, and because it gives her certain superiority over a multitude of other women who are less beautiful or absolutely ugly? Consciousness is the same thing; it looks in the mirror often, when it thinks it is beautiful. Nor is remorse anything else than the grimace of a conscience that sees itself as hideous. Do not forget that, as everything is a mere irradiation of Humanitas, the benefit and its effects are perfectly admirable phenomena."

Rotation and Translation

In every enterprise, affection or period of years there is an entire cycle of human life. The first issue of my newspaper occupy the whole of my soul with a vast daylight, crowned me with greenness, and restored me to the agility of youth. Six months later it was time for old age, and two weeks later that of death, which was clandestine, like that of Dona Placida. The day the newspaper died, I breathed like a man who has come a long way. So, if I say that human life feeds other lives, more or less ephemeral, as the body feeds its parasites, I believe I'm not saying something entirely absurd. But, in order not to risk this less clear and adequate figure, I prefer to use an astronomical image: Mankind performs a double movement of rotation and translation around the great mystery; it has its days, unequal as those of Jupiter, and with them it makes up its year more or less long.

The moment I finished my rotation movement, Lobo Neves was completing his translation movement. He died with his foot on the ministerial stairs. There were rumours for at least a few weeks that he was going to be a minister; and since the rumour filled me with much irritation and envy, it's not impossible that the news of the death would give me some tranquillity, relief, and a minute or two of pleasure. Pleasure is exaggeration, but it's true; I swear to the centuries that it's true.

para o espelho, senão porque se acha bonita, e porque isso lhe dá certa superioridade sobre uma multidão de outras mulheres menos bonitas ou absolutamente feias? A consciência é a mesma coisa; remira-se a miúdo, quando se acha bela. Nem o remorso é outra coisa mais do que o trejeito de uma consciência que se vê hedionda. Não esqueças que, sendo tudo uma simples irradiação de Humanitas, o benefício e seus efeitos são fenômenos perfeitamente admiráveis."

150 Rotação e Translação

Há em cada empresa, afeição ou idade um ciclo inteiro da vida humana. O primeiro número do meu jornal encheu-me a alma de uma vasta aurora, coroou-me de verduras, restituiu-me a lepidez da mocidade. Seis meses depois batia a hora da velhice, e daí a duas semanas a da morte, que foi clandestina, como a de D. Plácida. No dia em que o jornal amanheceu morto, respirei como um homem que vem de longo caminho. De modo que, se eu disser que a vida humana nutre de si mesma outras vidas, mais ou menos efêmeras, como o corpo alimenta os seus parasitas, creio não dizer uma coisa inteiramente absurda. Mas, para não arriscar essa figura menos nítida e adequada, prefiro uma imagem astronômica: o homem executa à roda do grande mistério um movimento duplo de rotação e translação; tem os seus dias, desiguais como os de Júpiter, e deles compõe o seu ano mais ou menos longo.

No momento em que eu terminava o meu movimento de rotação, concluía Lobo Neves o seu movimento de translação. Morria com o pé na escada ministerial. Correu ao menos durante algumas semanas, que ele ia ser ministro; e pois que o boato me encheu de muita irritação e inveja, não é impossível que a notícia da morte me deixasse alguma tranquilidade, alívio, e um ou dois minutos de prazer. Prazer é muito, mas é verdade; juro aos séculos que é a pura verdade.

I went to the funeral. In the burial chamber, I found Virgilia, next to the coffin, sobbing. When she raised her head, I saw that she was really crying. When leaving the funeral, she hugged the coffin, afflicted; they came to take her inside. I tell you that the tears were true. I went to the cemetery; and, to say it all, I didn't feel like talking; I had a stone in my throat or in my conscience. In the cemetery, especially when I dropped the lime on the coffin at the bottom of the pit, the thud of the lime gave me a passing shudder, sure, but unpleasant; and, moreover, the afternoon had the weight and the colour of lead; the cemetery, the black clothes...

Philosophy of Epitaphs

I left, moving away from the groups, pretending to read the epitaphs. By the way, I like the epitaphs; they are, among civilized people, an expression of that pious and secret selfishness that induces man to pluck from death at least a rag from the shadow that has passed. Hence, perhaps, the inconsolable sadness of those who know that their dead are in the common grave; it seems to them that the anonymous rot reaches them as well.

The Coin of Vespasian

Everyone had left; only my car was waiting for the owner. I lit a cigar; I moved away from the cemetery. I couldn't take the funeral ceremony out of my eyes or Virgilia's sobbing from my ears. Sobbing, especially, had the vague and mysterious sound of a problem. Virgilia had sincerely betrayed her husband, and now she was crying for him sincerely. Here is a difficult combination

Fui ao enterro. Na sala mortuária achei Virgília, ao pé do féretro, a soluçar. Quando levantou a cabeça, vi que chorava deveras. Ao sair o enterro, abraçou-se ao caixão, aflita; vieram tirá-la e levá-la para dentro. Digo-vos que as lágrimas eram verdadeiras. Eu fui ao cemitério; e, para dizer tudo, não tinha muita vontade de falar; levava uma pedra na garganta ou na consciência. No cemitério, principalmente quando deixei cair a pá de cal sobre o caixão, no fundo da cova, o baque surdo da cal deu-me um estremecimento passageiro, é certo, mas desagradável; e depois a tarde tinha o peso e a cor do chumbo; o cemitério, as roupas pretas...

151 Filosofia dos Epitáfios

Saí, afastando-me dos grupos, e fingindo ler os epitáfios. E, aliás, gosto dos epitáfios; eles são, entre a gente civilizada, uma expressão daquele pio e secreto egoísmo que induz o homem a arrancar à morte um farrapo ao menos da sombra que passou. Daí vem, talvez, a tristeza inconsolável dos que sabem os seus mortos na vala comum; parece-lhes que a podridão anônima os alcança a eles mesmos.

152 A Moeda de Vespasiano

Tinham ido todos; só o meu carro esperava pelo dono. Acendi um charuto; afastei-me do cemitério. Não podia sacudir dos olhos a cerimônia do enterro, nem dos ouvidos os soluços de Virgília. Os soluços, principalmente, tinham o som vago e misterioso de um problema. Virgília traíra o marido, com sinceridade, e agora chorava- o com sinceridade. Eis uma

that I could not make during the way to my home; at home, however, getting out of the car, I suspected that the combination was possible, and even easy. Sweet Nature! The fee of the pain is like the coin of Vespasian; it does not smell of its origin, and it is harvested from both evil and good. Morality will rebuke my accomplice, perhaps; that does not matter to you, implacable friend, since you received her tears on time. Sweet, three times Sweet Nature!

The Alienist

I became pathetic and I'd rather sleep. I slept and dreamed I was a nabob, and I woke up with the idea of being nabob. Sometimes I liked to imagine these contrasts of region, condition and creed. A few days earlier I had thought about the possibility of a social, religious and political revolution that would transfer the Archbishop of Canterbury to a mere tax collector in Petropolis[110], and I did long calculations to know if the collector would eliminate the archbishop, or if the last one would reject the collector, or what portion of archbishop can lie on a collector, or what sum of collector can combine with an archbishop, etc. Insoluble issues, apparently, but perfectly soluble, in fact, as long as it is taken into account that there may be two archbishops in an archbishop – that one of the papal bull and the other. It's decided, I will be a nabob.

It was a mere joke; I told it, however, to Quincas Borba, who looked at me with some caution and pity; his kindness lead him to tell me that I was crazy. At first, I laughed; but the philosopher's noble conviction instilled in me certain fear. The only objection against the word of Quincas Borba is that I didn't feel crazy, but since the crazy ones generally have no other concept of themselves, such an objection was worthless. And notice if there is any foundation in the popular belief that philosophers are men who are alien to small matters. The next day, Quincas

---

110   PETROPOLIS is a city close to Rio de Janeiro, in the mountain region, a habitual vacation spot for the city's inhabitants.

combinação difícil que não pude fazer em todo o trajeto; em casa, porém, apeando-me do carro, suspeitei que a combinação era possível, e até fácil. Meiga Natura! A taxa da dor é como a moeda de Vespasiano; não cheira à origem, e tanto se colhe do mal como do bem. A moral repreenderá, porventura, a minha cúmplice; é o que te não importa, implacável amiga, uma vez que lhe recebeste pontualmente as lágrimas. Meiga, três vezes Meiga Natura!

O Alienista

Começo a ficar patético e prefiro dormir. Dormi, sonhei que era nababo, e acordei com a ideia de ser nababo. Eu gostava, às vezes, de imaginar esses contrastes de região, estado e credo. Alguns dias antes tinha pensado na hipótese de uma revolução social, religiosa e política, que transferisse o arcebispo de Cantuária a simples coletor de Petrópolis[110], e fiz longos cálculos para saber se o coletor eliminaria o arcebispo, ou se o arcebispo rejeitaria o coletor, ou que porção de arcebispo pode jazer num coletor, ou que soma de coletor pode combinar com um arcebispo, etc. Questões insolúveis, aparentemente, mas na realidade perfeitamente solúveis, desde que se atenda que pode haver num arcebispo dois arcebispos – o da bula e o outro. Está dito, vou ser nababo.

Era um simples gracejo; disse-o, todavia, ao Quincas Borba, que olhou para mim com certa cautela e pena, levando a sua bondade a comunicar-me que eu estava doido. Ri-me a princípio; mas a nobre convicção do filósofo incutiu-me certo medo. A única objeção contra a palavra do Quincas Borba é que não me sentia doido, mas não tendo geralmente os doidos outro conceito de si mesmos, tal objeção ficava sem valor. E vede se há algum fundamento na crença popular de que os filósofos são homens alheios às coisas mínimas. No dia seguinte, mandou-

---

110 PETROPOLIS é uma cidade próxima ao Rio de Janeiro, na região serrana, um local de férias habitual para os habitantes da cidade.

Borba sent me an alienist. I knew him, I was appalled. However, he behaved with the utmost delicacy and skill, saying goodbye so cheerfully that he encouraged me to ask him if he really didn't think I was crazy.

"No," he said, smiling at me; "Few and rare men will have as much judgment as you."

"So Quincas Borba was wrong?"

"Completely." And then: "On the contrary, if you are his friend... I ask you to distract him... that..."

"Good heavens! Do you think?... A man of such spirit, a philosopher!"

"No matter, madness enters every home."

You can imagine my affliction. The alienist, noticing the effect of his words, recognized that I was a friend of Quincas Borba's, and tried to reduce the severity of the warning. He observed that it could be nothing, and even added that a bit of folly, far from doing harm, gave certain taste to life. As I rejected this opinion with horror, the alienist smiled and said something so extraordinary, so extraordinary, that it deserves no less than a chapter.

The Ships of Piraeus

"You must remember," said the alienist, "that famous Athenian maniac, who supposed that all the ships which entered Piraeus Port were his property. He was nothing but a needy man, who might not have had Diogenes' vat for sleeping; but the imaginary possession of the ships was worth for all drachmas of Hellas. Well, there is a maniac from Athens in all of us; and whoever swears that has never owned, mentally, two or three sailing vessels, at least, believe me, takes a false oath."

"This includes you?"

-me o Quincas Borba um alienista. Conhecia-o, fiquei aterrado. Ele, porém, houve-se com a maior delicadeza e habilidade, despedindo-se tão alegremente que me animou a perguntar-lhe se deveras me não achava doido.

"Não", disse ele sorrindo; "raros homens terão tanto juízo como o senhor."

"Então o Quincas Borba enganou-se?"

"Redondamente". E depois: "Ao contrário, se é amigo dele... peço-lhe que o distraia... que..."

"Justos céus! Parece-lhe?... Um homem de tamanho espírito, um filósofo!"

"Não importa, a loucura entra em todas as casas."

Imaginem a minha aflição. O alienista, vendo o efeito de suas palavras, reconheceu que eu era amigo do Quincas Borba, e tratou de diminuir a gravidade da advertência. Observou que podia não ser nada, e acrescentou até que um grãozinho de sandice, longe de fazer mal, dava certo pico à vida. Como eu rejeitasse com horror esta opinião, o alienista sorriu e disse-me uma coisa tão extraordinária, tão extraordinária, que não merece menos de um capítulo.

154 Os Navios do Pireu

"Há de lembrar-se", disse-me o alienista, "daquele famoso maníaco ateniense, que supunha que todos os navios entrados no Pireu eram de sua propriedade. Não passava de um pobretão, que talvez não tivesse, para dormir, a cuba de Diógenes; mas a posse imaginária dos navios valia por todas as dracmas da Hélade. Ora bem, há em todos nós um maníaco de Atenas; e quem jurar que não possuiu alguma vez, mentalmente, dois ou três patachos, pelo menos, pode crer que jura falso."

"Também o senhor?" perguntei-lhe.

"Me too."

"And me too?"

"You too, and also your servant, if he is your servant, this man who is at the window shaking the rugs."

In fact, it was one of my servants who were shaking the rugs, while we were talking in the garden. The alienist then noticed that the man had opened all the windows, raised the curtains, left the room, richly furnished, as much as possible in plain sight, so that people could see it from outside, and concluded:

"This servant of yours has the habit of the Athenian: he believes that the ships are his; an hour of illusion that gives him the greatest happiness on Earth."

Cordial Reflexion

"If the alienist is right," I said to myself, "we don't have to be so sorry for Quincas Borba; it's a matter of more or of less. However, it is fair to take care of him, and to prevent maniacs from other places from entering his brain."

Pride of Servility

Quincas Borba differed from the alienist in relation to my servant. "We can, by image," he said, "attribute to your servant the mania of the Athenian; but images are not ideas or observations taken from nature. Your servant has a noble feeling and perfectly governed by the laws of Humanitism: it's the pride of

"Também eu."

"Também eu?"

"Também o senhor; e o seu criado, não menos, se é seu criado esse homem que ali está sacudindo os tapetes à janela."

"De fato, era um dos meus criados que batia os tapetes, enquanto nós falávamos no jardim, ao lado. O alienista notou então que ele escancarara as janelas todas deste longo tempo, que alçara as cortinas, que devassara o mais possível a sala, ricamente alfaiada, para que a vissem de fora, e concluiu:

"Este seu criado tem a mania do ateniense: crê que os navios são dele; uma hora de ilusão que lhe dá a maior felicidade da Terra."

155 Reflexão Cordial

"Se o alienista tem razão", disse eu comigo, "não haverá muito que lastimar o Quincas Borba; é uma questão de mais ou de menos. Contudo, é justo cuidar dele, e evitar que lhe entrem no cérebro maníacos de outras paragens."

156 Orgulho da Servilidade

Quincas Borba divergiu do alienista em relação ao meu criado. "Pode-se, por imagem", disse ele, "atribuir ao teu criado a mania do ateniense; mas imagens não são ideias nem observações tomadas à natureza. O que o teu criado tem é um sentimento nobre e perfeitamente regido pelas leis do Humanitismo:

servility. His intention is to show that he is not the servant of any old person."

Then he drew my attention to the coachmen of the mansions, stiffer than their masters, to the hotel servants, whose solicitude obeys the social variation of the customers, etc. And he concluded that all this was the expression of that delicate and noble feeling – clear proof that many times man, although shining boots, is sublime.

Bright Phase

"Sublime, is that you" I cried, putting my arms around his neck.

Indeed, it was impossible to believe that such a profound man could go mad; that's what I said after my hug, denouncing the alienist's suspicion. I cannot describe the impression caused by the complaint; I remember that he shivered and looked very pale.

It was around this time that I reconciled again with Cotrim, without knowing the cause of the dissent. Timely reconciliation, because loneliness was a burden, and, for me, life was the worst fatigue, which is the fatigue without work. Shortly afterwards I was invited by him to join a Third Order[111]; something that I didn't do without consulting Quincas Borba:

"Go, if you want to," he said, "but temporarily. I try to attach a dogmatic and liturgical part to my philosophy. Humanitism must also be a religion, that of the future, the only true one. Christianity is good for women and beggars, and other religions are worth nothing more than that: they are all regulated by the same vulgarity or weakness. The Christian paradise is a worthy emulator of the Muslim paradise; and as for Buddha's nirvana, it is nothing more than a conception of paralytics. You will see

---

111   THIRD ORDERS are secular Catholic associations, linked to traditional medieval religious orders, in particular those of the Franciscans, Carmelites and Dominicans.

é o orgulho da servilidade. A intenção dele é mostrar que não é criado de qualquer."

Depois chamou a minha atenção para os cocheiros de casa grande, mais empertigados que o amo, para os criados de hotel, cuja solicitude obedece às variações sociais da freguesia, etc. E concluiu que era tudo a expressão daquele sentimento delicado e nobre – prova cabal de que muitas vezes o homem, ainda a engraxar botas, é sublime."

Fase Brilhante

"Sublime és tu", bradei eu, lançando-lhe os braços ao pescoço.

Com efeito, era impossível crer que um homem tão profundo chegasse à demência; foi o que lhe disse após o meu abraço, denunciando-lhe a suspeita do alienista. Não posso descrever a impressão que lhe fez a denúncia; lembra-me que ele estremeceu e ficou muito pálido.

Foi por esse tempo que eu me reconciliei outra vez com o Cotrim, sem chegar a saber a causa do dissentimento. Reconciliação oportuna, porque a solidão pesava-me, e a vida era para mim a pior das fadigas, que é a fadiga sem trabalho. Pouco depois fui convidado por ele a filiar-me numa Ordem Terceira[111]; o que eu não fiz sem consultar o Quincas Borba:

"Vai, se queres", disse-me este, "mas temporariamente. Eu trato de anexar à minha filosofia uma parte dogmática e litúrgica. O Humanitismo há de ser também uma religião, a do futuro, a única verdadeira. O cristianismo é bom para as mulheres e os mendigos, e as outras religiões não valem mais do que essa: orçam todas pela mesma vulgaridade ou fraqueza. O paraíso cristão é um digno êmulo do paraíso muçulmano; e quanto ao nirvana de Buda não passa de uma concepção de

---
[111] ORDENS TERCEIRAS são associações católicas seculares, ligadas às ordens religiosas medievais tradicionais, em particular às dos franciscanos, carmelitas e dominicanos.

what humanistic religion is. The final absorption, the contractive phase, is the reconstitution of the substance, not its annihilation, etc. You go where they call you; do not forget, however, that you are my caliph."

And you can see now my modesty; I joined the Third Order of ***, I held some positions there, that was the most brilliant phase of my life. Nevertheless, I keep silent, I won't say anything, I won't tell about my services, what I did for the poor and ill, nor the rewards I received, nothing, I won't say anything at all.

Perhaps the social economy could gain something, if I showed how any strange prize is worth little next to the subjective and immediate prize; but it would break the silence I swore to keep in that regard. Furthermore, the phenomena of consciousness are difficult to analyse; on the other hand, if I told about one, I would have to tell about everyone that are attached to it, and I would end up doing a chapter about psychology. I only say that it was the most brilliant phase of my life. The pictures were sad; they had the monotony of disgrace, which is as boring as that of enjoyment, and perhaps worse. But the joy that is given to the souls of the ill and the poor is a reward of some value; and don't tell me it's negative, because only the beneficiary receives it. No; I received it in a reflexive way, and still great, so great that it gave me an excellent idea of myself.

Two Meetings

After a few years, three or four, I was bored with the job, and I left it, not without an important donation, which gave me the right to the portrait in the sacristy. However, I will not end the chapter without saying who I saw to die in the hospital of the Order, guess?... the beautiful Marcela; and I saw her die the same day that, visiting a tenement, to distribute alms, I found... Now you are not able to guess... I found the flower of the thicket, Eugenia, the daughter of Dona Eusebia and Vilaça, as lame as I had left her, and even sadder.

paralíticos. Verás o que é a religião humanística. A absorção final, a fase contrativa, é a reconstituição da substância, não o seu aniquilamento, etc. Vai aonde te chamam; não esqueças, porém, que és o meu califa".

E vede agora a minha modéstia; filiei-me na Ordem Terceira de ***, exerci ali alguns cargos, foi essa a fase mais brilhante da minha vida. Não obstante, calo-me, não digo nada, não conto os meus serviços, o que fiz aos pobres e aos enfermos, nem as recompensas que recebi, nada, não digo absolutamente nada.

Talvez a economia social pudesse ganhar alguma coisa, se eu mostrasse como todo e qualquer prêmio estranho vale pouco ao lado do prêmio subjetivo e imediato; mas seria romper o silêncio que jurei guardar neste ponto. Demais, os fenômenos da consciência são de difícil análise; por outro lado, se contasse um, teria de contar todos os que a ele se prendessem, e acabava fazendo um capítulo de psicologia. Afirmo somente que foi a fase mais brilhante da minha vida. Os quadros eram tristes; tinham a monotonia da desgraça, que é tão aborrecida como a do gozo, e talvez pior. Mas a alegria que se dá à alma dos doentes e dos pobres, é recompensa de algum valor; e não me digam que é negativa, por só recebê-la o obsequiado. Não; eu recebia-a de um modo reflexo, e ainda assim grande, tão grande que me dava excelente ideia de mim mesmo.

150 Dois Encontros

No fim de alguns anos, três ou quatro, estava enfarado do ofício, e deixei-o, não sem um donativo importante, que me deu direito ao retrato na sacristia. Não acabarei, porém, o capítulo sem dizer que vi morrer no hospital da Ordem, adivinhem quem?... a linda Marcela; e vi-a morrer no mesmo dia em que, visitando um cortiço, para distribuir esmolas, achei... Agora é que não são capazes de adivinhar... achei a flor da moita, Eugênia, a filha de D. Eusébia e do Vilaça, tão coxa como a deixara, e ainda mais triste.

When she perceived me, she paled and looked down; but only for an instant. She immediately raised her head and looked at me with dignity. I realized she wouldn't receive alms from my pocket and I held out my hand to her, as I would do with the wife of a rich man. She greeted me and closed herself in the cubicle. I never saw her again; I knew nothing of her life, not even if her mother was dead, nor what disaster had brought her to such misery. I know she was still lame and sad. With this deep impression I arrived at the hospital, where Marcela had entered the day before, and I saw her expire half an hour later, ugly, thin, decrepit...

Semi-Dementia

I realized that I was old, and I needed support; but Quincas Borba had left for Minas Geraes six months earlier, and took with him the best of philosophies. He returned four months later, and he came into my house one morning, almost in the same condition I had seen him in the Promenade. The difference is that his look had changed. He was demented. He told me that, in order to perfect Humanitism, he had burned the entire manuscript and was going to start it over again. The dogmatic part was complete, though not written; it was the true religion of the future.

"You swear on Humanitas?" he asked me.

"You know I do."

The voice could barely come out of my chest; and, in fact, I hadn't discovered the whole cruel truth. Quincas Borba was not only mad, but he knew he was mad, and this rest of consciousness, like a faint lamp in the midst of darkness, greatly complicated the horror of the situation. He knew it, and he didn't get mad at evil; on the contrary, he told me that it was still a proof of Humanitas; that thus he played with himself. He recited to me long chapters of the book, and antiphons, and spiritual litanies; he even reproduced a sacred dance that he had invented for the ceremonies of Humanitism. The gloomy grace with which he

Esta, ao reconhecer-me, ficou pálida, e baixou os olhos; mas foi obra de um instante. Ergueu logo a cabeça, e fitou-me com muita dignidade. Compreendi que não receberia esmolas da minha algibeira, e estendi-lhe a mão, como faria à esposa de um capitalista. Cortejou-me e fechou-se no cubículo. Nunca mais a vi; não soube nada da vida dela, nem se a mãe era morta, nem que desastre a trouxera a tamanha miséria. Sei que continuava coxa e triste. Foi com esta impressão profunda que cheguei ao hospital, onde Marcela entrara na véspera, e onde a vi expirar meia hora depois, feia, magra, decrépita...

159 Semidemência

Compreendi que estava velho, e precisava de uma força; mas o Quincas Borba partira seis meses antes para Minas Gerais, e levou consigo a melhor das filosofias. Voltou quatro meses depois, e entrou-me em casa, certa manhã, quase no estado em que eu o vira no Passeio Público. A diferença é que o olhar era outro. Vinha demente. Contou-me que, para o fim de aperfeiçoar o Humanitismo, queimara o manuscrito todo e ia recomeçá-lo. A parte dogmática ficava completa, embora não escrita; era a verdadeira religião do futuro.

"Juras por Humanitas?" perguntou-me.

"Sabes que sim."

A voz mal podia sair-me do peito; e aliás não tinha descoberto toda a cruel verdade. Quincas Borba não só estava louco, mas sabia que estava louco, e esse resto de consciência, como uma frouxa lamparina no meio das trevas, complicava muito o horror da situação. Sabia-o, e não se irritava contra o mal; ao contrário, dizia-me que era ainda uma prova de Humanitas, que assim brincava consigo mesmo. Recitava-me longos capítulos do livro, e antífonas, e litanias espirituais; chegou até a reproduzir uma dança sacra que inventara para as cerimônias do Humanitismo. A graça lúgubre com que ele levantava e sacudia

lifted and shook his legs was singularly fantastic. At other times, he would sulk in a corner, with his eyes fixed on the air, eyes in which from time to time a persistent ray of reason glowed, sad as a tear...

He died shortly afterwards, in my house, always swearing and repeating that the pain was an illusion, and that Pangloss, the slandered Pangloss, was not as foolish as Voltaire supposed.

About Denials

Between the death of Quincas Borba and mine, the events narrated in the first part of the book took place. The main one was the invention of the plaster Bras Cubas, which died with me, because of the disease I caught. Divine plaster, you would give me the first place among men, above science and wealth, because you were the genuine and direct inspiration of Heaven. Chance determined the opposite; and there you are eternally hypochondriac.

This last chapter is entirely about denials. I didn't achieve the celebrity of the plaster, I wasn't a minister, I wasn't a caliph, I didn't experience marriage. It is true that, beside these faults, I had the good fortune of not buying the bread with the sweat of my face. More; I did not suffer the death of Dona Placida, or the semi-dementia of Quincas Borba. All things taken together, any person will imagine that there was no shortage or surplus, and consequently that life and me were even. And you will imagine wrongly; because when I came to this other side of the mystery, I found myself with a small positive balance, which is the final denial of this chapter of denials: I had no children; I did not transmit to any creature the legacy of our misery.

THE END

as pernas era singularmente fantástica. Outras vezes amuava-se a um canto, com os olhos fitos no ar, uns olhos em que, de longe em longe, fulgurava um raio persistente da razão, triste como uma lágrima...

Morreu pouco tempo depois, em minha casa, jurando e repetindo sempre que a dor era uma ilusão, e que Pangloss, o caluniado Pangloss, não era tão tolo como o supôs Voltaire.

Das Negativas

Entre a morte do Quincas Borba e a minha, mediaram os sucessos narrados na primeira parte do livro. O principal deles foi a invenção do emplasto Brás Cubas, que morreu comigo, por causa da moléstia que apanhei. Divino emplasto, tu me darias o primeiro lugar entre os homens, acima da ciência e da riqueza, porque eras a genuína e direta inspiração do Céu. O caso determinou o contrário; e aí vos ficais eternamente hipocondríacos.

Este último capítulo é todo de negativas. Não alcancei a celebridade do emplasto, não fui ministro, não fui califa, não conheci o casamento. Verdade é que, ao lado dessas faltas, coube-me a boa fortuna de não comprar o pão com o suor do meu rosto. Mais; não padeci a morte de D. Plácida, nem a semidemência do Quincas Borba. Somadas umas coisas e outras, qualquer pessoa imaginará que não houve míngua nem sobra, e conseguintemente que saí quite com a vida. E imaginará mal; porque ao chegar a este outro lado do mistério, achei-me com um pequeno saldo, que é a derradeira negativa deste capítulo de negativas: "Não tive filhos, não transmiti a nenhuma criatura o legado da nossa miséria.

FIM

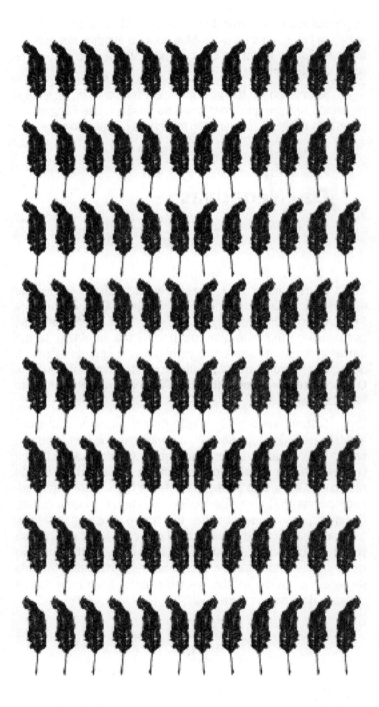

COPYRIGHT © 2020 BY EDITORA LANDMARK LTDA.

TEXTO ADAPTADO À NOVA ORTOGRAFIA DA LÍNGUA PORTUGUESA DECRETO Nº 6.583, DE 29 DE SETEMBRO DE 2008.
PUBLICADO ORIGINALMENTE EM FOLHETINS, A PARTIR DE MARÇO DE 1880, NA "REVISTA BRASILEIRA".

DIRETOR EDITORIAL: FABIO PEDRO-CYRINO
TRADUÇÃO E NOTAS: DORIS GOETTEMS
REVISÃO E ADEQUAÇÃO DA TRADUÇÃO: SÁVIO RAMOS SILVA
DIAGRAMAÇÃO E CAPA: ARQUÉTIPO DESIGN+COMUNICAÇÃO
IMPRESSÃO E ACABAMENTO: ASSOCIAÇÃO RELIGIOSA IMPRENSA DA FÉ

DADOS INTERNACIONAIS DE CATALOGAÇÃO NA PUBLICAÇÃO (CIP)
(CÂMARA BRASILEIRA DO LIVRO, SP, BRASIL)

MACHADO DE ASSIS, JOAQUIM MARIA (1839-1908)
  MEMÓRIAS PÓSTUMAS DE BRÁS CUBAS = THE POSTHMOUS MEMORIS OF BRAS CUBAS / MACHADO DE ASSIS; TRADUÇÃO E NOTAS DORIS GOETTEMS; REVISÃO E ADEQUAÇÃO DA TRADUÇÃO SÁVIO RAMOS SILVA -- SÃO PAULO : EDITORA LANDMARK, 2020.

  EDIÇÃO BILÍNGUE PORTUGUÊS/ INGLÊS
  ISBN 978-85-8070-069-5
  E-ISBN 978-85-8070-070-1

  1. ROMANCE BRASILEIRO I. TÍTULO.

  20-37630   CDD-B 869.3

  ÍNDICES PARA CATÁLOGO SISTEMÁTICO:

  1. ROMANCES : LITERATURA BRASILEIRA   B 869.3

  CIBELE MARIA DIAS - BIBLIOTECÁRIA   CRB-8/9427

TEXTOS ORIGINAIS EM PORTUGUÊS DE DOMÍNIO PÚBLICO.

RESERVADOS TODOS OS DIREITOS DESTA TRADUÇÃO E PRODUÇÃO À EDITORA LANDMARK LTDA.
NENHUMA PARTE DESTA OBRA PODERÁ SER REPRODUZIDA ATRAVÉS DE QUALQUER MÉTODO, NEM SER DISTRIBUÍDA E/ OU ARMAZENADA NO SEU TODO OU EM PARTES ATRAVÉS DE MEIOS ELETRÔNICOS SEM A PERMISSÃO EXPRESSA DA EDITORA LANDMARK LTDA, CONFORME A LEI Nº 9610, DE 19 DE FEVEREIRO DE 1998.

EDITORA LANDMARK

RUA ALFREDO PUJOL, 285 - 12º ANDAR - SANTANA
02017-010 - SÃO PAULO - SP
TEL.: +55 (11) 2711-2566 / 2950-9095
E-MAIL: EDITORA@EDITORALANDMARK.COM.BR
WWW.EDITORALANDMARK.COM.BR

IMPRESSO NO BRASIL
PRINTED IN BRAZIL
2020

  @ EDITORALANDMARK
@ EDITORALANDMARK
@ EDITORALANDMARK

GRANDES CLÁSSICOS EM EDIÇÕES BILÍNGUES

A ABADIA DE NORTHANGER
Jane Austen
A CASA DAS ROMÃS
Oscar Wilde
A CONFISSÃO DE LÚCIO
Mário de Sá-Carneiro
A DIVINA COMÉDIA
Dante Alighieri
A GUERRA DOS MUNDOS
H. G. Wells
A MORADORA DE WILDFELL HALL
Anne Brontë
A VOLTA DO PARAFUSO
Henry James
AO REDOR DA LUA: AUTOUR DE LA LUNE
Jules Verne
AS CRÔNICAS DO BRASIL
Rudyard Kipling
AO FAROL: TO THE LIGHTHOUSE
Virginia Woolf
BEL-AMI
Guy de Maupassant
CONTOS COMPLETOS
Oscar Wilde
CONTOS DO ESPAÇO E DO TEMPO
H. G. Wells
DA TERRA À LUA: DE LA TERRE À LA LUNE
Jules Verne
DOM CASMURRO
Machado de Assis
DRÁCULA
Bram Stoker
EMMA
Jane Austen
FRANKENSTEIN, OU O MODERNO PROMETEU
Mary Shelley
GRANDES ESPERANÇAS
Charles Dickens
JANE EYRE
Charlotte Brontë
LADY SUSAN
Jane Austen
MANSFIELD PARK
Jane Austen
MEDITAÇÕES
John Donne
MEMÓRIAS PÓSTUMAS DE BRÁS CUBAS
Machado de Assis
MOBY DICK
Herman Melville
NORTE E SUL
Elizabeth Gaskell
O AGENTE SECRETO
Joseph Conrad
O CORAÇÃO DAS TREVAS
Joseph Conrad
O CRIME DE LORDE ARTHUR SAVILE E OUTRAS HISTÓRIAS
Oscar Wilde

O ESTRANHO CASO DO DR JEKYLL E DO SENHOR HYDE
Robert Louis Stevenson
O FANTASMA DE CANTERVILLE
Oscar Wilde
O FANTASMA DA ÓPERA
Gaston Leroux
O GRANDE GATSBY
F. Scott Fitzgerald
O HOMEM QUE QUERIA SER REI E OUTROS CONTOS SELECIONADOS
Rudyard Kipling
O HOMEM QUE SABIA JAVANÊS E OUTROS CONTOS SELECIONADOS
Lima Barreto
O MORRO DOS VENTOS UIVANTES
Emily Brontë
O PRÍNCIPE FELIZ E OUTROS CONTOS
Oscar Wilde
O RETRATO DE DORIAN GRAY
Oscar Wilde
O RETRATO DO SENHOR W. H.
Oscar Wilde
O RIQUIXÁ FANTASMA E OUTROS CONTOS MISTERIOSOS
Rudyard Kipling
O TACÃO DE FERRO
Jack London
O ÚLTIMO HOMEM
Mary Shelley
OS LUSÍADAS
Luís vaz de Camões
OS TRINTA E NOVE DEGRAUS
John Buchan
OBRAS INACABADAS
Jane Austen
ORGULHO E PRECONCEITO
Jane Austen
ORLANDO
Virginia Woolf
PERSUASÃO
Jane Austen
RAZÃO E SENSIBILIDADE
Jane Austen
SOB OS CEDROS DO HIMALAIA
Rudyard Kipling
SONETOS
Luís vaz de Camões
SONETOS COMPLETOS
William Shakespeare
TEATRO COMPLETO - VOLUME I
Oscar Wilde
TEATRO COMPLETO - VOLUME II
Oscar Wilde
UM CÂNTICO DE NATAL
Charles Dickens
UMA DEFESA DA POESIA E OUTROS ENSAIOS
Percy Shelley
WEE WILLIE WINKLE E OUTRAS HISTÓRIAS PARA CRIANÇAS
Rudyard Kipling

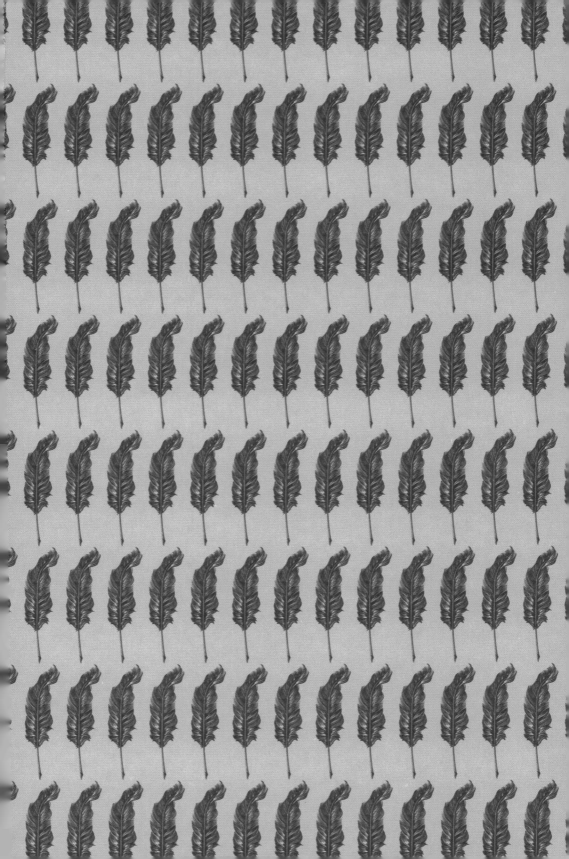

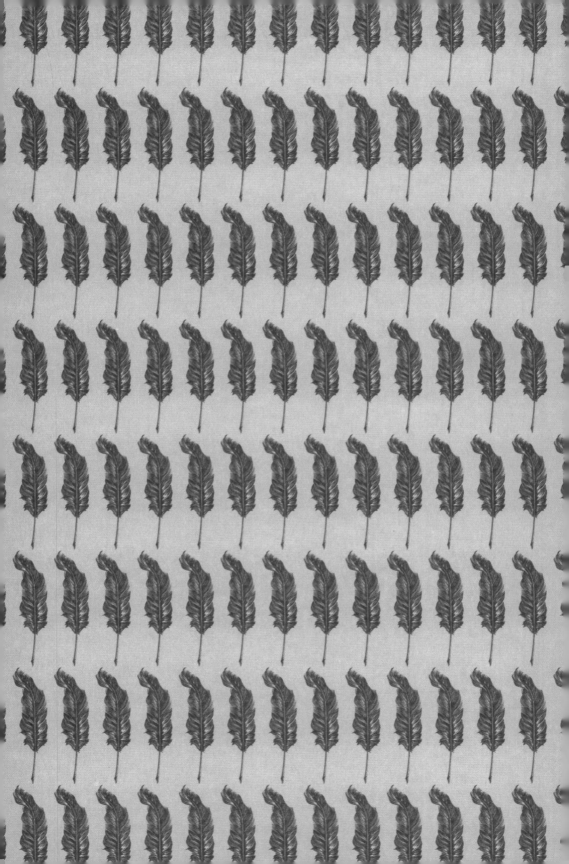